GOLDMANNS GELBE TASCHENBÜCHER

Band 509

E. T. A. Hoffmann, Erzählungen

E. T. A. HOFFMANN

der Dichter des Magischen und Unheimlichen,
ist einer der größten Erzähler der deutschen Romantik.
Er wurde am 24. Januar 1776 in Königsberg i. Pr. geboren
und starb am 25. Juni 1822 in Berlin.

E. T. A. HOFFMANN

ERZÄHLUNGEN

MÜNCHEN

WILHELM GOLDMANN VERLAG

1958 · Made in Germany
Umschlagentwurf: Herbert Lorenz. Druck: Presse-
Druck- und Verlags-GmbH. Augsburg. Bindearbeiten:
Großbuchbinderei Grimm & Bleicher in München.

EINLEITUNG

E. T. A. Hoffmanns Erzählungen – gleichsam Splitter eines großen Spiegels, worin uns der Dichter sein geheimnisvolles Weltbild zeigt – sind bezaubernd in des Wortes verbindlichstem Sinne; sie sind Zauberwerke, Zauberformeln und schöpferische Wunder eines mächtigen Prospero, der sich, um die unzureichende wirkliche Welt zu überhöhen, eine eigene, unwirkliche und höhere Welt selber erschuf. Alles Wirkliche steigert sich hier zu einem Überwirklichen, alles Diesseitige gewinnt sein Licht wie von einem Jenseitigen her; jede Realität bietet sich von Grund aus transparent und also transzendent und will nur Wirklichkeit sein, insofern sie zugleich ein Geistiges beschwört, ohne es je willkürlich zu deuten. Die Gestalten dieser Erzählkunst vertreten keine Geister des Jenseits, aber alle verlangen nach der Auflösung ihrer irdischen Gestalt, als wäre die Preisgabe ihrer Wirklichkeit der Weg ihres Heils. So berührt jeden, der sich dem mythisch-romantischen Zauber dieser Welt überläßt, der ahnungsreiche Hauch überwirklichen Daseins schon in der Person, einer Existenz, darin sich keine Dämonen um Recht und Unrecht streiten, keine Götter in selbstischen Tugenden über Gut und Böse herrschen und keinerlei Teufel durch Versuchungen zum Argen wirken wollen. Alle Geister des Guten und Bösen sind wie zu Menschengestalt und Menschengegenwart besprochen, sind festgebannt in den unbegrenzten Bereich des Möglichen, in eine Welt, die nur deshalb keines Himmels und keiner Hölle bedarf, weil sie selber Himmel und Hölle ist. Hoffmann hat – wie kaum ein Dichter vor oder nach ihm – verstanden, die Figuration des Phantastischen wie jenes hellwache Traumbewußtsein, worin Unmögliches zur Wirklichkeit wird, in die Grenzen der Erzählbarkeit zu rufen. Selbst dort, wo er sich historisierend zum scheinbaren Tatsachenbericht entschließt – wie in seinem »Majorat«, wie in seiner Meistererzählung vom »Fräulein von Scuderi« –, werden Handlungsmotive nicht als Affekte der bloßen Leidenschaft, ja selbst der Wille zu Güte und Hilfsbereitschaft niemals als bares Gutsein erklärt, sondern aus dem Bewußtsein eines Elementaren gespeist, das erst Wirklichkeit und Wahrheit jenseits unseres Willens zu werden verspricht; auch sein verbrecherischer Goldschmied bleibt nicht Übelätter allein, sondern er erscheint als ein dämonischer Vergegenwärtiger des Bösen aus der Unschuld aller Existenz.

Der Dichter, geboren am 24. Januar 1776 in Königsberg in Preußen, entstammt einer bürgerlichen Beamtenfamilie. Er vollendet und überhöht den Kreis der erzählenden deutschen Romantiker und ist der einzige, der mit seinen Werken auch in den französischen Sprachkreis dringt. Zunächst war er Musiker, ein geistiger Schüler Wackenroders, phantasierte mit großer Kunst auf dem Klavier, schrieb Kirchenmusik, schuf sechs Opern und viel Kammermusik, betätigte sich jahrelang als Dirigent und wurde als Musikschriftsteller ein Verkündiger der heroisch-leidenschaftlichen Seele Mozarts, der bis zu Hoffmanns Jünglingszeit als ein spielerischer Musikant des Rokoko mißverstanden worden war. Der Dichter wird zu einem der ersten Herolde Beethovens und ringt als Komponist mit Weber um den Lorbeer der romantischen Oper. Als Student begann er zu zeichnen, fertigte aber zunächst nur Zerrbilder und Karikaturen von solcher Prägnanz des Spottes, daß er deshalb einmal in Polizeigewahrsam genommen ward.

Sein innerer Kampf, sich ausschließlich dem Schriftstellerberuf zu widmen, währt sein ganzes Leben lang. Aber neben allen künstlerischen Zweifeln über die Art seiner innersten Berufung bleibt er doch stets Beamter und bestreitet seinen Lebensunterhalt als Jurist. Sein kritischer Geist ist naturfern; für ihn gibt es keinen unmittelbaren sinnlichen Zugang zur Erscheinungswelt wie für Brentano, Eichendorff oder Mörike. Als Einzelgänger muß er sich erst eine übersinnliche Welt erschaffen, um über sie auszusagen. In solcher willkürlichen Schöpfung verfährt er zwar gleich Brentano und dem späten Goethe als ein »Herrscher im Geheimnis seiner eigenen Welt«, wie sich denn auch bei Goethe allgemach der Realismus des Sinnenhaft-Geschauten ins Abstrakte, ins Allegorische wendet.

Aber Hoffmanns eigentlicher seelischer Aufbruch in die Romantik findet seinen Anstoß nicht wie bei Goethe im »Anreiz des Gleichnishaften«. Er befreit sich auf geheimnisvolle Art musikalisch aus den strengen Grenzen der Klassizität, indem er sich unbewußt von seinem geliebten Meister Gluck wendet, dem er eine seiner frühesten Erzählungen weihte, um alsbald dem »revolutionären« Opernkomponisten Weber in die einfältige Weite schöpferischer Phantasie zu folgen.

Hoffmann wird Referendar in Berlin, später Assessor in seiner Heimatstadt Königsberg. Früheste Jugendschriften, Romane, Erzählungen und Gedichte bleiben ungedruckt. Mit 28 Jahren wird er als Justitiar nach Warschau gerufen, wendet sich aber dort entschlossen der Musik zu. Er dirigiert die städtische Oper, komponiert, gibt Unterricht in Musiktheorie und Klavierstunden und vertont einige Dramen Brentanos, Werners und Calderons. Der Einmarsch der Franzosen macht ihn 1807 zeitweilig mittellos. Mit Musikschriftstellerei erwirbt er nur mühsam sein Brot. Als Dekorationsmaler taucht er später in Bamberg auf, arbeitet sich dort bis zum Theaterarchitekten, bis zum Dramaturgen empor. 1814 begegnen wir ihm in Dresden und Leipzig als Musikdirektor. In Leipzig schreibt er seine bedeutendste Oper »Undine«. Ehe Wagner für das »Gesamtkunstwerk« zu kämpfen begann, proklamiert Hoffmann die Einheit von Bild, Wort und Ton im Drama.

1815 entsteht endlich sein erster großer Roman, »Die Elixiere des Teufels«. 1816 wird er zum Kammergerichtsrat in Berlin ernannt. Diese ehrenvolle Anstellung verschafft ihm endlich Freiheit und Muße zu reicherem dichterischem Schaffen. In den folgenden Berliner Jahren, in welchen er als das Muster eines gewissenhaften Beamten gilt, entsteht sein allerliebenswertester Roman »Kater Murr« wie die meisten seiner zwielichtigen und unheimlichen Dichtungen. Weinfröhliche Nächte bei Lutter & Wegner verbinden ihn mit gleichgesinnten Freunden. Der große Schauspieler Ludwig Devrient zählt zu seiner Tafelrunde. Am 25. Juni 1822 erliegt er – im Alter von 46 Jahren – einem unheilbaren Rückenmarksleiden.

Auf E. T. A. Hoffmanns Grabstein steht der Epitaph: »Ausgezeichnet im Amt, als Dichter, als Tonkünstler, als Maler.« Ernst Theodor Wilhelm Hoffmann, der sich in seiner verehrenden Liebe zu Mozart selber den Namen Amadeus gab, war als Dichter ein Musiker und als Musiker ein Dichter. Sein Gesamtwerk nährte sich aus den Elementen beider Künste. Wer den Dichter Hoffmann schätzt, muß notwendig musikalisch sein; wer den Komponisten Hoffmann liebt – und es gibt leider nur wenige, die um ihn wissen –, wird zugleich die dichterische Gestaltungsart seiner Musikwerke empfinden. Aus dem Epitaph seiner Grabplatte wäre irrtümlich zu folgern, Hoffmanns Leben sei – wie Goethes Leben – harmonisch zwischen Amt und Kunst dahingegangen. Das aber war leider nicht der Fall. Wie tief der innere Zwiespalt in des Dichter-Musikers Natur klaffte, ist daran zu erkennen, daß er zeit seines Lebens um das Einigsein mit sich selber rang. Aber in der Schwebung und Spannung seiner divergierenden musischen Neigungen erhebt er sich doch als Künstler zu einer Größe und Freiheit, wie sie schöpferischen Geistern nur selten beschieden wird. Der Grund seines Wesens war Liebe – und nur die Liebe reicht weit.

Wenn das Wort Friedrich Nietzsches jemals für einen Poeten Geltung gewinnt: »nur Narr – nur Dichter!«, so hat er E. T. A. Hoffmanns innerstes Wesen mit diesem Ausspruch gekennzeichnet. Freilich müssen wir, die wir diesen Schriftsteller und Komponisten lieben, das Närrische in ihm als ein Element erkennen, wie es etwa dasjenige der Narren Shakespeares ist: als eine heiter-resignierte Melancholie des enttäuschten Herzens, eines Herzens, welches die Fesseln wesenloser Gesellschaftlichkeit nicht willkürlich sprengte, indem es sich auf den Schwingen des Witzes über die Menschen erhob, sondern ganz von selber und von den Mächten des Geistes getrieben, dem Kreise des Allzumenschlichen entrann. Hoffmanns Witz war, wie derjenige der Shakespearischen Narren, eine skeptisch-heitere Absage an das Gewöhnliche der Menschenwelt, und er hätte mit Meister Probstein ausrufen können: »Ach, wär ich doch ein Narr! Mein Ehrgeiz geht auf eine bunte Jacke!« Wie Shakespeare in seinen Narren solcherlei Entbundenheit aus dem Trubel der Widerwärtigkeiten und armen Zufälle mit Humor, Tiefsinn und Anmut darstellt, feiert auch Hoffmann über dem Erdenstaub sein eigenes buntes Narrenkleid. In der beträchtlichen Höhe einer Weltsicht, die zugleich närrisch und seraphisch wirkt, steht er dennoch als ein Weiser da, weil er tief unter sich einen Planeten mit Wesen bevölkert erblickt, die zwar sind, wie sie sich geben und finden lassen, aber wohl besser so wären, wie er sie als Dichter erträumt und behandelt. Nur Narr – nur Dichter, und wenn er nur Dichter ist, so ist er doch wohl das meiste, was ein Schöpfergeist sein oder werden kann: der Spiegel einer vorgestellten Welt! Als ein solcher trug Hoffmann das Gleichnis aller Dinge und Mächte in sich selbst, nur war das Glas, worin er diese auffing und woraus er sie zurückgab, leicht parabolisch gebogen und zeichnete demzufolge das Geschaute wie in dämonischen Verzerrungen. So, wie der Maler El Greco das Leibhaft-Wirkliche seiner Gestalten zu inneren Dimensionen erweiterte und figürlich steigerte, übertrug Hoffmann die Realität menschlichen Seins auf die Maße und Längengrade der Phantasmagorie. Die Handelnden in seinen Erzählungen – so lebendig sie auch sind – erscheinen als Geschöpfe solcher Phantasie weit eher aus dem Klange der Musik geborgen zu sein, als der Existenz des lebendigen Fleisches zu entstammen. Von der Fabel her betrachtet, ist der vorgezeichnete Gang ihres Schicksals weit eher mit dem Kontrapunkt eines Kompositionswerkes, als mit dem dichterischen Logos oder gar mit der ethischen Gesetzlichkeit einer vorwaltenden Nemesis zu vergleichen. Der Ariadnefaden ihres meist tiefverworrenen Geschicks ist nirgends in das Gewebe richtender Moral verstrickt; er liegt, zum feinmaschigen Gespinst der freiesten Phantasie gewirkt, wie ein lichter und bunter Schleier des Unaussprechlichen, ja selbst des Jenseitigen über seinem Erzählwerk gebreitet. Melos ist das Gesetz auch seiner dichterischen Kompositionsweise, Harmonie der Urtrieb, aus dem hervor er das Ungewöhnliche in Form und Gestalt herbeizwingt. So, wie seine kindliche Sängerin Antonie in der Erzählung vom Rat Krespel sich in mystischer Geschwisterlichkeit in die Seele der Amatigeige verwandelt und der Ton dieses Instrumentes wiederum ihren Gesang begeistert, zeigen sich überall die Neigungen, Fähigkeiten und Gaben seiner Gestalten den Mächten und den Dingen elementarisch verwandt. Diese Gestalten entstehen – sie leben nicht, notdürftig aus moralischen Forderungen gespeist, sondern sie treten als Klang und Melodie wie aus dem ordnenden Walten des Kontrapunktes hervor, der ganz aus sich selber die Richte gibt, wie Gut und Böse unsere Welt im Gleichgewicht halten.

Bernd Holger Bonsels

RAT KRESPEL

Dieser Rat Krespel war nämlich einer der allerwunderlichsten Menschen, die mir jemals im Leben vorgekommen. Als ich nach H. zog, um mich einige Zeit dort aufzuhalten, sprach die ganze Stadt von ihm, weil soeben einer seiner allernärrischsten Streiche in voller Blüte stand. Krespel war berühmt als gelehrter, gewandter Jurist und als tüchtiger Diplomatiker. Ein nicht eben bedeutender regierender Fürst in Deutschland hatte sich an ihn gewandt, um ein Memorial auszuarbeiten, das die Ausführung seiner rechtsbegründeten Ansprüche auf ein gewisses Territorium zum Gegenstand hatte und das er dem Kaiserhofe einzureichen gedachte. Das geschah mit dem glücklichsten Erfolg, und da Krespel einmal geklagt hatte, daß er nie eine Wohnung seiner Bequemlichkeit gemäß finden könne, übernahm der Fürst, um ihn für jenes Memorial zu lohnen, die Kosten eines Hauses, das Krespel ganz nach seinem Gefallen aufbauen lassen sollte. Auch den Platz dazu wollte der Fürst nach Krespels Wahl ankaufen lassen; das nahm Krespel indessen nicht an, vielmehr blieb er dabei, daß das Haus in seinem vor dem Tor in der schönsten Gegend gelegenen Garten erbaut werden solle. Nun kaufte er alle nur möglichen Materialien zusammen und ließ sie herausfahren; dann sah man ihn, wie er tagelang in seinem sonderbaren Kleide – das er übrigens selbst angefertigt nach bestimmten eigenen Prinzipien – den Kalk löschte, den Sand siebte, die Mauersteine in regelmäßige Haufen aufsetzte und so weiter. Mit irgendeinem Baumeister hatte er nicht gesprochen, an irgendeinen Riß nicht gedacht. An einem guten Tage ging er indessen zu einem tüchtigen Maurermeister in H. und bat ihn, sich morgen bei Anbruch des Tages mit sämtlichen Gesellen und Burschen, vielen Handlangern und so weiter in dem Garten einzufinden und sein Haus zu bauen. Der Baumeister fragte natürlicherweise nach dem Bauriß und erstaunte nicht wenig, als Krespel erwiderte, es bedürfe dessen gar nicht und es werde sich schon alles, wie es sein solle, fügen. Als der Meister anderen Morgens mit seinen Leuten an Ort und Stelle kam, fand er einen im regelmäßigen Viereck gezogenen Graben, und Krespel sprach: »Hier soll das Fundament meines Hauses gelegt werden, und dann bitte ich, die vier Mauern so lange heraufzuführen, bis ich sage, nun ist's hoch genug.« – »Ohne Fenster und Türen, ohne Quermauern?« fiel der Meister, wie über Krespels Wahnsinn erschrocken, ein. »So wie ich

Ihnen es sage, bester Mann«, erwiderte Krespel sehr ruhig, »das übrige wird sich alles finden.« Nur das Versprechen reicher Belohnung konnte den Meister bewegen, den unsinnigen Bau zu unternehmen; aber nie ist einer lustiger geführt worden, denn unter beständigem Lachen der Arbeiter, die die Arbeitsstätte nie verließen, da es Speis und Trank vollauf gab, stiegen die vier Mauern unglaublich schnell in die Höhe, bis eines Tages Krespel rief: »Halt!« Da schwieg Kell und Hammer, die Arbeiter stiegen von den Gerüsten herab, und indem sie den Krespel im Kreise umgaben, sprach es aus jedem lachenden Gesicht: »Aber wie nun weiter?« – »Platz!« rief Krespel, lief nach einem Ende des Gartens und schritt dann langsam auf sein Viereck los, dicht an der Mauer schüttelte er unwillig den Kopf, lief nach dem andern Ende des Gartens, schritt wieder auf das Viereck los und machte es wie zuvor. Noch einige Male wiederholte er das Spiel, bis er endlich, mit der spitzen Nase hart an die Mauer anlaufend, laut schrie: »Heran, heran, ihr Leute, schlagt mir die Tür ein, hier schlagt mir eine Tür ein!« – Er gab Länge und Breite genau nach Fuß und Zoll, an, und es geschah, wie er geboten. Nun schritt er hinein in das Haus und lächelte wohlgefällig, als der Meister bemerkte, die Mauern hätten gerade die Höhe eines tüchtigen zweistöckigen Hauses. Krespel ging in dem innern Raum bedächtig auf und ab, hinter ihm her die Maurer mit Hammer und Hacke, und sowie er rief: »Hier ein Fenster, sechs Fuß hoch, vier Fuß breit – dort ein Fensterchen, drei Fuß hoch, zwei Fuß breit!«, so wurde es flugs eingeschlagen. Gerade während dieser Operation kam ich nach H., und es war höchst ergötzlich anzusehen, wie Hunderte von Menschen um den Garten herumstanden und allemal laut aufjubelten, wenn die Steine herausflogen und wieder ein neues Fenster entstand, da, wo man es gar nicht vermutet hatte. Mit dem übrigen Ausbau des Hauses und mit allen Arbeiten, die dazu nötig waren, machte es Krespel auf ebendieselbe Weise, indem sie alles an Ort und Stelle nach seiner augenblicklichen Angabe verfertigen mußten. Die Possierlichkeit des ganzen Unternehmens, die gewonnene Überzeugung, daß alles am Ende sich besser zusammengeschickt, als zu erwarten stand, vorzüglich aber Krespels Freigebigkeit, die ihn freilich nichts kostete, erhielt aber alle bei guter Laune. So wurden die Schwierigkeiten, die die abenteuerliche Art, zu bauen, herbeiführen mußte, überwunden, und in kurzer Zeit stand ein völlig eingerichtetes Haus da, welches von der Außenseite den tollsten Anblick gewährte, da kein Fenster dem andern gleich war und so weiter, dessen innere Einrichtung aber eine ganz eigene Wohlbehaglichkeit erregte. Alle, die hineinkamen, versicherten dies, und ich selbst fühlte es, als Krespel nach näherer Bekanntschaft mich hineinführte. Bis jetzt hatte ich nämlich mit dem seltsamen Manne noch nicht gesprochen, der Bau beschäftigte ihn so sehr, daß er nicht einmal sich bei dem Professor M. . . dienstags, wie er sonst pflegte, zum Mittagessen einfand und ihm, als er ihn besonders eingeladen, sagen ließ, vor dem Einweihungsfeste seines Hauses käme er mit keinem Tritt aus der Tür. Alle Freunde und Bekannten verspitzten sich auf ein großes Mahl, Krespel hatte aber niemanden gebeten als sämtliche Meister, Gesellen, Bursche und Handlanger, die sein Haus erbaut. Er bewirtete sie mit den feinsten Speisen; Maurerburschen fraßen rücksichtslos Rebhuhnpasteten, Tischlerjungen hobelten mit Glück an gebratenen Fasanen, und hungrige Handlanger langten diesmal sich selbst die vortrefflichsten Stücke aus dem Trüffelfrikassee zu. Des Abends kamen die Frauen und Töchter, und es begann ein großer Ball. Krespel walzte etwas Weniges mit den Meisterfrauen, setzte sich dann aber zu den Stadtmusikanten, nahm eine Geige und dirigierte die Tanzmusik bis zum hellen Morgen. Den Dienstag nach diesem Feste, welches den Rat Krespel als Volksfreund darstellte, fand ich ihn endlich zu meiner nicht geringen Freude bei dem Professor M . . . Verwunderlicheres als Krespels Betragen kann man nicht erfinden. Steif und und ungelenk in der Bewegung, glaubte man jeden Augenblick, er würde irgendwo anstoßen, irgendeinen Schaden anrichten, das geschah aber nicht, und man wußte es schon, denn die Hausfrau erblaßte nicht im mindesten, als er mit gewaltigem Schritt um den mit den schönsten Tassen besetzten Tisch sich herumschwang, als er gegen den bis zum Boden reichenden Spiegel manövrierte, als er selbst einen Blumentopf von herrlich gemaltem Porzellan ergriff und in der Luft herumschwenkte, als ob er die Farben spielen lassen wolle. Überhaupt besah Krespel vor Tische alles in des Professors Zimmer auf das genaueste, er langte sich auch wohl, auf den gepolsterten Stuhl steigend, ein Bild von der Wand herab und hing es wieder auf. Dabei sprach er viel und heftig; bald – bei Tische wurde es auffallend – sprang er schnell von einer Sache auf die andere, bald konnte er von einer Idee gar nicht loskommen; immer sie wieder ergreifend, geriet er in allerlei wunderliche Irrgänge und konnte sich nicht wiederfinden, bis ihn etwas anderes erfaßte. Sein Ton war bald rauh und heftig schreiend, bald leise gedehnt, singend, aber immer paßte er nicht zu dem, was Krespel sprach. Es war von Musik die Rede, man rühmte einen neuen Komponisten, da lächelte Krespel und sprach mit seiner leisen, singenden Stimme: »Wollt ich doch, daß der schwarzgefiederte Satan den verruchten Tonverdreher zehntausend Millionen Klafter tief in den Abgrund der Hölle schlüge!« – Dann fuhr er heftig und wild heraus: »Sie ist ein Engel des Himmels, nichts als reiner, gottgeweihter Klang und Ton! – Licht und Sternbild alles Gesanges!« – Und dabei standen ihm Tränen in den Augen. Man mußte sich erinnern, daß vor einer Stunde von einer berühmten Sängerin gesprochen worden. Es wurde ein Hasenbraten verzehrt, ich bemerkte, daß Krespel die Knochen auf seinem Teller vom Fleische sorglich säuberte und genaue Nachfrage nach den Hasenpfoten hielt, die ihm des Professors fünfjähriges Mädchen mit sehr freundlichem Lächeln brachte. Die Kinder hatten überhaupt den Rat schon während des Essens sehr freundlich angeblickt, jetzt standen sie auf und nahten sich ihm, jedoch in scheuer Ehrfurcht und nur auf drei Schritte. Was soll denn das werden? dachte ich im Innern. Das Dessert wurde aufgetragen; da zog der Rat ein Kistchen aus der Tasche, in dem eine kleine stählerne Drehbank lag, die schrob er sofort an den Tisch fest, und nun drechselte er mit unglaublicher Geschicklichkeit und Schnelligkeit aus den Hasenknochen allerlei winzig kleine Döschen und Büchschen und Kügelchen, die die Kinder jubelnd empfingen. Im Moment des Aufstehens von der Tafel fragte des Professors Nichte: »Was macht denn unsere Antonie, lieber Rat?« – Krespel schnitt ein Gesicht, als wenn jemand in eine bittere Pomeranze beißt und dabei aussehen will, als wenn er Süßes genossen; aber bald verzog sich dies Gesicht zur graulichen Maske, aus der recht bitterer, grimmiger, ja, wie es mir schien, recht teuflischer Hohn herauslachte. »Unsere? Unsere liebe Antonie?« frug er mit gedehntem, unangenehm singendem Tone. Der Professor kam schnell heran; in dem strafenden Blick, den er der Nichte zuwarf, las ich, daß sie eine Saite berührt hatte, die in Krespels Innerm widrig dissonieren mußte. »Wie steht es mit den Violinen?« frug der Professor recht lustig, indem er den Rat bei beiden Händen erfaßte. Da heiterte sich Krespels Gesicht auf, und er erwiderte mit seiner starken Stimme: »Vortrefflich, Professor, erst heute hab' ich die treffliche Geige von Amati, von der ich neulich erzählte, welch ein Glücksfall sie mir in die Hände gespielt, erst heute habe ich sie aufgeschnitten. Ich hoffe, Antonie wird das übrige sorgfältig zerlegt haben.« – »Antonie ist ein gutes Kind«, sprach der Professor. »Ja wahrhaftig, das ist sie!« schrie der Rat, indem er sich schnell umwandte und, mit einem Griff Hut und Stock erfassend, schnell zur Türe hinaussprang. Im Spiegel erblickte ich, daß ihm helle Tränen in den Augen standen.

Sobald der Rat fort war, drang ich in den Professor, mir doch nur gleich zu sagen, was es mit den Violinen und vorzüglich mit Antonien für eine Bewandtnis habe. »Ach«, sprach der Professor, »wie denn der Rat überhaupt ein ganz wunderlicher Mensch ist, so treibt er auch das Violinbauen auf ganz eigne tolle Weise.« – »Violinbauen?« fragte ich ganz erstaunt. »Ja«, fuhr der Professor fort, »Krespel verfertigt nach dem Urteil der Kenner die herrlichsten Violinen, die man in neuerer Zeit nur finden kann; sonst ließ er manchmal, war ihm eine besonders gelungen, andere darauf spielen, das ist aber seit einiger Zeit ganz vorbei. Hat Krespel eine Violine gemacht, so spielt er selbst eine oder zwei Stunden darauf, und zwar mit höchster Kraft, mit hinreißendem Ausdruck, dann hängt er sie aber zu den übrigen, ohne sie jemals wieder zu berühren oder von andern berühren zu lassen. Ist nur irgendeine Violine von einem alten vorzüglichen Meister aufzutreiben, so kauft sie der Rat um jeden Preis, den man ihm stellt. Ebenso wie seine Geigen spielt er sie aber nur ein einziges Mal, dann nimmt er sie auseinander, um ihre innere Struktur genau zu untersuchen, und wirft, findet er nach seiner Einbildung nicht das, was er gerade suchte, die Stücke unmutig in einen großen Kasten, der schon voll Trümmer zerlegter Violinen ist.« – »Wie ist es aber mit Antonien?« frug ich schnell und heftig. »Das ist nun«, fuhr der Professor fort, »das ist nun eine Sache, die den Rat mich könnte in höchstem Grade verabscheuen lassen, wenn ich nicht überzeugt wäre, daß bei dem im tiefsten Grunde bis zur Weichlichkeit gutmütigen Charakter des Rates es damit eine besondere geheime Bewandtnis haben müsse. Als vor mehreren Jahren der Rat hierher nach H. kam, lebte er anachoretisch mit einer alten Haushälterin in einem finstern Hause auf der —straße. Bald erregte er durch seine Sonderbarkeiten die Neugierde der Nachbarn, und sogleich, als er dies merkte, suchte und fand er Bekanntschaften. Eben wie in meinem Hause gewöhnte man sich überall so an ihn, daß er unentbehrlich wurde. Seines rauhen Äußeren unerachtet, liebten ihn sogar die Kinder, ohne ihn zu belästigen, denn trotz aller Freundlichkeit behielten sie eine gewisse scheue Ehrfurcht, die ihn vor allem Zudringlichen schützte. Wie er die Kinder durch allerlei Künste zu gewinnen weiß, haben Sie heute gesehen. Wir hielten ihn alle für einen Hagestolz, und er widersprach dem nicht. Nachdem er sich einige Zeit hier aufgehalten, reiste er ab, niemand wußte wohin, und kam nach einigen Monaten wieder. Den andern Abend nach seiner Rückkehr waren Krespels Fenster ungewöhnlich erleuchtet, schon dies machte die Nachbarn aufmerksam, bald vernahm man aber die ganz wunderherrliche Stimme eines Frauenzimmers, von einem Pianoforte begleitet. Dann wachten die Töne einer Violine auf und stritten in regem, feurigem Kampfe mit der Stimme. Man hörte gleich, daß es der Rat war, der spielte. – Ich selbst mischte mich unter die zahlreiche Menge, die das wundervolle Konzert vor dem Hause des Rates versammelt hatte, und ich muß Ihnen gestehen, daß gegen die Stimme, gegen den ganz eigenen, tief in das Innerste dringenden Vortrag der Unbekannten mir der Gesang der berühmtesten Sängerinnen, die ich gehört, matt und ausdruckslos schien. Nie hatte ich eine Ahnung von diesen lang ausgehaltenen Tönen, von diesen Nachtigallwirbeln, von diesem Auf- und Abwogen, von diesem Steigen bis zur Stärke des Orgellautes, von diesem Sinken bis zum leisesten Hauch. Nicht einer war, den der süßeste Zauber nicht umfing, und nur leise Seufzer gingen in der tiefen Stille auf, wenn die Sängerin schwieg. Es mochte schon Mitternacht sein, als man den Rat sehr heftig reden hörte, eine andere männliche Stimme schien, nach dem Tone zu urteilen, ihm Vorwürfe zu machen, dazwischen klagte ein Mädchen in abgebrochenen Reden. Heftiger und heftiger schrie der Rat, bis er endlich in jenen gedehnten singenden Ton fiel, den Sie kennen. Ein lauter Schrei des Mädchens unterbrach ihn, dann wurde es totenstille, bis plötzlich es die Treppe herabpolterte und ein junger Mensch schluchzend herausstürzte, der sich in eine nahe stehende Postchaise warf und rasch davonfuhr. Tags darauf erschien der Rat sehr heiter, und niemand hatte den Mut, ihn nach der Begebenheit der vorigen Nacht zu fragen. Die Haushälterin sagte aber auf Befragen, daß der Rat ein bildhübsches, blutjunges Mädchen mitgebracht, die er Antonie nenne und die eben so schön gesungen. Auch sei ein junger Mann mitgekommen, der sehr zärtlich mit Antonien getan und wohl ihr Bräutigam sein müsse. Der habe aber, weil es der Rat durchaus gewollt, schnell abreisen müssen. – In welchem Verhältnis Antonie mit dem Rat stehet, ist bis jetzt ein Geheimnis, aber so viel ist gewiß, daß er das arme Mädchen auf die gehässigste Weise tyrannisiert. Er bewacht sie wie der Doktor Bartolo im »Barbier von Sevillien« sein Mündel; kaum darf sie sich am Fenster blicken lassen. Führt er sie auf inständiges Bitten einmal in Gesellschaft, so verfolgt er sie mit Argusblicken und leidet durchaus nicht, daß sich irgendein musikalischer Ton hören lasse, viel weniger daß Antonie singe, die übrigens auch in seinem Hause nicht mehr singen darf. Antoniens Gesang in jener Nacht ist daher unter dem Publikum der Stadt zu einer Phantasie und Gemüt aufregenden Sage von einem herrlichen Wunder geworden, und selbst die, welche sie gar nicht hörten, sprechen oft, versucht sich eine Sängerin hier am Orte: »Was ist denn das für ein gemeines Quinkelieren? Nur Antonie vermag zu singen.« –

Ihr wißt, daß ich auf solche phantastischen Dinge ganz versessen bin, und könnt wohl denken, wie notwendig ich es fand, Antoniens Bekanntschaft zu machen. Jene Äußerungen des Publikums über Antoniens Gesang hatte ich selbst schon öfters vernommen, aber ich ahnte nicht, daß die Herrliche am Orte sei und in den Banden des wahnsinnigen Krespels wie eines tyrannischen Zauberers liege. Natürlicherweise hörte ich auch sogleich in der folgenden Nacht Antoniens wunderbaren Gesang, und da sie mich in einem herrlichen Adagio – lächerlicherweise kam es mir vor, als hätte ich es selbst komponiert – auf das rührendste beschwor, sie zu retten, so war ich bald entschlossen, ein zweiter Astolfo, in Krespels Haus wie in Alzinens Zauberburg einzudringen und die Königin des Gesanges aus schmachvollen Banden zu befreien.

Es kam alles anders, als ich mir gedacht hatte; denn kaum hatte ich den Rat zwei- bis dreimal gesehen und mit ihm eifrig über die beste Struktur der Geigen gesprochen, als er mich selbst einlud, ihn in seinem Hause zu besuchen. Ich tat es, und er zeigte mir den Reichtum seiner Violinen. Es hingen deren wohl dreißig in einem Kabinett, unter ihnen zeichnete sich eine durch alle Spuren der hohen Altertümlichkeit – geschnitzten Löwenkopf und so weiter – aus, und sie schien, höher gehängt und mit einer darüber angebrachten Blumenkrone, als Königin den andern zu gebieten. »Diese Violine«, sprach Krespel, nachdem ich ihn darum befragt, »diese Violine ist ein sehr merkwürdiges, wunderbares Stück eines unbekannten Meisters, wahrscheinlich aus Tartinis Zeiten. Ganz überzeugt bin ich, daß in der innern Struktur etwas Besonderes liegt und daß, wenn ich sie zerlegte, sich mir ein Geheimnis erschließen würde, dem ich längst nachspürte, aber – lachen Sie mich nur aus, wenn Sie wollen – dies tote Ding, dem ich selbst doch nur erst Leben und Laut gebe, spricht oft aus sich selbst zu mir auf wunderliche Weise, und es war mir, da ich zum ersten Male darauf spielte, als wär' ich nur der Magnetiseur, der die Somnambule zu erregen vermag, daß sie selbsttätig ihre innere Anschauung in Worten verkündet. – Glauben Sie ja nicht, daß ich geckhaft genug bin, von solchen Phantastereien auch nur das mindeste zu halten, aber eigen ist es doch, daß ich es nie über mich erhielt, jenes dumme tote Ding dort aufzuschneiden. Lieb ist es mir jetzt, daß ich es nicht getan, denn seitdem Antonie hier ist, spiele ich ihr zuweilen etwas auf dieser Geige vor. – Antonie hört es gern – gar gern.« Die Worte sprach der Rat mit sichtlicher Rührung, das ermutigte mich zu den Worten:

»O mein bester Herr Rat, wollten Sie das nicht in meiner Gegenwart tun?« Krespel schnitt aber sein süßsaures Gesicht und sprach mit gedehntem singendem Ton: »Nein, mein bester Herr Studiosus!« Damit war die Sache abgetan. Nun mußte ich noch mit ihm allerlei, zum Teil kindische Raritäten besehen; endlich griff er in ein Kistchen und holte ein zusammengelegtes Papier heraus, das er mir in die Hand drückte, sehr feierlich sprechend: »Sie sind ein Freund der Kunst, nehmen Sie dies Geschenk als ein teures Andenken, das Ihnen ewig über alles wert bleiben muß.« Dabei schob er mich bei beiden Schultern sehr sanft nach der Tür zu und umarmte mich an der Schwelle. Eigentlich wurde ich doch von ihm auf symbolische Weise zur Tür hinausgeworfen. Als ich das Papierchen aufmachte, fand ich ein ungefähr ein Achtelzoll langes Stückchen einer Quinte und dabei geschrieben: »Von der Quinte, womit der selige Stamitz seine Geige bezogen hatte, als er sein letztes Konzert spielte.« – Die schnöde Abfertigung, als ich Antoniens erwähnte, schien mir zu beweisen, daß ich sie wohl nie zu sehen bekommen würde; dem war aber nicht so, denn als ich den Rat zum zweiten Male besuchte, fand ich Antonien in seinem Zimmer, ihm helfend bei dem Zusammensetzen einer Geige. Antoniens Äußeres machte auf den ersten Anblick keinen starken Eindruck, aber bald konnte man nicht loskommen von dem blauen Auge und den holden Rosenlippen der ungemein zarten, lieblichen Gestalt. Sie war sehr blaß, aber wurde etwas Geistreiches und Heiteres gesagt, so flog in süßem Lächeln ein feuriges Inkarnat über die Wangen hin, das jedoch bald im rötlichen Schimmer erblaßte. Ganz unbefangen sprach ich mit Antonien und bemerkte durchaus nichts von den Argusblicken Krespels, wie sie der Professor ihm angedichtet hatte, vielmehr blieb er ganz in gewöhnlichem Geleise, ja er schien sogar meiner Unterhaltung mit Antonien Beifall zu geben. So geschah es, daß ich öfter den Rat besuchte und wechselseitiges Aneinandergewöhnen dem kleinen Kreise von uns dreien eine wunderbare Wohlbehaglichkeit gab, die uns bis ins Innerste hinein erfreute. Der Rat blieb mit seinen höchst seltsamen Skurrilitäten mir höchst ergötzlich; aber doch war es wohl nur Antonie, die mit unwiderstehlichem Zauber mich hinzog und mich manches ertragen ließ, dem ich sonst ungeduldig, wie ich damals war, entronnen. In das Eigentümliche, Seltsame des Rates mischte sich nämlich gar zu oft Abgeschmacktes und Langweiliges, vorzüglich zuwider war es mir aber, daß er, sobald ich das Gespräch auf Musik, insbesondere auf Gesang lenkte, mit seinem diabolisch lächelnden Gesicht und seinem widrig singenden Tone einfiel, etwas Heterogenes, mehrenteils Gemeines, auf die Bahn bringend. An der tiefen Betrübnis, die dann aus Antoniens Blicken sprach, merkte ich wohl, daß es nur geschah, um irgendeine Aufforderung zum Gesange mir abzuschneiden. Ich ließ nicht nach. Mit den Hindernissen, die mir der Rat entgegenstellte, wuchs mein Mut, sie zu übersteigen; ich mußte Antoniens Gesang hören, um nicht in Träumen und Ahnungen dieses Gesanges zu verschwimmen. Eines Abends war Krespel bei besonders guter Laune; er hatte eine alte Cremoneser Geige zerlegt und gefunden, daß der Stimmstock um eine halbe Linie schräger als sonst gestellt war. Wichtige, die Praxis bereichernde Erfahrung! – Es gelang mir, ihn über die wahre Art des Violinspielens in Feuer zu setzen. Der großen, wahrhaftigen Sängern abgehorchte Vortrag der alten Meister, von dem Krespel sprach, führte von selbst die Bemerkung herbei, daß jetzt gerade umgekehrt der Gesang sich nach den erkünstelten Sprüngen und Läufen der Instrumentalisten verbilde. »Was ist unsinniger«, rief ich, vom Stuhle aufspringend, hin zum Pianoforte laufend und es schnell öffnend, »was ist unsinniger als solche vertrackte Manieren, welche, statt Musik zu sein, dem Tone über den Boden hingeschütteter Erbsen gleichen.« Ich sang manche der modernen Fermaten, die hin und her laufen und schnurren wie ein tüchtig losgeschnürter Kreisel, einzelne schlechte Akkorde dazu anschlagend. Übermäßig lachte Krespel und schrie: »Haha, mich dünkt, ich höre unsere deutschen Italiener oder unsere italienischen Deutschen, wie sie sich in einer Arie von Pucitta oder Portogallo oder sonst einem Maestro di Capella oder vielmehr Schiavo d'un primo uomo übernehmen.« – Nun, dachte ich, ist der Zeitpunkt da. »Nicht wahr«, wandte ich mich zu Antonien, »nicht wahr, von dieser Singerei weiß Antonie nichts?«, und zugleich intonierte ich ein herrliches, seelenvolles Lied vom alten Leonardo Leo. Da glühten Antoniens Wangen, Himmelsglanz blitzte aus den neubeseelten Augen, sie sprang an das Pianoforte – sie öffnete die Lippen, aber in demselben Augenblick drängte sie Krespel fort, ergriff mich bei den Schultern und schrie im kreischenden Tenor: »Söhnchen – Söhnchen – Söhnchen!« Und gleich fuhr er fort, sehr leise singend und in höflich gebeugter Stellung meine Hand ergreifend: »In der Tat, mein höchst verehrungswürdiger Herr Studiosus, in der Tat, gegen alle Lebensart, gegen alle guten Sitten würde es anstoßen, wenn ich laut und lebhaft den Wunsch äußerte, daß Ihnen hier auf der Stelle gleich der höllische Satan mit glühenden Krallenfäusten sanft das Genick abstieße und Sie auf die Weise gewissermaßen kurz expedierte; aber davon abgesehen, müssen Sie eingestehen, Liebwertester, daß es bedeutend dunkelt, und da heute keine Laterne brennt, könnten Sie, würfe ich Sie auch gerade nicht die Treppe herab, doch Schaden leiden an Ihren lieben Gebeinen. Gehen Sie fein zu Hause und erinnern Sie sich freundschaftlichst Ihres wahren Freundes, wenn Sie ihn etwa nie mehr – verstehen Sie wohl? –, nie mehr zu Hause antreffen sollten!« Damit umarmte er mich und drehte sich, mich festhaltend, langsam mit mir zur Türe heraus, so daß ich Antonien mit keinem Blick mehr anschauen konnte. – Ihr gesteht, daß es in meiner Lage nicht möglich war, den Rat zu prügeln, welches doch eigentlich hätte geschehen müssen. Der Professor lachte mich sehr aus und versicherte, daß ich es nun mit dem Rat auf immer verdorben hätte. Den schmachtenden, ans Fenster heraufblickenden Amoroso, den verliebten Abenteurer zu machen, dazu war Antonie mir zu wert, ich möchte sagen, zu heilig. Im Innersten zerrissen, verließ ich H., aber wie es zu gehen pflegt, die grellen Farben des Phantasiegebildes verblaßten, und Antonie – ja selbst Antoniens Gesang, den ich nie gehört, leuchtete oft in mein tiefstes Gemüt hinein, wie ein sanfter tröstender Rosenschimmer.

Nach zwei Jahren war ich schon in B. angestellt, als ich eine Reise nach dem südlichen Deutschland unternahm. Im duftigen Abendrot erhoben sich die Türme von H.; sowie ich näher und näher kam, ergriff mich ein unbeschreibliches Gefühl der peinlichsten Angst; wie eine schwere Last hatte es sich über meine Brust gelegt, ich konnte nicht atmen; ich mußte heraus aus dem Wagen ins Freie. Aber bis zum physischen Schmerz steigerte sich meine Beklemmung. Mir war es bald, als hörte ich die Akkorde eines feierlichen Chorals durch die Lüfte schweben – die Töne wurden deutlicher, ich unterschied Männerstimmen, die einen geistlichen Choral absangen. »Was ist das? Was ist das?« rief ich, indem es wie ein glühender Dolch durch meine Brust fuhr! »Sehen Sie denn nicht«, erwiderte der neben mir fahrende Postillion, »sehen Sie es denn nicht? Da drüben auf dem Kirchhof begraben sie einen!« In der Tat befanden wir uns in der Nähe des Kirchhofes, und ich sah einen Kreis schwarzgekleideter Menschen um ein Grab stehen, das man zuzuschütten im Begriff stand. Die Tränen stürzten mir aus den Augen, es war, als begrübe man dort alle Lust, alle Freude des Lebens. Rasch vorwärts von dem Hügel herabgeschritten, konnte ich nicht mehr in den Kirchhof hineinsehen, der Choral schwieg, und ich bemerkte unfern des Tores schwarzgekleidete Menschen, die von dem Begräbnis zurückkamen. Der Professor mit seiner Nichte am Arm, beide in tiefer Trauer, schritten dicht bei mir vorüber, ohne mich zu bemerken. Die Nichte hatte das Tuch vor die Augen gedrückt und schluchzte heftig. Es war mir unmöglich, in die Stadt hineinzugehen; ich schickte meinen Bedienten mit dem Wagen nach dem gewohnten Gasthofe und lief in die mir wohlbekannte Gegend heraus, um so eine Stimmung loszuwerden, die vielleicht nur physische Ursachen, Erhitzung auf der Reise und so weiter haben konnte. Als ich in die Allee kam, welche nach einem Lustorte führt, ging vor mir das sonderbarste Schauspiel auf. Rat Krespel wurde von zwei Trauermännern geführt, denen er durch allerlei seltsame Sprünge entrinnen zu wollen schien. Er war, wie gewöhnlich, in seinen wunderlichen, grauen, selbst zugeschnittenen Rock gekleidet, nur hing von dem kleinen, dreieckigen Hütchen, das er martialisch auf ein Ohr gedrückt, ein sehr langer, schmaler Trauerflor herab, der in der Luft hin und her flatterte. Um den Leib hatte er ein schwarzes Degengehenk geschnallt, doch statt des Degens einen langen Violinbogen hineingesteckt. Eiskalt fuhr es mir durch die Glieder. – Der ist wahnsinnig, dacht' ich, indem ich langsam folgte. Die Männer führten den Rat bis an sein Haus, da umarmte er sie mit lautem Lachen. Sie verließen ihn, und nun fiel sein Blick auf mich, der dicht neben ihm stand. Er sah mich lange starr an, dann rief er dumpf: »Willkommen, Herr Studiosus! Sie verstehen es ja auch.« Damit packte er mich beim Arm und riß mich fort in das Haus, die Treppe herauf in das Zimmer hinein, wo die Violinen hingen. Alle waren mit schwarzem Flor umhüllt; die Violine des alten Meisters fehlte, an ihrem Platze hing ein Zypressenkranz. – Ich wußte, was geschehen. »Antonie, ach Antonie«, schrie ich auf in trostlosem Jammer. Der Rat stand wie erstarrt mit übereinandergeschlagenen Armen neben mir. Ich zeigte nach dem Zypressenkranz. »Als sie starb«, sprach der Rat sehr dumpf und feierlich, »als sie starb, zerbrach mit dröhnendem Krachen der Stimmstock in jener Geige, und der Resonanzboden riß sich auseinander. Die Getreue konnte nur mit ihr, in ihr leben; sie liegt bei ihr im Sarge, sie ist mit ihr begraben worden.« – Tief erschüttert sank ich in einen Stuhl, aber der Rat fing an, mit rauhem Ton ein lustig Lied zu singen, und es war recht graulich anzusehen, wie er auf einem Fuße dazu herumsprang, und der Flor – er hatte den Hut auf dem Kopfe – im Zimmer und an den aufgehängten Violinen herumstrich; ja, ich konnte mich eines überlauten Schreies nicht erwehren, als der Flor bei einer raschen Wendung des Rates über mich herfuhr; es war mir, als wollte er mich verhüllt herabziehen in den schwarzen, entsetzlichen Abgrund des Wahnsinns. Da stand der Rat plötzlich stille und sprach in seinem singenden Ton: »Söhnchen? Söhnchen? Warum schreist du so? Hast du den Totenengel geschaut? Das geht allemal der Zeremonie vorher!« –

Nun trat er in die Mitte des Zimmers, riß den Violinbogen aus dem Gehenke, hielt ihn mit beiden Händen über den Kopf und zerbrach ihn, daß er in viele Stücke zersplitterte. Laut lachend rief Krespel: »Nun ist der Stab über mich gebrochen, meinst du, Söhnchen? Nicht wahr? Mitnichten, mitnichten, nun bin ich frei – frei – frei! Heißa frei! Nun bau' ich keine Geigen mehr – keine Geigen mehr – heißa keine Geigen mehr.« Das sang der Rat nach einer schauerlich lustigen Melodie, indem er wieder auf einem Fuße herumsprang. Voll Grauen wollte ich schnell zur Türe heraus, aber der Rat hielt mich fest, indem er sehr gelassen sprach: »Bleiben Sie, Herr Studiosus, halten Sie diese Ausbrüche des Schmerzes, der mich mit Todesmartern zerreißt, nicht für Wahnsinn, aber es geschieht nur alles deshalb, weil ich mir vor einiger Zeit einen Schlafrock anfertigte, in dem ich aussehen wollte wie das Schicksal oder wie Gott!« – Der Rat schwatzte tolles, grauliches Zeug durcheinander, bis er ganz erschöpft zusammensank; auf mein Rufen kam die alte Haushälterin herbei, und ich war froh, als ich mich nur wieder im Freien befand.

Nicht einen Augenblick zweifelte ich daran, daß Krespel wahnsinnig geworden, der Professor behauptete jedoch das Gegenteil. »Es gibt Menschen«, sprach er, »denen die Natur oder ein besonderes Verhängnis die Decke wegzog, unter der wir andern unser tolles Wesen unbemerkter treiben. Sie gleichen dünngehäuteten Insekten, die im regen, sichtbaren Muskelspiel mißgestaltet erscheinen, ungeachtet sich alles bald wieder in die gehörige Form fügt. Was bei uns Gedanke bleibt, wird dem Krespel alles zur Tat. – Den bittern Hohn, wie der in das irdische Tun und Treiben eingeschachtete Geist ihn wohl oft bei der Hand hat, führt Krespel aus in tollen Gebärden und geschickten Hasensprüngen. Das ist aber sein Blitzableiter. Was aus der Erde steigt, gibt er wieder der Erde, aber das Göttliche weiß er zu bewahren; und so steht es mit seinem innern Bewußtsein recht gut, glaub' ich, unerachtet der scheinbaren, nach außen herausspringenden Tollheit. Antoniens plötzlicher Tod mag freilich schwer auf ihm lasten, aber ich wette, daß der Rat schon morgenden Tages seinen Eselsritt im gewöhnlichen Geleise weiter forttrabt.« – Beinahe geschah es so, wie der Professor es vorausgesagt. Der Rat schien andern Tages ganz der vorige, nur erklärte er, daß er niemals mehr Violinen bauen und auch auf keiner jemals mehr spielen wolle. Das hat er, wie ich später erfuhr, gehalten.

Des Professors Andeutungen bestärkten meine innere Überzeugung, daß das nähere, so sorgfältig verschwiegene Verhältnis Antoniens zum Rat, ja, daß selbst ihr Tod eine schwer auf ihm lastende, nicht abzubüßende Schuld sein könne. Nicht wollte ich H. verlassen, ohne ihm das Verbrechen, welches ich ahnete, vorzuhalten; ich wollte ihn bis ins Innerste hinein erschüttern und so das offene Geständnis der gräßlichen Tat erzwingen. Je mehr ich der Sache nachdachte, desto klarer wurde es mir, daß Krespel ein Bösewicht sein müsse, und desto feuriger, eindringlicher wurde die Rede, die sich wie von selbst zu einem wahren, rhetorischen Meisterstück formte. So gerüstet und ganz erhitzt, lief ich zu dem Rat. Ich fand ihn, wie er mit sehr ruhiger, lächelnder Miene Spielsachen drechselte. »Wie kann nur«, fuhr ich auf ihn los, »wie kann nur auf einen Augenblick Frieden in Ihre Seele kommen, da der Gedanke an die gräßliche Tat Sie mit Schlangenbissen peinigen muß?« – Der Rat sah mich verwundert an, den Meißel beiseite legend. »Wieso, mein Bester?« fragte er. »Setzen Sie sich doch gefälligst auf jenen Stuhl!« – Aber eifrig fuhr ich fort, indem ich, mich selbst immer mehr erhitzend, ihn geradezu anklagte, Antonien ermordet zu haben, und ihm mit der Rache der ewigen Macht drohte. Ja, als nicht längst eingeweihte Justizperson, erfüllt von meinem Beruf, ging ich so weit, ihm zu versichern, daß ich alles anwenden würde, der Sache auf die Spur zu kommen und so ihn dem weltlichen Richter schon hienieden in die Hände zu liefern. – Ich wurde in der Tat etwas verlegen, da nach dem Schlusse meiner gewaltigen, pomphaften Rede der Rat, ohne ein Wort zu erwidern, mich sehr ruhig anblickte, als erwarte er, ich müsse noch weiter fortfahren. Das versuchte ich auch in der Tat, aber es kam nun alles so schief, ja so albern heraus, daß ich gleich wieder schwieg. Krespel weidete sich an meiner Verlegenheit, ein boshaftes, ironisches Lächeln flog über sein Gesicht. Dann wurde er aber sehr ernst und sprach mit feierlichem Tone: »Junger Mensch! Du magst mich für närrisch, für wahnsinnig halten, das verzeihe ich dir, da wir beide in demselben Irrenhause eingesperrt sind und du mich darüber, daß ich Gott der Vater zu sein wähne, nur deshalb schiltst, weil du dich für Gott den Sohn hältst; wie magst du dich aber unterfangen, in ein Leben eindringen zu wollen, seine geheimsten Fäden erfassend, das dir fremd blieb und bleiben mußte? – Sie ist dahin und das Geheimnis gelöst!« Krespel hielt inne, stand auf und schritt die Stube einige Male auf und ab. Ich wagte die Bitte um Aufklärung; er sah mich starr an, faßte mich bei der Hand und führte mich an das Fenster, beide Flügel öffnend. Mit aufgestützten Armen legte er sich hinaus, und so in den Garten herabblickend, erzählte er mir die Geschichte seines Lebens. Als er geendet, verließ ich ihn gerührt und beschämt.

Mit Antonien verhielt es sich kürzlich in folgender Art: Vor zwanzig Jahren trieb die bis zur Leidenschaft gesteigerte Liebhaberei, die besten Geigen alter Meister aufzusuchen und zu kaufen, den Rat nach Italien. Selbst baute er damals noch keine und unterließ daher auch das Zerlegen jener alten Geigen. In Venedig hörte er die berühmte Sängerin Angela –i, welche damals auf dem Teatro di S. Benedetto in den ersten Rollen glänzte. Sein Enthusiasmus galt nicht der Kunst allein, die Signora Angela freilich auf die herrlichste Weise übte, sondern auch wohl ihrer Engelsschönheit. Der Rat suchte Angelas Bekanntschaft, und trotz aller seiner Schroffheit gelang es ihm, vorzüglich durch sein keckes und dabei höchst ausdrucksvolles Violinspiel, sie ganz für sich zu gewinnen. Das engste Verhältnis führte in wenigen Wochen zur Heirat, die deshalb verborgen blieb, weil Angela sich weder vom Theater noch von dem Namen, der die berühmte Sängerin bezeichnete, trennen oder ihm auch nur das übeltönende »Krespel« hinzufügen wollte. Mit der tollsten Ironie beschrieb Krespel die ganz eigene Art, wie Signora Angela, sobald sie seine Frau geworden, ihn marterte und quälte. Aller Eigensinn, alles launische Wesen sämtlicher erster Sängerinnen sei, wie Krespel meinte, in Angelas kleine Figur hineingebannt worden. Wollte er sich einmal in Positur setzen, so schickte ihm Angela ein ganzes Heer von Abbates, Maestros, Akademikos über den Hals, die, unbekannt mit seinem eigentlichen Verhältnis, ihn als den unerträglichsten, unhöflichsten Liebhaber, der sich in die liebenswürdige Laune der Signora nicht zu schicken wisse, ausfilzten. Gerade nach einem solchen stürmischen Auftritt war Krespel auf Angelas Landhaus geflohen und vergaß, auf seiner Cremoneser Geige phantasierend, die Leiden des Tages. Doch nicht lange dauerte es, als Signora, die dem Rat schnell nachgefahren, in den Saal trat. Sie war gerade in der Laune, die Zärtliche zu spielen, sie umarmte den Rat mit süßen, schmachtenden Blicken, sie legte das Köpfchen auf seine Schulter. Aber der Rat, in die Welt seiner Akkorde verstiegen, geigte fort, daß die Wände widerhallten, und es begab sich, daß er mit Arm und Bogen die Signora etwas unsanft berührte. Die sprang aber voller Furie zurück; »Bestia tedesca!« schrie sie auf, riß dem Rat die Geige aus der Hand und zerschlug sie an dem Marmortisch in tausend Stücke. Der Rat blieb, erstarrt zur Bildsäule, vor ihr stehen, dann aber, wie aus dem Traume erwacht, faßte er Signora mit Riesenstärke, warf sie durch das Fenster ihres eigenen Lusthauses und floh, ohne sich weiter um etwas zu bekümmern, nach Venedig – nach Deutschland zurück. Erst nach einiger Zeit wurde es ihm recht deutlich, was er getan; obschon er wußte, daß die Höhe des Fensters vom Boden kaum fünf Fuß betrug, und ihm die Notwendigkeit, Signora bei obbewandten Umständen durchs Fenster zu werfen, ganz einleuchtete, so fühlte er sich doch von peinlicher Unruhe gequält, um so mehr, da Signora ihm nicht undeutlich zu verstehen gegeben, daß sie guter Hoffnung sei. Er wagte kaum Erkundigungen einzuziehen, und nicht wenig überraschte es ihn, als er nach ungefähr acht Monaten einen gar zärtlichen Brief von der geliebten Gattin erhielt, worin sie jenes Vorganges im Landhause mit keiner Silbe erwähnte und der Nachricht, daß sie von einem herzallerliebsten Töchterchen entbunden, die herzlichste Bitte hinzufügte, daß der Marito amato e padre felicissimo doch nur gleich nach Venedig kommen möge. Das tat Krespel nicht, erkundigte sich vielmehr bei einem vertrauten Freunde nach den näheren Umständen und erfuhr, daß Signora damals, leicht wie ein Vogel, in das weiche Gras herabgesunken sei und der Fall oder Sturz durchaus keine andere als psychische Folgen gehabt habe. Signora sei nämlich nach Krespels heroischer Tat wie umgewandelt; von Launen, närrischen Einfällen, von irgendeiner Quälerei ließe sie durchaus nichts mehr verspüren, und der Maestro, der für das nächste Karneval komponiert, sei der glücklichste Mensch unter der Sonne, weil Signora seine Arien ohne hunderttausend Abänderungen, die er sich sonst gefallen lassen mußte, singen wolle. Übrigens habe man alle Ursache, meinte der Freund, es sorgfältig zu verschweigen, wie Angela kuriert wurde, da sonst jedes Tages Sängerinnen durch die Fenster fliegen würden. Der Rat geriet nicht in geringe Bewegung, er bestellte Pferde, er setzte sich in den Wagen. »Halt!« rief er plötzlich. »Wie«, murmelte er dann in sich hinein, »ist's denn nicht ausgemacht, daß, sobald ich mich blicken lasse, der böse Geist wieder Kraft und Macht erhält über Angela? Da ich sie schon zum Fenster hinausgeworfen, was soll ich nun in gleichem Falle tun? Was ist mir noch übrig?« – Er stieg wieder aus dem Wagen, schrieb einen zärtlichen Brief an seine genesene Frau, worin er höflich berührte, wie zart es von ihr sei, ausdrücklich es zu rühmen, daß das Töchterchen gleich ihm ein kleines Mal hinter dem Ohre trage, und – blieb in Deutschland. Der Briefwechsel dauerte sehr lebhaft fort. Versicherungen der Liebe – Einladungen – Klagen über die Abwesenheit der Geliebten – verfehlte Wünsche – Hoffnungen und so weiter flogen hin und her von Venedig nach H., von H. nach Venedig.

Angela kam endlich nach Deutschland und glänzte, wie bekannt, als Primadonna auf dem großen Theater in F. Ungeachtet sie gar nicht mehr jung war, riß sie doch alles hin mit dem unwiderstehlichen Zauber ihres wunderbar herrlichen Gesanges. Ihre Stimme hatte damals nicht im mindesten verloren. Antonie war indessen herangewachsen, und die Mutter konnte nicht genug dem Vater schreiben, wie in Antonien eine Sängerin vom ersten Range aufblühe. In der Tat bestätigten dies die Freunde Krespels in F., die ihm zusetzten, doch nur einmal nach F. zu kommen, um die seltne Erscheinung zwei ganz sublimer Sängerinnen zu bewundern. Sie ahneten nicht, in welchem nahen Verhältnis der Rat mit diesem Paare stand. Krespel hätte gar zu gern die Tochter, die recht in seinem Innersten lebte und die ihm öfters als Traumbild erschien, mit leiblichen Augen gesehen, aber sowie er an seine Frau dachte, wurde es ihm ganz unheimlich zumute, und er blieb zu Hause unter seinen zerschnittenen Geigen sitzen.

Ihr werdet von dem hoffnungsvollen jungen Komponisten B ... in F. gehört haben, der plötzlich verscholl, man wußte nicht wie; oder kanntet ihr ihn vielleicht selbst? Dieser verliebte sich in Antonien so sehr, daß er, da Antonie seine Liebe recht herzlich erwiderte, der Mutter anlag, doch nur gleich in eine Verbindung zu willigen, die die Kunst heilige. Angela hatte nichts dagegen, und der Rat stimmte um so lieber bei, als des jungen Meisters Kompositionen Gnade gefunden vor seinem strengen Richterstuhl. Krespel glaubte Nachricht von der vollzogenen Heirat zu erhalten, statt derselben kam ein schwarzgesiegelter Brief, von fremder Hand überschrieben. Der Doktor R ... meldete dem Rat, daß Angela an den Folgen einer Erkältung im Theater heftig erkrankt und gerade in der Nacht, als am andern Tage Antonie getraut werden sollte, gestorben sei. Ihm, dem Doktor, habe Angela entdeckt, daß sie Krespels Frau und Antonie seine Tochter sei; er möge daher eilen, sich der Verlassenen anzunehmen. Sosehr auch der Rat von Angelas Hinscheiden erschüttert wurde, war es ihm doch bald, als sei ein störendes, unheimliches Prinzip aus seinem Leben gewichen und er könne nun erst recht frei atmen. Noch denselben Tag reiste er ab nach F. Ihr könnt nicht glauben, wie herzzerreißend mir der Rat den Moment schilderte, als er Antonien sah. Selbst in der Bizarrerie seines Ausdrucks lag eine wunderbare Macht der Darstellung, die auch nur anzudeuten ich gar nicht imstande bin.

Alle Liebenswürdigkeit, alle Anmut Angelas wurde Antonien zuteil, der aber die häßliche Kehrseite ganz fehlte. Es gab kein zweideutig Pferdefüßchen, das hin und wieder hervorgucken konnte. Der junge Bräutigam fand sich ein, Antonie, mit zartem Sinn den wunderlichen Vater im tiefsten Innern richtig auffassend, sang eine jener Motetten des alten Padre Martini, von denen sie wußte, daß

Angela sie dem Rat in der höchsten Blüte ihrer Liebeszeit unaufhörlich vorsingen mußte. Der Rat vergoß Ströme von Tränen, nie hatte er selbst Angela so singen gehört. Der Klang von Antoniens Stimme war ganz eigentümlich und seltsam, oft dem Hauch der Äolsharfe, oft dem Schmettern der Nachtigall gleichend. Die Töne schienen nicht Raum haben zu können in der menschlichen Brust. Antonie, vor Freude und Liebe glühend, sang und sang alle ihre schönsten Lieder, und B... spielte dazwischen, wie es nur die wonnetrunkene Begeisterung vermag. Krespel schwamm erst in Entzücken, dann wurde er nachdenklich – still – in sich gekehrt. Endlich sprang er auf, drückte Antonien an seine Brust und bat sehr leise und dumpf: »Nicht mehr singen, wenn du mich liebst – es drückt mir das Herz ab – die Angst – die Angst –! Nicht mehr singen.«.

»Nein«, sprach der Rat andern Tages zum Doktor R..., »als während des Gesanges ihre Röte sich zusammenzog in zwei dunkelrote Flecke auf den blassen Wangen, da war es nicht mehr dumme Familienähnlichkeit, da war es das, was ich gefürchtet.« – Der Doktor, dessen Miene vom Anfang des Gesprächs von tiefer Bekümmernis zeugte, erwiderte: »Mag es sein, daß es von zu früher Anstrengung im Singen herrührt, oder hat die Natur es verschuldet, genug: Antonie leidet an einem organischen Fehler in der Brust, der eben ihrer Stimme die wundervolle Kraft und den seltsamen, ich möchte sagen, über die Sphäre des menschlichen Gesanges hinaustönenden Klang gibt. Aber auch ihr früher Tod ist die Folge davon, denn singt sie fort, so gebe ich ihr noch höchstens sechs Monate Zeit.« Den Rat zerschnitt es im Innern wie mit hundert Schwertern. Es war ihm, als hinge zum ersten Male ein schöner Baum die wunderherrlichen Blüten in sein Leben hinein, und der solle recht an der Wurzel zersägt werden, damit er nie mehr zu grünen und zu blühen vermöge. Sein Entschluß war gefaßt. Er sagte Antonien alles, er stellte ihr die Wahl, ob sie dem Bräutigam folgen und seiner und der Welt Verlockung nachgeben, so aber früh untergehen oder ob sie dem Vater noch in seinen alten Tagen nie gefühlte Ruhe und Freude bereiten, so aber noch jahrelang leben wolle. Antonie fiel dem Vater schluchzend in die Arme, er wollte, das Zerreißende der kommenden Momente wohl fühlend, nichts Deutlicheres vernehmen. Er sprach mit dem Bräutigam, aber unerachtet dieser versicherte, daß nie ein Ton über Antoniens Lippen gehen solle, so wußte der Rat doch wohl, daß selbst B... nicht der Versuchung würde widerstehen können, Antonien singen zu hören, wenigstens von ihm selbst komponierte Arien. Auch die Welt, das musikalische

Publikum, mocht' es auch unterrichtet sein von Antoniens Leiden, gab gewiß die Ansprüche nicht auf; denn dies Volk ist ja, kommt es auf Genuß an, egoistisch und grausam. Der Rat verschwand mit Antonien aus F. und kam nach H. Verzweiflungsvoll vernahm B... die Abreise. Er verfolgte die Spur, holte den Rat ein und kam zugleich mit ihm nach H.

»Nur einmal ihn sehen und dann sterben«, flehte Antonie. »Sterben? – Sterben?« rief der Rat in wildem Zorn, eiskalter Schauer durchbebte sein Inneres. Die Tochter, das einzige Wesen auf der weiten Welt, das nie gekannte Lust in ihm entzündet, das allein ihn mit dem Leben versöhnte, riß sich gewaltsam los von seinem Herzen, und er wollte, daß das Entsetzliche geschehe. B... mußte an den Flügel, Antonie sang, Krespel spielte lustig die Geige, bis sich jene roten Flecken auf Antoniens Wangen zeigten. Da befahl er einzuhalten; als nun aber B... Abschied nahm von Antonien, sank sie plötzlich mit einem lauten Schrei zusammen. »Ich glaubte« – so erzählte mir Krespel – »ich glaubte, sie wäre, wie ich es vorausgesehen, nun wirklich tot, und blieb, da ich einmal mich selbst auf die höchste Spitze gestellt hatte, sehr gelassen und mit mir einig. Ich faßte den B..., der in seiner Erstarrung schafsmäßig und albern anzusehen war, bei den Schultern und sprach« – der Rat fiel in seinen singenden Ton –: »„Da Sie, verehrungswürdigster Klaviermeister, wie Sie gewollt und gewünscht, Ihre liebe Braut wirklich ermordet haben, so können Sie nun ruhig abgehen, es wäre denn, Sie wollten so lange gütigst verziehen, bis ich Ihnen den blanken Hirschfänger durch das Herz renne, damit so meine Tochter, die, wie Sie sehen, ziemlich verblaßt, einige Couleur bekomme durch Ihr sehr wertes Blut. – Rennen Sie nur geschwind, aber ich könnte Ihnen auch ein flinkes Messerchen nachwerfen!" Ich muß wohl bei diesen Worten etwas graulich ausgesehen haben; denn mit einem Schrei des tiefsten Entsetzens sprang er, sich von mir losreißend, fort durch die Türe, die Treppe herab.«

Wie der Rat nun, nachdem B... fortgerannt war, Antonien, die bewußtlos auf der Erde lag, aufrichten wollte, öffnete sie tiefseufzend die Augen, die sich aber bald wieder zum Tode zu schließen schienen. Da brach Krespel aus in lautes, trostloses Jammern. Der von der Haushälterin herbeigerufene Arzt erklärte Antoniens Zustand für einen heftigen, aber nicht im mindesten gefährlichen Zufall, und in der Tat erholte sich diese auch schneller, als der Rat es nur zu hoffen gewagt hatte. Sie schmiegte sich nun mit der innigsten, kindlichsten Liebe an Krespel; sie ging ein in seine Lieblingsneigungen – in seine tollen Launen und Einfälle. Sie half ihm alte Geigen auseinanderlegen und neue zusammenleimen. »Ich will nicht mehr singen, aber für dich leben«, sprach sie oft sanft lächelnd zum Vater, wenn jemand sie zum Gesange aufgefordert und sie es abgeschlagen hatte. Solche Momente suchte der Rat indessen ihr soviel möglich zu ersparen, und daher kam es, daß er ungern mit ihr in Gesellschaft ging und alle Musik sorgfältig vermied. Er wußte es ja wohl, wie schmerzlich es Antonien sein mußte, der Kunst, die sie in solch hoher Vollkommenheit geübt, ganz zu entsagen. Als der Rat jene wunderbare Geige, die er mit Antonien begrub, gekauft hatte und zerlegen wollte, blickte ihn Antonie sehr wehmütig an und sprach leise bittend: »Auch diese?« – Der Rat wußte selbst nicht, welche unbekannte Macht ihn nötigte, die Geige unzerschnitten zu lassen und darauf zu spielen. Kaum hatte er die ersten Töne angestrichen, als Antonie laut und freudig rief: »Ach, das bin ich ja – ich singe ja wieder.« Wirklich hatten die silberhellen Glockentöne des Instruments etwas ganz eigenes Wundervolles, sie schienen in der menschlichen Brust erzeugt. Krespel wurde bis in das Innerste gerührt, er spielte wohl herrlicher als jemals, und wenn er in kühnen Gängen mit voller Kraft, mit tiefem Ausdruck auf und nieder stieg, dann schlug Antonie die Hände zusammen und rief entzückt: »Ach, das habe ich gut gemacht! Das habe ich gut gemacht!« – Seit dieser Zeit kam eine große Ruhe und Heiterkeit in ihr Leben. Oft sprach sie zum Rat: »Ich möchte wohl etwas singen, Vater!« Dann nahm Krespel die Geige von der Wand und spielte Antoniens schönste Lieder, sie war recht aus dem Herzen froh.

Kurz vor meiner Ankunft war es in einer Nacht dem Rat so, als höre er im Nebenzimmer auf seinem Pianoforte spielen, und bald unterschied er deutlich, daß B . . . nach gewöhnlicher Art präludierte. Er wollte aufstehen, aber wie eine schwere Last lag es auf ihm, wie mit eisernen Banden gefesselt, vermochte er sich nicht zu regen und zu rühren. Nun fiel Antonie ein, in leisen, hingehauchten Tönen, die immer steigend und steigend zum schmetternden Fortissimo wurden, dann gestalteten sich die wunderbaren Laute zu dem tief ergreifenden Liede, welches B . . . einst ganz im frommen Stil der alten Meister für Antonie komponiert hatte. Krespel sagte, unbegreiflich sei der Zustand gewesen, in dem er sich befunden, denn eine entsetzliche Angst habe sich gepaart mit nie gefühlter Wonne. Plötzlich umgab ihn eine blendende Klarheit, und in derselben erblickte er B . . . und Antonien, die sich umschlungen hielten und sich voll seligem Entzücken anschauten. Die Töne des Liedes und des begleitenden Pianofortes dauerten fort, ohne daß Antonie sichtbar sang oder B . . . das Fortepiano berührte. Der Rat fiel nun in eine Art dumpfe Ohnmacht, in der das Bild mit den Tönen versank. Als er erwachte, war ihm noch jene fürchterliche Angst aus dem Traume geblieben. Er sprang in Antoniens Zimmer. Sie lag mit geschlossenen Augen, mit holdselig lächelndem Blick, die Hände fromm gefaltet, auf dem Sofa, als schliefe sie und träume von Himmelswonne und Freudigkeit. Sie war aber tot.

DAS MAJORAT

Dem Gestade der Ostsee unfern liegt das Stammschloß der Freiherrlich von R . . . schen Familie, R . . . sitten genannt. Die Gegend ist rauh und öde, kaum entsprießt hin und wieder ein Grashalm dem bodenlosen Triebsande, und statt des Gartens, wie er sonst das Herrenhaus zu zieren pflegt, schließt sich an die nackten Mauern nach der Landseite hin ein dürftiger Föhrenwald, dessen ewige, düstre Trauer den bunten Schmuck des Frühlings verschmäht und in dem statt des fröhlichen Jauchzens der zu neuer Lust erwachten Vögelein nur das schaurige Gekrächze der Raben, das schwirrende Kreischen der sturmverkündenden Möwen widerhallt. Eine Viertelstunde davon ändert sich plötzlich die Natur. Wie durch einen Zauberschlag ist man in blühende Felder, üppige Äcker und Wiesen versetzt. Man erblickt das große, reiche Dorf mit dem geräumigen Wohnhause des Wirtschaftsinspektors. An der Spitze eines freundlichen Erlenbusches sind die Fundamente eines großen Schlosses sichtbar, das einer der vormaligen Besitzer aufzubauen im Sinne hatte. Die Nachfolger, auf ihren Gütern in Kurland hausend, ließen den Bau liegen, und auch der Freiherr Roderich von R., der wiederum seinen Wohnsitz auf dem Stammgute nahm, mochte nicht weiterbauen, da seinem finstern, menschenscheuen Wesen der Aufenthalt in dem alten, einsam liegenden Schlosse zusagte. Er ließ das verfallene Gebäude, so gut es gehen wollte, herstellen und sperrte sich darin ein mit einem grämlichen Hausverwalter und geringer Dienerschaft. Nur selten sah man ihn im Dorfe, dagegen ging und ritt er oft am Meeresstrande hin und her, und man wollte aus der Ferne bemerkt haben, wie er in die Wellen hineinsprach und dem Brausen und Zischen der Brandung zuhorchte, als vernehme er die antwortende Stimme des Meergeistes. Auf der höchsten Spitze des Wartturms hatte er ein Kabinett einrichten und mit Fernrohren, mit einem vollständigen astronomischen Apparat versehen lassen; da beobachtete er tages, nach dem Meer hinausschauend, die Schiffe, die oft gleich weißbeschwingten Meervögeln am fernen Horizont vorüberflogen. Sternenhelle Nächte brachte er hin mit astronomischer oder, wie man wissen wollte, mit astrologischer Arbeit, worin ihm der alte Hausverwalter beistand. Überhaupt ging zu seinen Lebzeiten die Sage, daß er geheimer Wissenschaft, der sogenannten schwarzen Kunst, ergeben sei und daß eine verfehlte Operation, durch die ein hohes Fürstenhaus auf das empfindlichste gekränkt wurde, ihn aus Kurland vertrieben habe. Die leiseste Erinnerung an seinen dortigen Aufenthalt erfüllte ihn mit Entsetzen, aber alles sein Leben Verstörende, was ihm dort geschehen, schrieb er lediglich der Schuld der Vorfahren zu, die die Ahnenburg böslich verließen. Um für die Zukunft wenigstens das Haupt der Familie an das Stammhaus zu fesseln, bestimmte er es zu einem Majoratsbesitztum. Der Landesherr bestätigte die Stiftung um so lieber, als dadurch eine an ritterlicher Tugend reiche Familie, deren Zweige schon in das Ausland herüberrankten, für das Vaterland gewonnen werden sollte. Weder Roderichs Sohn Hubert noch der jetzige Majoratsherr, wie sein Großvater Roderich geheißen, mochten indessen in dem Stammschlosse hausen, beide blieben in Kurland. Man mußte glauben, daß sie, heitrer und lebenslustiger gesinnt als der düstre Ahnherr, die schaurige Öde des Aufenthalts scheuten. Freiherr Roderich hatte zwei alten, unverheirateten Schwestern seines Vaters, die mager ausgestattet in Dürftigkeit lebten, Wohnung und Unterhalt auf dem Gute gestattet. Diese saßen mit einer bejahrten Dienerin in den kleinen, warmen Zimmern des Nebenflügels, und außer ihnen und dem Koch, der im Erdgeschoß ein großes Gemach neben der Küche innehatte, wankte in den hohen Zimmern und Sälen des Hauptgebäudes nur noch ein abgelebter Jäger umher, der zugleich die Dienste des Kastellans versah. Die übrige Dienerschaft wohnte im Dorfe bei dem Wirtschaftsinspektor. Nur in später Herbstzeit, wenn der erste Schnee zu fallen begann und die Wolfs-, die Schweinsjagden aufgingen, wurde das öde, verlassene Schloß lebendig. Dann kam Freiherr Roderich mit seiner Gemahlin, begleitet von Verwandten, Freunden und zahlreichem Jagdgefolge, herüber aus Kurland. Der benachbarte Adel, ja selbst jagdlustige Freunde aus der nahe liegenden Stadt fanden sich ein, kaum vermochten Hauptgebäude und Nebenflügel die zuströmenden Gäste zu fassen, in allen Öfen und Kaminen knisterten reichlich zugeschürte Feuer, vom grauen Morgen bis in die Nacht hinein schnurrten die Bratenwender, treppauf, treppab liefen hundert lustige Leute, Herren und Diener, dort erklangen angestoßene Pokale und fröhliche Jägerlieder, hier die Tritte der nach gellender Musik Tanzenden, überall lautes Jauchzen und Gelächter – und so glich vier bis sechs Wochen hindurch das Schloß mehr einer prächtigen, an vielbefahrner Landstraße liegenden Herberge als der Wohnung des Gutsherrn. Freiherr Roderich widmete diese Zeit, so gut es sich nur tun ließ, ernstem Geschäfte, indem er, zurückgezogen aus dem Strudel der Gäste, die Pflichten des Majoratsherrn erfüllte. Nicht allein, daß er sich vollständige Rechnung der Einkünfte legen ließ, so hörte er auch jeden Vorschlag irgendeiner Verbesserung sowie die kleinste Beschwerde seiner Untertanen an und suchte alles zu ordnen, jedem Unrechten oder Unbilligen zu steuern, wie er es nur vermochte. In diesen Geschäften stand ihm der alte Advokat V., von Vater auf Sohn vererbter Geschäftsträger des R . . . schen Hauses und Justitiarius der in P. liegenden Güter, reichlich bei, und V. pflegte daher schon acht Tage vor der bestimmten Ankunft des Freiherrn nach dem Majoratsgute abzureisen.

Im Jahre 179 . war die Zeit gekommen, daß der alte V. nach R . . . sitten reisen sollte. So lebenskräftig der Greis von siebzig Jahren sich auch fühlte, mußte er doch glauben, daß eine hilfreiche Hand im Geschäft ihm wohltun werde. Wie im Scherz sagte er eines Tages zu mir: »Vetter!« – so nannte er mich, seinen Großneffen, da ich seine Vornamen erhielt –: »Vetter! Ich dächte, du ließest dir einmal etwas Seewind um die Ohren sausen und kämst mit mir nach R . . . sitten. Außerdem daß du mir wacker beistehen kannst in meinem manchmal bösen Geschäft, so magst du dich auch einmal im wilden Jägerleben versuchen und zusehen, wie, nachdem du einen Morgen ein zierliches Protokoll geschrieben, du den andern solch trotzigem Tier, als da ist ein langbehaarter, greulicher Wolf oder ein zahnfletschender Eber, ins funkelnde Auge zu schauen oder gar es mit einem tüchtigen Büchsenschuß zu erlegen verstehest.«

Nicht so viel Seltsames von der lustigen Jagdzeit in R . . . sitten hätte ich schon hören, nicht so mit ganzer Seele dem herrlichen alten Großonkel anhängen müssen, um nicht hoch erfreut zu sein, daß er mich diesmal mitnehmen wolle. Schon ziemlich geübt in derlei Geschäften, wie er sie vorhatte, versprach ich mit tapferm Fleiß ihm alle Mühe und Sorge abzunehmen. Andern Tages saßen wir, in tüchtige Pelze eingehüllt, im Wagen und fuhren durch dickes, den einbrechenden Winter verkündendes Schneegestöber nach R . . . sitten. Unterwegs erzählte mir der Alte manches Wunderliche von dem Freiherrn Roderich, der das Majorat stiftete und ihn, seines Jünglingsalters ungeachtet, zu seinem Justitiarius und Testamentsvollzieher ernannte. Er sprach von dem rauhen, wilden Wesen, das der alte Herr gehabt und das sich auf die ganze Familie zu vererben schiene, da selbst der jetzige Majoratsherr, den er als sanftmütigen, beinahe weichlichen Jüngling gekannt, von Jahr zu Jahr mehr davon ergriffen werde. Er schrieb mir vor, wie ich mich keck und unbefangen betragen müßte, um in des Freiherrn Augen was wert zu sein, und kam endlich auf die Wohnung im Schlosse, die er ein für allemal gewählt, da sie warm, bequem und so abgelegen sei, daß wir uns, wann und wie wir wollten, dem tollen Getöse der jubilierenden Gesellschaft entziehen könnten. In zwei kleinen, mit warmen Tapeten behangenen Zimmern, dicht neben dem großen Gerichtssaal im Seitenflügel, dem gegenüber, wo die alten Fräuleins wohnten, da wäre ihm jedesmal seine Residenz bereitet. Endlich nach schneller, aber beschwerlicher Fahrt kamen wir in tiefer Nacht nach R . . . sitten. Wir fuhren durch das Dorf, es war gerade Sonntag, im Kruge Tanzmusik und fröhlicher Jubel, des Wirtschaftsinspektors Haus von unten bis oben erleuchtet, drinnen auch Musik und Gesang; desto schauerlicher wurde die Öde, in die wir nun hineinfuhren. Der Seewind heulte in schneidenden Jammertönen herüber, und als habe er sie aus tiefem Zauberschlaf geweckt, stöhnten die düstern Föhren ihm nach in dumpfer Klage.

Die nackten schwarzen Mauern des Schlosses stiegen empor aus dem Schneegrunde, wir hielten an dem verschlossenen Tor. Aber da half kein Rufen, kein Peitschengeknall, kein Hämmern und Pochen, es war, als sei alles ausgestorben, in keinem Fenster ein Licht sichtbar. Der Alte ließ seine starke, dröhnende Stimme erschallen: »Franz – Franz! Wo steckt Ihr denn? Zum Teufel, rührt Euch! Wir erfrieren hier am Tor! Der Schnee schmeißt einem ja das Gesicht blutrünstig – rührt Euch, zum Teufel.« Da fing ein Hofhund zu winseln an, ein wandelndes Licht wurde im Erdgeschosse sichtbar, Schlüssel klapperten, und bald knarrten die gewichtigen Torflügel auf. »Ei, schön willkommen, schön willkommen, Herr Justitiarius, ei, in dem unsaubern Wetter!« So rief der alte Franz, indem er die Laterne hoch in die Höhe hob, so daß das volle Licht auf sein verschrumpftes, zum freundlichen Lachen sonderbar verzogenes Gesicht fiel. Der Wagen fuhr in den Hof, wir stiegen aus, und nun gewahrte ich erst ganz des alten Bedienten seltsame, in eine altmodische, weite, mit vielen Schnüren wunderlich ausstaffierte Jägerlivree gehüllte Gestalt. Über die breite, weiße Stirn legten sich nur ein paar graue Löckchen, der untere Teil des Gesichts hatte die robuste Jägerfarbe, und unerachtet die verzogenen Muskeln das Gesicht zu einer beinahe abenteuerlichen Maske formten, söhnte doch die etwas dümmliche Gutmütigkeit, die aus den Augen leuchtete und um den Mund spielte, alles wieder aus. »Nun, alter

Franz«, fing der Großonkel an, indem er sich im Vorsaal den Schnee vom Pelze abklopfte, »nun, alter Franz, ist alles bereitet, sind die Tapeten in meinen Stuben abgestaubt, sind die Betten hineingetragen, ist gestern und heute tüchtig geheizt worden?« – »Nein«, erwiderte Franz sehr gelassen, »nein, mein wertester Herr Justitiarius, das ist alles nicht geschehen.« – »Herr Gott!« fuhr der Großonkel auf. »Ich habe ja zeitig genug geschrieben, ich komme ja stets nach dem richtigen Datum; das ist ja eine Tölpelei, nun kann ich in eiskalten Zimmern hausen.« – »Ja, wertester Herr Justitiarius«, sprach Franz weiter, indem er sehr sorglich mit der Lichtschere von dem Docht einen glimmenden Räuber abschnippte und ihn mit den Füßen austrat, »ja, sehen Sie, das alles, vorzüglich das Heizen, hätte nicht viel geholfen, denn der Wind und der Schnee, die hausen gar zu sehr hinein durch die zerbrochenen Fensterscheiben, und da ...« – »Was«, fiel der Großonkel ihm in die Rede, den Pelz weit auseinanderschlagend und beide Arme in die Seiten stemmend, »was, die Fenster sind zerbrochen, und Ihr, des Hauses Kastellan, habt nichts machen lassen?« – »Ja, wertester Herr Justitiarius«, fuhr der Alte ruhig und gelassen fort, »man kann nur nicht recht hinzu wegen des vielen Schutts und der vielen Mauersteine, die in den Zimmern herumliegen.« – »Wo zum Tausend Himmel Sapperment kommen Schutt und Steine in meine Zimmer?« schrie der Großonkel. »Zum beständigen, fröhlichen Wohlsein, mein junger Herr!« rief der Alte, sich höflich bückend, da ich eben nieste, setzte aber gleich hinzu: »Es sind die Steine und der Kalk von der Mittelwand, die von der großen Erschütterung einfiel.« – »Habt ihr ein Erdbeben gehabt?« platzte der Großonkel zornig heraus. »Das nicht, wertester Herr Justitiarius«, erwiderte der Alte, mit dem ganzen Gesicht lächelnd, »aber vor drei Tagen ist die schwere, getäfelte Decke des Gerichtssaals mit gewaltigem Krachen eingestürzt.« – »So soll doch das ...!« Der Großonkel wollte, heftig und aufbrausend wie er war, einen schweren Fluch ausstoßen; aber indem er mit der Rechten in die Höhe fuhr und mit der Linken die Fuchsmütze von der Stirn rückte, hielt er plötzlich inne, wandte sich nach mir um und sprach laut auflachend: »Wahrhaftig, Vetter! Wir müssen das Maul halten, wir dürfen nicht weiterfragen; sonst erfahren wir noch ärgeres Unheil, oder das ganze Schloß stürzt uns über den Köpfen zusammen. Aber«, fuhr er fort, sich nach dem Alten umsehend, »aber Franz, konntet Ihr denn nicht so gescheit sein, mir ein anderes Zimmer reinigen und heizen zu lassen? Konntet Ihr nicht irgendeinen Saal im Hauptgebäude schnell einrichten zum Gerichtstage?« – »Dieses ist auch bereits alles geschehen«, sprach der Alte, indem er freundlich nach der Treppe wies und sofort hinaufzusteigen begann. »Nun seht mir doch den wunderlichen Kauz!« rief der Onkel, indem wir dem Alten nachschritten. Es ging fort durch lange hochgewölbte Korridore, Franzens flackerndes Licht warf einen wunderlichen Schein in die dicke Finsternis. Säulen, Kapiteller und bunte Bogen zeigten sich oft wie in den Lüften schwebend, riesengroß schritten unsere Schatten neben uns her, und die seltsamen Gebilde an den Wänden, über die sie wegschlüpften, schienen zu zittern und zu schwanken, und ihre Stimmen wisperten in den dröhnenden Nachhall unserer Tritte hinein: Weckt uns nicht, weckt uns nicht, uns tolles Zaubervolk, das hier in den alten Steinen schläft! Endlich öffnete Franz, nachdem wir eine Reihe kalter, finstrer Gemächer durchgangen, einen Saal, in dem ein hellaufloderndes Kaminfeuer uns mit seinem lustigen Knistern wie mit heimatlichem Gruß empfing. Mir wurde gleich, sowie ich eintrat, ganz wohl zumute, doch der Großonkel blieb mitten im Saal stehen, schaute ringsumher und sprach mit sehr ernstem, beinahe feierlichem Ton: »Also hier, dies soll der Gerichtssaal sein?« Franz, in die Höhe leuchtend, so daß an der breiten dunkeln Wand ein heller Fleck, wie eine Türe groß, ins Auge fiel, sprach dumpf und schmerzhaft: »Hier ist ja wohl schon Gericht gehalten worden!« – »Was kommt Euch ein, Alter?« rief der Onkel, indem er den Pelz schnell abwarf und an das Kaminfeuer trat. »Es fuhr mir nur so heraus«, sprach Franz, zündete die Lichter an und öffnete das Nebenzimmer, welches zu unsrer Aufnahme ganz heimlich bereitet war. Nicht lange dauerte es, so stand ein gedeckter Tisch vor dem Kamin, der Alte trug wohlzubereitete Schüsseln auf, denen, wie es uns beiden, dem Großonkel und mir, recht behaglich war, eine tüchtige Schale nach echt nordischer Art gebrauten Punsches folgte. Ermüdet von der Reise, suchte der Großonkel, sowie er gegessen, das Bett; das Neue, Seltsame des Aufenthalts, ja selbst der Punsch, hatte aber meine Lebensgeister zu sehr aufgeregt, um an Schlaf zu denken. Franz räumte den Tisch ab, schürte das Kaminfeuer zu und verließ mich mit freundlichen Bücklingen.

Nun saß ich allein in dem hohen, weiten Rittersaal. Das Schneegestöber hatte zu schlackern, der Sturm zu sausen aufgehört, heitrer Himmel war's geworden, und der helle Vollmond strahlte durch die breiten Bogenfenster, alle finstren Ecken des wunderlichen Baues, wohin der düstre Schein meiner Kerzen und des Kaminfeuers nicht dringen konnte, magisch erleuchtend. So wie man es wohl noch in alten Schlössern antrifft, waren auf seltsame altertümliche Weise Wände und Decke des Saals verziert, diese mit schwerem Getäfel, jene mit phantastischer Bilderei und buntgemaltem, vergoldetem Schnitzwerk. Aus den großen Gemälden, mehrenteils das wilde Gewühl blutiger Bären- und Wolfsjagden darstellend, sprangen in Holz geschnitzte Tier- und Menschenköpfe hervor, den gemalten Leibern angesetzt, so daß, zumal bei der flackernden, schimmernden Beleuchtung des Feuers und des Mondes, das Ganze in graulicher Wahrheit lebte. Zwischen diesen Gemälden waren lebensgroße Bilder, in Jägertracht daherschreitende Ritter, wahrscheinlich der jagdlustigen Ahnherren, eingefügt. Alles, Malerei und Schnitzwerk, trug die dunkle Farbe langverjährter Zeit; um so mehr fiel der helle, kahle Fleck an derselben Wand, durch die zwei Türen in Nebengemächer führten, auf; bald erkannte ich, daß dort auch eine Tür gewesen sein müßte, die später zugemauert worden, und daß ebendies neue, nicht einmal der übrigen Wand gleich gemalte oder mit Schnitzwerk verzierte Gemäuer auf jene Art absteche.

Wer weiß es nicht, wie ein ungewöhnlicher, abenteuerlicher Aufenthalt mit geheimnisvoller Macht den Geist zu erfassen vermag, selbst die trägste Phantasie wird wach in dem von wunderlichen Felsen umschlossenen Tal, in den düstern Mauern einer Kirche oder so und will sonst nie Erfahrnes ahnen. Setze ich nun noch hinzu, daß ich zwanzig Jahre alt war und mehrere Gläser starken Punsch getrunken hatte, so wird man es glauben, daß mir in meinem Rittersaale seltsamer zumute wurde als jemals. Man denke sich die Stille der Nacht, in der das dumpfe Brausen des Meeres, das seltsame Pfeifen des Nachtwindes wie die Töne eines mächtigen, von Geistern gerührten Orgelwerks erklangen – die vorüberfliegenden Wolken, die oft, hell und glänzend, wie vorbeistreifende Riesen durch die klirrenden Bogenfenster zu gucken schienen – in der Tat, ich mußt' es in dem leisen Schauer fühlen, der mich durchbebte, daß ein fremdes Reich nun sichtbarlich und vernehmbar aufgehen könne. Doch dies Gefühl glich dem Frösteln, das man bei einer lebhaft dargestellten Gespenstergeschichte empfindet und das man so gern hat. Dabei fiel mir ein, daß in keiner günstigeren Stimmung das Buch zu lesen sei, das ich, so wie damals jeder, der nur irgend dem Romantischen ergeben, in der Tasche trug. Es war Schillers »Geisterseher«. Ich las und las und erhitzte meine Phantasie immer mehr und mehr. Ich kam zu der mit dem mächtigsten Zauber ergreifenden Erzählung von dem Hochzeitsfest bei dem Grafen von V. Gerade wie Jeronimos blutige Gestalt eintritt, springt mit einem gewaltigen Schlage die Tür auf, die in den Vorsaal führt. Entsetzt fahre ich in die Höhe, das Buch fällt mir aus den Händen. Aber in demselben Augenblick ist alles still, und ich schäme mich über mein kindisches Erschrecken! – Mag es sein, daß durch die durchströmende Zugluft oder auf andere Weise die Tür aufgesprengt wurde. Es ist nichts – meine überreizte Phantasie bildet jede natürliche Erscheinung gespenstisch! So beschwichtigt, nehme ich das Buch von der Erde auf und werfe mich wieder in den Lehnstuhl – da geht es leise und langsam mit abgemessenen Tritten quer über den Saal hin, und dazwischen seufzt und ächzt es, und in diesem Seufzen, diesem Ächzen liegt der Ausdruck des tiefsten menschlichen Leidens, des trostlosesten Jammers. – Ha! Das ist irgendein eingesperrtes, krankes Tier im untern Stock. Man kennt ja die akustische Täuschung der Nacht, die alles entfernt Tönende in die Nähe rückt – wer wird sich nur durch so etwas Grauen erregen lassen. So beschwichtige ich mich aufs neue, aber nun kratzt es, indem lautere, tiefere Seufzer, wie in der entsetzlichen Angst der Todesnot ausgestoßen, sich hören lassen, an jenem neuen Gemäuer. – Ja, es ist ein armes, eingesperrtes Tier – ich werde jetzt laut rufen, ich werde mit dem Fuß tüchtig auf den Boden stampfen, gleich wird alles schweigen oder das Tier unten sich deutlicher in seinen natürlichen Tönen hören lassen! So denke ich, aber das Blut gerinnt in meinen Adern – kalter Schweiß steht auf der Stirne, erstarrt bleib' ich im Lehnstuhle sitzen, nicht vermögend aufzustehen, viel weniger noch zu rufen. Das abscheuliche Kratzen hört endlich auf, die Tritte lassen sich aufs neue vernehmen. – Es ist, als wenn Leben und Regung in mir erwachte, ich springe auf und trete zwei Schritte vor, aber da streicht eine eiskalte Zugluft durch den Saal, und in demselben Augenblick wirft der Mond sein helles Licht auf das Bildnis eines sehr ernsten, beinahe schauerlich anzusehenden Mannes, und als säusle seine warnende Stimme durch das stärkere Brausen der Meereswellen, durch das gellendere Pfeifen des Nachtwindes, höre ich deutlich: »Nicht weiter – nicht weiter, sonst bist du verfallen dem entsetzlichen Graus der Geisterwelt!« Nun fällt die Tür zu mit demselben starken Schlage wie zuvor, ich höre die Tritte deutlich auf dem Vorsaal – es geht die Treppe hinab – die Haupttür des Schlosses öffnet sich rasselnd und wird wieder verschlossen. Dann ist es, als würde ein Pferd aus dem Stalle gezogen und nach einer Weile wieder in den Stall zurückgeführt – dann ist alles still! In demselben Augenblick vernahm ich, wie der alte Großonkel im Nebengemach ängstlich seufzte und stöhnte, dies gab mir alle Besinnung wieder, ich ergriff die Leuchter und eilte hinein. Der Alte schien mit einem bösen, schweren Traume zu kämpfen. »Erwachen Sie – erwachen

Sie!« rief ich laut, indem ich ihn sanft bei der Hand faßte und den hellen Kerzenschein auf sein Gesicht fallen ließ. Der Alte fuhr auf mit einem dumpfen Ruf, dann schaute er mich mit freundlichen Augen an und sprach: »Das hast du gut gemacht, Vetter, daß du mich wecktest. Ei, ich hatte einen sehr häßlichen Traum, und daran ist bloß hier das Gemach und der Saal schuld, denn ich mußte dabei an die vergangene Zeit und an manches Verwunderliche denken, was hier sich begab. Aber nun wollen wir recht tüchtig ausschlafen!« Damit hüllte sich der Alte in die Decke und schien sofort einzuschlafen. Als ich die Kerzen ausgelöscht und mich auch ins Bett gelegt hatte, vernahm ich, daß der Alte leise betete.

Am andern Morgen ging die Arbeit los, der Wirtschaftsinspektor kam mit den Rechnungen, und Leute meldeten sich, die irgendeinen Streit geschlichtet, irgendeine Angelegenheit geordnet haben wollten. Mittags ging der Großonkel mit mir herüber in den Seitenflügel, um den beiden alten Baronessen in aller Form aufzuwarten. Franz meldete uns, wir mußten einige Augenblicke warten und wurden dann durch ein sechzigjähriges, gebeugtes, in bunte Seide gekleidetes Mütterchen, das sich das Kammerfräulein der gnädigen Herrschaft nannte, in das Heiligtum geführt. Da empfingen uns die alten, nach längst verjährter Mode abenteuerlich geputzten Damen mit komischem Zeremoniell, und vorzüglich war ich ein Gegenstand ihrer Verwunderung, als der Großonkel mich mit vieler Laune als einen jungen, ihm beistehenden Justizmann vorstellte. In ihren Mienen lag es, daß sie bei meiner Jugend das Wohl der R . . . sittenschen Untertanen gefährdet glaubten. Der ganze Auftritt bei den alten Damen hatte überhaupt viel Lächerliches, die Schauer der vergangenen Nacht fröstelten aber noch in meinem Innern, ich fühlte mich wie von einer unbekannten Macht berührt, oder es war mir vielmehr, als habe ich schon an den Kreis gestreift, den zu überschreiten und rettungslos unterzugehen es nur noch eines Schritts bedürfte, als könne nur das Aufbieten aller mir inwohnenden Kraft mich gegen *das* Entsetzen schützen, das nur dem unheilbaren Wahnsinn zu weichen pflegt. So kam es, daß selbst die alten Baronessen in ihren seltsamen hochaufgetürmten Frisuren, in ihren wunderlichen stoffnen, mit bunten Blumen und Bändern ausstaffierten Kleidern mir statt lächerlich, ganz graulich und gespenstisch erschienen. In den alten gelbverschrumpften Gesichtern, in den blinzelnden Augen wollt' ich es lesen, in dem schlechten Französisch, das halb durch die eingekniffenen, blauen Lippen, halb durch die spitzen Nasen herausschnarrte, wollt' ich es hören, wie sich die Alten mit den unheimlichen, im Schlosse herumspukenden Wesen wenigstens auf guten Fuß gesetzt hätten und auch wohl selbst Verstörendes und Entsetzliches zu treiben vermöchten. Der Großonkel, zu allem Lustigen aufgelegt, verstrickte mit seiner Ironie die Alten in ein solches tolles Gewäsche, daß ich in anderer Stimmung nicht gewußt hätte, wie das ausgelassenste Gelächter in mich hineinschlucken, aber wie gesagt, die Baronessen samt ihrem Geplapper waren und blieben gespenstisch, und der Alte, der mir eine besondere Lust bereiten wollte, blickte mich ein Mal übers andere ganz verwundert an. Sowie wir nach Tische in unserm Zimmer allein waren, brach er los: »Aber, Vetter, sag mir um des Himmels willen, was ist dir? Du lachst nicht, du sprichst nicht, du issest nicht, du trinkst nicht? Bist du krank? Oder fehlt es sonstworan?« – Ich nahm jetzt gar keinen Anstand, ihm alles Grauliche, Entsetzliche, was ich in voriger Nacht überstanden, ganz ausführlich zu erzählen. Nichts verschwieg ich, vorzüglich auch nicht, daß ich viel Punsch getrunken und in Schillers »Geisterseher« gelesen. »Bekennen muß ich dies«, setzte ich hinzu, »denn so wird es glaublich, daß meine überreizte, arbeitende Phantasie all die Erscheinungen schuf, die nur innerhalb den Wänden meines Gehirns existierten.« Ich glaubte, daß nun der Großonkel mir derb zusetzen würde mit körnigten Späßen über meine Geisterseherei, statt dessen wurde er sehr ernsthaft, starrte in den Boden hinein, warf dann den Kopf schnell in die Höhe und sprach, mich mit dem brennenden Blick seiner Augen anschauend: »Ich kenne dein Buch nicht, Vetter! Aber weder seinem noch dem Geist des Punsches hast du jenen Geisterspuk zu verdanken. Wisse, daß ich dasselbe, was dir widerfuhr, träumte. Ich saß, so wie du – so kam es mir vor –, im Lehnstuhl bei dem Kamin, aber was sich dir nur in Tönen kundgetan, das sah ich, mit dem innern Auge es deutlich erfassend. Ja, ich erblickte den graulichen Unhold, wie er hereintrat, wie er kraftlos an die vermauerte Tür schlich, wie er in trostloser Verzweiflung an der Wand kratzte, daß das Blut unter den zerrissenen Nägeln herausquoll, wie er dann hinabstieg, das Pferd aus dem Stalle zog und in den Stall zurückbrachte. Hast du es gehört, wie der Hahn im fernen Gehöfte des Dorfes krähte –? Da wecktest du mich, und ich widerstand bald dem bösen Spuk des entsetzlichen Menschen, der noch vermag, das heitre Leben grauenhaft zu verstören.« Der Alte hielt inne, aber ich mochte nicht fragen, wohlbedenkend, daß er mir alles aufklären werde, wenn er es geraten finden sollte. Nach einer Weile, in der er, tief in sich gekehrt, dagesessen, fuhr der Alte fort: »Vetter, hast du Mut genug, jetzt nachdem du weißt, wie sich alles begibt, den Spuk noch einmal zu bestehen, und zwar mit mir zusammen?« Es war natürlich, daß ich erklärte, wie ich mich jetzt dazu ganz erkräftigt fühlte. »So wollen wir«, sprach der Alte weiter, »in künftiger Nacht zusammen wachen. Eine innere Stimme sagt mir, daß meiner geistigen Gewalt nicht sowohl als meinem Mute, der sich auf festes Vertrauen gründet, der böse Spuk weichen muß und daß es kein freveliges Beginnen, sondern ein frommes, tapferes Werk ist, wenn ich Leib und Leben daran wage, den bösen Unhold zu bannen, der hier die Söhne aus der Stammburg der Ahnherrn treibt. – Doch von keinem Wagnis ist ja die Rede, denn in solch festem redlichem Sinn, in solch frommem Vertrauen, wie es in mir !ebt, ist und bleibt man ein siegreicher Held. Aber sollt es dennoch Gottes Wille sein, daß die böse Macht mich anzutasten vermag, so sollst du, Vetter, es verkünden, daß ich im redlichen, christlichen Kampf mit dem Höllengeist, der hier sein verstörendes Wesen treibt, unterlag! – Du, halt dich ferne! Dir wird dann nichts geschehen!«

Unter mancherlei zerstreuenden Geschäften war der Abend herangekommen. Franz hatte, wie gestern, das Abendessen abgeräumt und uns Punsch gebracht, der Vollmond schien hell durch die glänzenden Wolken, die Meereswellen brausten, und der Nachtwind heulte und schüttelte die klirrenden Scheiben der Bogenfenster. Wir zwangen uns, im Innern aufgeregt, zu gleichgültigen Geprächen. Der Alte hatte seine Schlaguhr auf den Tisch gelegt. Sie schlug zwölfe. Da sprang mit entsetzlichem Krachen die Tür auf, und wie gestern schwebten leise und langsam Tritte quer durch den Saal, und das Ächzen und Seufzen ließ sich vernehmen. Der Alte war verblaßt, aber seine Augen erstrahlten in ungewöhnlichem Feuer, er erhob sich vom Lehnstuhl, und indem er in seiner großen Gestalt, hochaufgerichtet, den linken Arm in die Seite gestemmt, den rechten weit vorstreckend nach der Mitte des Saales, dastand, war er anzusehen wie ein gebietender Held. Doch immer stärker und vernehmlicher wurde das Seufzen und Ächzen, und nun fing es an, abscheulicher als gestern, an der Wand hin und her zu kratzen. Da schritt der Alte vorwärts, gerade auf die zugemauerte Tür los, mit festen Tritten, daß der Fußboden erdröhnte. Dicht vor der Stelle, wo es toller und toller kratzte, stand er still und sprach mit starkem, feierlichem Ton, wie ich ihn nie gehört: »Daniel, Daniel! Was machst du hier zu dieser Stunde!« Da kreischte es auf, grauenvoll und entsetzlich, und ein dumpfer Schlag geschah, wie wenn eine Last zu Boden stürzte. »Suche Gnade und Erbarmen vor dem Thron des Höchsten, dort ist dein Platz! Fort mit dir aus dem Leben, dem du niemals mehr angehören kannst!« So rief der Alte noch gewaltiger als vorher, es war, als ginge ein leises Gewimmer durch die Lüfte und ersterbe im

Sausen des Sturms, der sich zu erheben begann. Da schritt der Alte nach der Tür und warf sie zu, daß es laut durch den öden Vorsaal widerhallte. In seiner Sprache, in seinen Gebärden lag etwas Übermenschliches, das mich mit tiefem Schauer erfüllte. Als er sich in den Lehnstuhl setzte, war sein Blick wie verklärt, er faltete seine Hände, er betete im Innern. So mochten einige Minuten vergangen sein, da frug er mit der milden, tief in das Herz dringenden Stimme, die er so sehr in seiner Macht hatte: »Nun, Vetter?« Von Schauer, Entsetzen, Angst, heiliger Ehrfurcht und Liebe durchbebt, stürzte ich auf die Knie und benetzte die mir dargebotene Hand mit heißen Tränen. Der Alte schloß mich in seine Arme, und indem er mich innig an sein Herz drückte, sprach er sehr weich: »Nun wollen wir auch recht sanft schlafen, lieber Vetter!« – Es geschah auch so, und als sich in der folgenden Nacht durchaus nichts Unheimliches verspüren ließ, gewannen wir die alte Heiterkeit wieder, zum Nachteil der alten Baronessen, die, blieben sie auch in der Tat ein wenig gespenstisch mit ihrem abenteuerlichen Wesen, doch nur ergötzlichen Spuk trieben, den der Alte auf possierliche Weise anzuregen wußte.

Endlich, nach mehreren Tagen, traf der Baron ein mit seiner Gemahlin und zahlreichem Jagdgefolge, die geladenen Gäste sammelten sich, und nun ging in dem plötzlich lebendig gewordenen Schlosse das laute, wilde Treiben los, wie es vorhin beschrieben. Als der Baron gleich nach seiner Ankunft in unsern Saal trat, schien er über unsern veränderten Aufenthalt auf seltsame Weise befremdet, er warf einen düstern Blick auf die zugemauerte Tür, und schnell sich abwendend, fuhr er mit der Hand über die Stirn, als wolle er irgendeine böse Erinnerung verscheuchen. Der Großonkel sprach von der Verwüstung des Gerichtssaals und der anstoßenden Gemächer, der Baron tadelte es, daß Franz uns nicht besser einlogiert habe, und forderte den Alten recht gemütlich auf, doch nur zu gebieten, wenn ihm irgend etwas in dem neuen Gemach, das doch viel schlechter sei als das, was er sonst bewohnt, an seiner Bequemlichkeit abginge. Überhaupt war das Betragen des Barons gegen den alten Großonkel nicht allein herzlich, sondern ihm mischte sich eine gewisse kindliche Ehrfurcht bei, als stehe der Baron mit dem Alten in verwandtschaftlichem Respektsverhältnis. Dies war aber auch das einzige, was mich mit dem rauhen, gebieterischen Wesen des Barons, das er immer mehr und mehr entwickelte, einigermaßen zu versöhnen vermochte. Mich schien er wenig oder gar nicht zu beachten, er sah in mir den gewöhnlichen Schreiber. Gleich das erstemal, als ich eine Verhandlung aufgenommen, wollte er etwas in der Fassung unrichtig finden, das Blut wallte mir auf, und ich war im Begriff, irgend etwas Schneidendes zu erwidern, als der Großonkel, das Wort nehmend, versicherte, daß ich denn nun einmal alles recht nach seinem Sinne mache und daß dieser doch nur hier in gerichtlicher Verhandlung walten könne. Als wir allein waren, beschwerte ich mich bitter über den Baron, der mir immer mehr im Grunde der Seele zuwider werde. »Glaube mir, Vetter«, erwiderte der Alte, »daß der Baron trotz seines unfreundlichen Wesens der vortrefflichste, gutmütigste Mensch von der Welt ist. Dieses Wesen hat er auch, wie ich dir schon sagte, erst seit der Zeit angenommen, als er Majoratsherr wurde, vorher war er ein sanfter, bescheidener Jüngling. Überhaupt ist es denn doch aber nicht mit ihm so arg, wie du es machst, und ich möchte wohl wissen, warum er dir so gar sehr zuwider ist.«

Indem der Alte die letzten Worte sprach, lächelte er recht höhnisch, und das Blut stieg mir siedend heiß ins Gesicht. Mußte mir nun nicht mein Innres recht klarwerden, mußte ich es nicht deutlich fühlen, daß jenes wunderliche Hassen aufkeimte aus dem Lieben oder vielmehr aus dem Verlieben in ein Wesen, das mir das holdeste, hochherrlichste zu sein schien, was jemals auf Erden gewandelt? Dieses Wesen war niemand als die Baronesse selbst. Schon gleich als sie angekommen und in einem russischen Zobelpelz, der knapp anschloß an den zierlich gebauten Leib, das Haupt in reiche Schleier gewickelt, durch die Gemächer schritt, wirkte ihre Erscheinung auf mich wie ein mächtiger, unwiderstehlicher Zauber. Ja selbst der Umstand, daß die alten Tanten in verwunderlicheren Kleidern und Fontangen, als ich sie noch gesehen, an beiden Seiten neben ihr her trippelten und ihre französischen Bewillkommungen herschnatterten, während sie, die Baronin, mit unbeschreiblich milden Blicken um sich her schaute und bald diesem, bald jenem freundlich zunickte, bald in dem rein tönenden kurländischen Dialekt einige deutsche Worte dazwischen flötete, schon dieses gab ein wunderbar fremdartiges Bild, und unwillkürlich reihte die Phantasie dies Bild an jenen unheimlichen Spuk, und die Baronesse wurde der Engel des Lichts, dem sich die bösen, gespenstischen Mächte beugen. – Die wunderherrliche Frau tritt lebhaft vor meines Geistes Augen. Sie mochte wohl damals kaum neunzehn Jahre zählen, ihr Gesicht, ebenso zart wie ihr Wuchs, trug den Ausdruck der höchsten Engelsgüte, vorzüglich lag aber in dem Blick der dunklen Augen ein unbeschreiblicher Zauber, wie feuchter Mondesstrahl ging darin eine schwermütige Sehnsucht auf; so wie in ihrem holdseligen Lächeln ein ganzer Himmel voll Wonne und Entzücken. Oft schien sie ganz in sich selbst verloren, und dann gingen düstre Wolkenschatten über ihr holdes Antlitz. Man hätte glauben sollen, irgendein verstörender Schmerz müsse sie befangen, mir schien es aber, daß wohl die düstre Ahnung einer trüben, unglücksschwangeren Zukunft es sei, von der sie in solchen Augenblicken erfaßt werde, und auch damit setzte ich auf seltsame Weise, die ich mir weiter gar nicht zu erklären wußte, den Spuk im Schlosse in Verbindung.

Den andern Morgen, nachdem der Baron angekommen, versammelte sich die Gesellschaft zum Frühstück, der Alte stellte mich der Baronesse vor, und wie es in solcher Stimmung, wie die meinige war, zu geschehen pflegt, ich benahm mich unbeschreiblich albern, indem ich auf die einfachen Fragen der holden Frau, wie es mir auf dem Schlosse gefalle und so weiter, mich in die wunderlichsten, sinnlosesten Reden verfing, so daß die alten Tanten meine Verlegenheit wohl lediglich dem profunden Respekt vor der Herrin zuschrieben, sich meiner huldreich annehmen zu müssen glaubten und mich in französischer Sprache als einen ganz artigen und geschickten jungen Menschen, als einen *garçon très joli* anpriesen. Das ärgerte mich, und plötzlich mich ganz beherrschend, fuhr mir ein Witzwort heraus in besserem Französisch, als die Alten es sprachen, worauf sie mich mit großen Augen anguckten und die langen, spitzen Nasen reichlich mit Tabak bedienten. An dem ernsteren Blick der Baronesse, mit dem sie sich von mir ab zu einer andern Dame wandte, merkte ich, daß mein Witzwort hart an eine Narrheit streifte; das ärgerte mich noch mehr, und ich verwünschte die Alten in den Abgrund der Hölle. Die Zeit des schäferischen Schmachtens, des Liebesunglücks in kindischer Selbstbetörung hatte mir der alte Großonkel längst wegironiert, und wohl merkt' ich, daß die Baronin tiefer und mächtiger als noch bis jetzt eine Frau mich in meinem innersten Gemüt gefaßt hatte. Ich sah, ich hörte nur sie, aber bewußt war ich mir deutlich und bestimmt, daß es abgeschmackt, ja wahnsinnig sein würde, irgendeine Liebelei zu wagen, wiewohl ich auch die Unmöglichkeit einsah, wie ein verliebter Knabe von weitem zu staunen und anzubeten, dessen ich mich selbst hätte schämen müssen. Der herrlichen Frau näherzutreten, ohne sie nur mein inneres Gefühl ahnen zu lassen, das süße Gift ihrer Blicke, ihrer Worte einsaugen und dann fern von ihr, sie lange, vielleicht immerdar im Herzen tragen, das wollte und konnte ich. Diese romantische, ja wohl ritterliche Liebe, wie sie mir aufging in schlafloser Nacht, spannte mich dermaßen, daß ich kindisch genug war, mich selbst auf pathetische Weise zu harangieren und zuletzt sehr kläglich zu seufzen: »Seraphine, ach Seraphine!«, so daß der Alte erwachte und mir zurief: »Vetter! – Vetter! Ich glaube, du phantasierst mit lauter

Stimme! Tu's bei Tage, wenn's möglich ist, aber zur Nachtzeit laß mich schlafen!« Ich war nicht wenig besorgt, daß der Alte, der schon mein aufgeregtes Wesen bei der Ankunft der Baronin wohl bemerkt, den Namen gehört haben und mich mit seinem sarkastischen Spott überschütten werde, er sagte am andern Morgen aber nichts weiter, als bei dem Hineingehen in den Gerichtssaal: »Gott gebe jedem gehörigen Menschenverstand und Sorglichkeit, ihn in gutem Verschluß zu halten. Es ist schlimm, mir nichts, dir nichts sich in einen Hasenfuß umzusetzen.« Hierauf nahm er Platz an dem großen Tisch und sprach: »Schreibe fein deutlich, lieber Vetter, damit ich's ohne Anstoß zu lesen vermag.«

Die Hochachtung, ja die kindliche Ehrfurcht, die der Baron meinem alten Großonkel erzeigte, sprach sich in allem aus. So mußte er auch bei Tische den ihm von vielen beneideten Platz neben der Baronesse einnehmen; mich warf der Zufall bald hier-, bald dorthin, doch pflegten gewöhnlich ein paar Offiziere aus der nahen Hauptstadt mich in Beschlag zu nehmen, um sich über alles Neue und Lustige, was dort geschehen, recht auszusprechen und dabei wacker zu trinken. So kam es, daß ich mehrere Tage hindurch ganz fern von der Baronesse, am untern Ende des Tisches saß, bis mich endlich ein Zufall in ihre Nähe brachte.

Als der versammelten Gesellschaft der Eßsaal geöffnet wurde, hatte mich gerade die Gesellschafterin der Baronin, ein nicht mehr ganz junges Fräulein, aber sonst nicht häßlich und nicht ohne Geist, in ein Gespräch verwickelt, das ihr zu behagen schien. Der Sitte gemäß mußte ich ihr den Arm geben, und nicht wenig erfreut war ich, als sie der Baronin ganz nahe Platz nahm, die ihr freundlich zunickte. Man kann denken, daß nun alle Worte, die ich sprach, nicht mehr der Nachbarin allein, sondern hauptsächlich der Baronin galten. Mag es sein, daß meine innere Spannung allem, was ich sprach, einen besondern Schwung gab, genug, das Fräulein wurde aufmerksamer und aufmerksamer, ja zuletzt unwiderstehlich hineingezogen in die bunte Welt stets wechselnder Bilder, die ich ihr aufgehen ließ. Sie war, wie gesagt, nicht ohne Geist, und so geschah es bald, daß unser Gespräch, ganz unabhängig von den vielen Worten der Gäste, die hin und her streiften, auf seine eigene Hand lebte und dorthin, wohin ich es haben wollte, einige Blitze sandte. Wohl merkt' ich nämlich, daß das Fräulein der Baronin bedeutende Blicke zuwarf und daß diese sich mühte, uns zu hören. Vorzüglich war dies der Fall, als ich, da das Gespräch sich auf Musik gewandt, mit voller Begeisterung von der herrlichen, heiligen Kunst sprach und zuletzt nicht verhehlte, daß ich, trockner, langweiliger Juristerei, der ich mich ergeben, unerachtet, den Flügel mit ziemlicher Fertigkeit spiele, singe und auch wohl schon manches Lied gesetzt habe.

Man war in den andern Saal getreten, um Kaffee und Liköre zu nehmen, da stand ich unversehens, selbst wußte ich nicht wie, vor der Baronin, die mit dem Fräulein gesprochen. Sie redete mich sogleich an, indem sie, doch freundlicher und in dem Ton, wie man mit einem Bekannten spricht, jene Fragen, wie mir der Aufenthalt im Schlosse zusage und so weiter, wiederholte. Ich versicherte, daß in den ersten Tagen die schauerliche Öde der Umgebung, ja selbst das altertümliche Schloß mich seltsam gestimmt habe, daß aber eben in dieser Stimmung viel Herrliches aufgegangen und daß ich nur wünsche, der wilden Jagden, an die ich mich gewöhnt, überhoben zu sein. Die Baronin lächelte, indem sie sprach: »Wohl kann ich's mir denken, daß Ihnen das wüste Treiben in unsern Föhrenwäldern nicht eben behaglich sein kann. Sie sind Musiker und, täuscht mich nicht alles, gewiß auch Dichter! Mit Leidenschaft liebe ich beide Künste! Ich spiele selbst etwas die Harfe, das muß ich nun in R... sitten entbehren, denn mein Mann mag es nicht, daß ich das Instrument mitnehme, dessen sanftes Getön schlecht sich schicken würde zu dem wilden Hallo, zu dem gellenden Hörnergetöse der Jagd, das sich hier nur hören lassen soll! – O mein Gott! Wie würde mich hier Musik erfreuen!« Ich versicherte, daß ich meine ganze Kunst aufbieten werde, ihren Wunsch zu erfüllen, da es doch im Schlosse unbezweifelt ein Instrument, sei es auch nur ein alter Flügel, geben werde. Da lachte aber Fräulein Adelheid – der Baronin Gesellschafterin – hellauf und frug, ob ich denn nicht wisse, daß seit Menschengedenken im Schlosse keine andern Instrumente gehört worden als krächzende Trompeten, im Jubel lamentierende Hörner der Jäger und heisere Geigen, verstimmte Bässe, meckernde Hoboen herumziehender Musikanten. Die Baronin hielt den Wunsch, Musik, und zwar mich, zu hören, fest, und beide, sie und Adelheid, erschöpften sich in Vorschlägen, wie ein leidliches Fortepiano herbeigeschafft werden könne. In dem Augenblick schritt der alte Franz durch den Saal. »Da haben wir den, der für alles guten Rat weiß, der alles herbeischafft, selbst das Unerhörte und Ungesehene!« Mit diesen Worten rief ihn Fräulein Adelheid heran, und indem sie ihm begreiflich machte, worauf es ankomme, horchte die Baronin mit gefalteten Händen, mit vorwärts gebeugtem Haupt, dem Alten mit mildem Lächeln ins Auge blickend, zu. Gar anmutig war sie anzusehen, wie ein holdes, liebliches Kind, das ein ersehntes Spielzeug nur gar zu gern schon in Händen hätte.

Franz, nachdem er in seiner weitläufigen Manier mehrere Ursachen hergezählt hatte, warum es denn schier unmöglich sei, in der Geschwindigkeit solch ein rares Instrument herbeizuschaffen, strich sich endlich mit behaglichem Schmunzeln den Bart und sprach: »Aber die Frau Wirtschaftsinspektorin drüben im Dorfe schlägt ganz ungemein geschickt das Klavizimbel, oder wie sie es jetzt nennen mit dem ausländischen Namen, und singt dazu so fein und lamentabel, daß einem die Augen rot werden wie von Zwiebeln und man hüpfen möchte mit beiden Beinen.« – »Und besitzt ein Fortepiano!« rief Fräulein Adelheid ihm in die Rede. »Ei freilich«, fuhr der Alte fort, »direkt aus Dresden ist es gekommen – ein . . .«– »O das ist herrlich«, unterbrach ihn die Baronin. »Ein schönes Instrument«, sprach der Alte weiter, »aber ein wenig schwächlich, denn als der Organist neulich das Lied *In allen meinen Taten* darauf spielen wollte, schlug er alles in Grund und Boden, so daß . . .« – »O mein Gott«, riefen beide, die Baronin und Fräulein Adelheid. » . . . so daß«, fuhr der Alte fort, »es mit schweren Kosten nach R. geschafft und dort repariert werden mußte.« – »Ist es denn nun wieder hier?« frug Fräulein Adelheid ungeduldig. »Ei freilich, gnädiges Fräulein! Und die Frau Wirtschaftsinspektorin wird es sich zur Ehre rechnen . . .« In diesem Augenblick streifte der Baron vorüber, er sah sich wie befremdet nach unserer Gruppe um und flüsterte spöttisch lächelnd der Baronin zu: »Muß Franz wieder guten Rat erteilen?« Die Baronin schlug errötend die Augen nieder, und der alte Franz stand, erschrocken abbrechend, den Kopf geradegerichtet, die herabhängenden Arme dicht an den Leib gedrückt, in soldatischer Stellung da. Die alten Tanten schwammen in ihren stoffnen Kleidern auf uns zu und entführten die Baronin. Ihr folgte Fräulein Adelheid. Ich war wie bezaubert stehengeblieben. Entzücken, daß ich nun ihr, der Angebeteten, die mein ganzes Wesen beherrschte, mich nahen werde, kämpfte mit düsterm Mißmut und Ärger über den Baron, der mir als ein rauher Despot erschien. War er dies nicht, durfte dann wohl der alte eisgraue Diener so sklavisch sich benehmen? – »Hörst du, siehst du endlich?« rief der Großonkel, mir auf die Schulter klopfend, wir gingen hinauf in unser Gemach. »Dränge dich nicht so an die Baronin«, sprach er, als wir angekommen, »wozu soll das, überlaß es den jungen Gecken, die gern den Hof machen und an denen es ja nicht mangelt.« Ich erzählte, wie alles gekommen, und forderte ihn auf, mir nun zu sagen, ob ich seinen Vorwurf verdiene, er erwiderte aber darauf nichts als »Hm, hm«, zog den Schlafrock an, setzte sich mit angezündeter Pfeife in den Lehnstuhl und sprach von den Ereignissen der gestrigen Jagd, mich foppend über meine Fehlschüsse.

Im Schlosse war es still geworden, Herren und Damen beschäftigten sich in ihren Zimmern mit dem Putz für die Nacht. Jene Musikanten mit den heisern Geigen, mit den verstimmten Bässen und den meckernden Hoboen, von denen Fräulein Adelheid gesprochen, waren nämlich angekommen, und es sollte für die Nacht nichts Geringeres geben als einen Ball in bestmöglicher Form. Der Alte, den ruhigen Schlaf solch faselndem Treiben vorziehend, blieb in seinem Gemach, ich hingegen hatte mich eben zum Ball gekleidet, als es leise an unsere Tür klopfte und Franz hereintrat, der mir mit behaglichem Lächeln verkündete, daß soeben das Klavizimbel von der Frau Wirtschaftsinpektorin in einem Schlitten angekommen und zur gnädigen Frau Baronin getragen worden sei. Fräulein Adelheid ließe mich einladen, nur gleich herüberzukommen. Man kann denken, wie mir alle Pulse schlugen, mit welchem innern, süßen Erbeben ich das Zimmer öffnete, in dem ich *sie* fand. Fräulein Adelheid kam mir freudig entgegen. Die Baronin, schon zum Ball völlig geputzt, saß ganz nachdenklich vor dem geheimnisvollen Kasten, in dem die Töne schlummern sollten, die zu wecken ich berufen. Sie stand auf, so in vollem Glanz der Schönheit strahlend, daß ich, keines Wortes mächtig, sie anstarrte.

»Nun, Theodor« – nach der gemütlichen Sitte des Nordens, die man im tieferen Süden wiederfindet, nannte sie jeden bei seinem Vornamen –, »nun, Theodor«, sprach sie freundlich, »das Instrument ist gekommen, gebe der Himmel, daß es Ihrer Kunst nicht ganz unwürdig sein möge.« Sowie ich den Deckel öffnete, rauschten mir eine Menge gesprungener Saiten entgegen, und sowie ich einen Akkord griff, klang es, da alle Saiten, die noch ganz geblieben, durchaus verstimmt waren, widrig und abscheulich. »Der Organist ist wieder mit seinen zarten Händchen drüber her gewesen«, rief Fräulein Adelheid lachend, aber die Baronin sprach ganz mißmutig: »Das ist denn doch ein rechtes Unglück! Ach, ich soll denn hier nun einmal keine Freude haben!« – Ich suchte in dem Behälter des Instruments und fand glücklicherweise einige Rollen Saiten, aber durchaus keinen Stimmhammer! – Neue Klagen! Jeder Schlüssel, dessen Bart in die Wirbel passe, könne gebraucht werden, erklärte ich; da liefen beide, die Baronin und Fräulein Adelheid, freudig hin und wider, und nicht lange dauerte es, so lag ein ganzes Magazin blanker Schlüsselchen vor mir auf dem Resonanzboden.

Nun machte ich mich emsig drüber her – Fräulein Adelheid, die Baronin selbst mühte sich, mir beizustehen, diesen – jenen Wirbel probierend. Da zieht einer den trägen Schlüssel an. »Es geht, es geht!« riefen sie freudig. – Da rauscht die Saite, die sich schier bis zur Reinheit herangeächzt, gesprungen auf, und erchrocken fahren sie zurück! – Die Baronin hantiert mit den kleinen zarten Händchen in den spröden Drahtsaiten, sie reicht mir die Nummern, die ich verlange, und hält sorgsam die Rolle, die ich abwickle; plötzlich schnurrt eine auf, so daß die Baronin ein ungeduldiges Ach! ausstößt. Fräulein Adelheid lacht laut auf, ich verfolge den verwirrten Knäuel bis in die Ecke des Zimmers, und wir alle suchen aus ihm noch eine gerade unzerknickte Saite herauszuziehen, die dann aufgezogen zu unserm Leidwesen wieder springt, aber endlich – endlich sind gute Rollen gefunden, die Saiten fangen an zu stehen, und aus dem mißtönigen Sumsen gehen allmählich klare, reine Akkorde hervor! »Ach, es glückt, es glückt – das Instrument stimmt sich!« ruft die Baronin, indem sie mich mit holdem Lächeln anblickt! Wie schnell vertrieb dies gemeinschaftliche Mühen alles Fremde, Nüchterne, das die Konvenienz hinstellt; wie ging unter uns eine heimische Vertraulichkeit auf, die, ein elektrischer Hauch, mich durchglühend, die verzagte Beklommenheit, welche wie Eis auf meiner Brust lag, schnell wegzehrte. Jener seltsame Pathos, wie ihn solche Verliebtheit, wie die meinige, wohl erzeugt, hatte mich ganz verlassen, und so kam es, daß, als nun endlich das Pianoforte leidlich gestimmt war, ich, statt wie ich gewollt, meine innern Gefühle in Phantasien recht laut werden zu lassen, in jene süße, liebliche Kanzonetten verfiel, wie sie aus dem Süden zu uns herübergeklungen. Während dieser *Senza di te* – dieser *Sentimi idol mio,* dieser *Almen se non poss'io* und hundert *morir mi sento* und *Addio* und *Oh dio* wurden leuchtender und leuchtender Seraphinens Blicke. Sie hatte sich dicht neben mir an das Instrument gesetzt, ich fühlte ihren Atem an meiner Wange spielen; indem sie ihren Arm hinter mir auf die Stuhllehne stützte, fiel ein weißes Band, das sich von dem zierlichen Ballkleide losgenestelt, über meine Schulter und flatterte, von meinen Tönen, von Seraphinens leisen Seufzern berührt, hin und her wie ein getreuer Liebesbote! – Es war zu verwundern, daß ich den Verstand behielt! Als ich, mich auf irgendein neues Lied besinnend, in den Akkorden herumfuhr, sprang Fräulein Adelheid, die in einer Ecke des Zimmers gesessen, herbei, kniete vor der Baronin hin und bat, ihre beiden Hände erfassend und an die Brust drückend: »O liebe Baronin – Seraphinchen, nun mußt du auch singen!« Die Baronin erwiderte: »Wo denkst du aber auch hin, Adelheid! Wie mag ich mich denn vor unserm Virtuosen da mit meiner elenden Singerei hören lassen!«

Es war lieblich anzuschauen, wie sie, gleich einem frommverschämten Kinde die Augen niederschlagend und hocherrötend, mit der Lust und mit der Scheu kämpfte. Man kann denken, wie ich sie anflehte und, als sie kleine kurländische Volkslieder erwähnte, nicht nachließ, bis sie, mit der linken Hand herüberlangend, einige Töne auf dem Instrument versuchte, wie zur Einleitung. Ich wollte ihr Platz machen am Instrument, sie ließ es aber nicht zu, indem sie versicherte, daß sie nicht eines einzigen Akkordes mächtig sei und daß ebendeshalb ihr Gesang ohne Begleitung sehr mager und unsicher klingen werde. Nun fing sie mit zarter, glockenreiner, tief aus dem Herzen tönender Stimme ein Lied an, dessen einfache Melodie ganz den Charakter jener Volkslieder trug, die so klar aus dem Innern herausleuchten, daß wir in dem hellen Schein, der uns umfließt, unsere höhere poetische Natur erkennen müssen. Ein geheimnisvoller Zauber liegt in den unbedeutenden Worten des Textes, der zur Hieroglyphe des Unaussprechlichen wird, von dem unsere Brust erfüllt. Wer denkt nicht an jene spanische Kanzonetta, deren Inhalt den Worten nach nicht viel mehr ist als: Mit meinem Mädchen schifft' ich auf dem Meer, da wurd' es stürmisch, und mein Mädchen wankte furchtsam hin und her. Nein! – Nicht schiff' ich wieder mit meinem Mädchen auf dem Meer! So sagte der Baronin Liedlein nichts weiter: Jüngst tanzt' ich mit meinem Schatze auf der Hochzeit, da fiel mir eine Blume aus dem Haar, die hob er auf und gab sie mir und sprach: Wann, mein Mädchen, gehn wir wieder zur Hochzeit? – Als ich bei der zweiten Strophe dies Liedchen in arpeggierenden Akkorden begleitete, als ich in der Begeisterung, die mich erfaßt, die Melodien der folgenden Lieder gleich von den Lippen der Baronin wegstahl, da erschien ich ihr und der Fräulein Adelheid wie der größte Meister der Tonkunst, sie überhäuften mich mit Lobsprüchen.

Die angezündeten Lichter des Ballsaals im Seitenflügel brannten hinein in das Gemach der Baronin, und ein mißtöniges Geschrei von Trompeten und Hörnern verkündete, daß es Zeit sei, sich zum Ball zu versammeln. »Ach, nun muß ich fort!« rief die Baronin, ich sprang auf vom Instrument. »Sie haben mir eine herrliche Stunde bereitet – es waren die heitersten Momente, die ich jemals hier in R . . . sitten verlebte.« Mit diesen Worten reichte mir die Baronin die Hand; als ich sie im Rausch des höchsten Entzückens an die Lippen drückte, fühlte ich ihre Finger heftig pulsierend an meine Hand anschlagen! Ich weiß nicht, wie ich in des Großonkels Zimmer, wie ich dann in den Ballsaal kam. –

Jener Gaskogner fürchtete die Schlacht, weil jede Wunde ihm tödlich werden müsse, da er ganz Herz sei! Ihm mochte ich, ihm mag jeder in meiner Stimmung gleichen! Jede Berührung wird tödlich. Der Baronin Hand, die pulsierenden Finger hatten mich getroffen wie vergiftete Pfeile, mein Blut brannte in den Adern! Ohne mich gerade auszufragen, hatte der Alte am andern Morgen doch bald die Geschichte des mit der Baronin verlebten Abends heraus, und ich war nicht wenig betreten, als er, der mit lachendem Munde und heitrem Tone gesprochen, plötzlich sehr ernst wurde und anfing: »Ich bitte dich, Vetter, widerstehe der Narrheit, die dich mit aller Macht ergriffen! Wisse, daß dein Beginnen, so harmlos wie es scheint, die entsetzlichsten Folgen haben kann, du stehst in achtlosem Wahnsinn auf dünner Eisdecke, die bricht unter dir, ehe du dich es versiehst, und du plumpst hinein. Ich werd' mich hüten, dich am Rockschoß festzuhalten, denn ich weiß, du rappelst dich selber wieder heraus und sprichst, zum Tode erkrankt: Das bißchen Schnupfen bekam ich im Traume; aber ein böses Fieber wird zehren an deinem Lebensmark, und Jahre werden hingehen, ehe du dich ermannst. – Hol der Teufel deine Musik, wenn du damit nichts Besseres anzufangen weißt, als empfindelnde Weiber hinauszutrompeten aus friedlicher Ruhe.« – »Aber«, unterbrach ich den Alten, »kommt es mir denn in den Sinn, mich bei der Baronin einzuliebeln?« – »Affe!« rief der Alte. »Wüßt' ich das, so würfe ich dich hier durchs Fenster!«

Der Baron unterbrach das peinliche Gespräch, und das beginnende Geschäft riß mich aus der Liebesträumerei, in der ich nur Seraphinen sah und dachte. In der Gesellschaft sprach die Baronin nur dann und wann mit mir einige freundliche Worte, aber beinahe kein Abend verging, daß nicht heimliche Botschaft kam von Fräulein Adelheid, die mich hinrief zu Seraphinen. Bald geschah es, daß mannigfache Gespräche mit der Musik wechselten. Fräulein Adelheid, die beinahe nicht jung genug war, um so naiv und drollig zu sein, sprang mit allerlei lustigem und etwas konfusem Zeuge dazwischen, wenn ich und Seraphine uns zu vertiefen begannen in sentimentale Ahnungen und Träumereien. Aus mancher Andeutung mußt' ich bald erfahren, daß der Baronin wirklich irgend etwas Verstörendes im Sinn liege, wie ich es gleich, als ich sie zum ersten Male sah, in ihrem Blick zu lesen glaubte, und die feindliche Wirkung des Hausgespenstes ging mir ganz klar auf. Irgend etwas Entsetzliches war oder sollte geschehen. Wie oft drängte es mich, Seraphinen zu erzählen, wie mich der unsichtbare Feind berührt und wie ihn der Alte, gewiß für immer, gebannt habe, aber eine mir selbst unerklärliche Scheu fesselte mir die Zunge im Augenblick, als ich reden wollte.

Eines Tages fehlte die Baronin bei der Mittagstafel; es hieß, sie kränkle und könne das Zimmer nicht verlassen. Teilnehmend frug man den Baron, ob das Übel von Bedeutung sei. Er lächelte auf fatale Art, recht wie bitter höhnend, und sprach: »Nichts als ein leichter Katarrh, den ihr die rauhe Seeluft zugeweht, die nun einmal hier kein süßes Stimmchen duldet und keine andern Töne leidet als das derbe Hallo der Jagd.« – Bei diesen Worten warf der Baron mir, der ihm schrägüber saß, einen stechenden Blick zu. Nicht zu dem Nachbar, zu mir hatte er gesprochen. Fräulein Adelheid, die neben mir saß, wurde blutrot; vor sich hin auf den Teller starrend und mit der Gabel darauf herumkritzelnd, lispelte sie: »Und noch heute siehst du Seraphinen, und noch heute werden deine süßen Liederchen beruhigend sich an das kranke Herz legen.« Auch Adelheid sprach diese Worte für mich, aber in dem Augenblick war es mir, als stehe ich mit der Baronin in unlauterm, verbotenem Liebesverhältnis, das nur mit dem Entsetzlichen, mit einem Verbrechen, endigen könne. – Die Warnungen des Alten fielen mir schwer aufs Herz. Was sollte ich beginnen! Sie nicht mehr sehen? Das war, solange ich im Schlosse blieb, unmöglich, und durfte ich auch das Schloß verlassen und nach K. zurückgehen, ich vermochte es nicht. Ach, nur zu sehr fühlt' ich, daß ich nicht stark genug war, mich selbst aufzurütteln aus dem Traum, der mich mit phantastischem Liebesglück neckte. Adelheid erschien mir beinahe als gemeine Kupplerin, ich wollte sie deshalb verachten – und doch, mich wieder besinnend, mußte ich mich meiner Albernheit schämen. Was geschah in jenen seligen Abendstunden, das nur im mindesten ein näheres Verhältnis mit Seraphinen, als Sitte und Anstand es erlaubten, herbeiführen konnte? Wie durfte es mir einfallen, daß die Baronin irgend etwas für mich fühlen sollte, und doch war ich von der Gefahr meiner Lage überzeugt!

Die Tafel wurde zeitiger aufgehoben, weil es noch auf Wölfe gehen sollte, die sich in dem Föhrenwalde, ganze nahe dem Schlosse, hatten blicken lassen. Die Jagd war mir recht in meiner aufgeregten Stimmung, ich erklärte dem Alten, mitziehn zu wollen, er lächelte mich zufrieden an, sprechend: »Das ist brav, daß du auch einmal dich herausmachst, ich bleibe daheim, du kannst meine Büchse nehmen, und schnalle auch meinen Hirschfänger um, im Fall der Not ist das eine gute, sichre Waffe, wenn man nur gleichmütig bleibt.« Der Teil des Waldes, in dem die Wölfe lagern mußten, wurde von den Jägern umstellt. Es war schneidend kalt, der Wind heulte durch die Föhren und trieb mir die hellen Schneeflocken ins Gesicht, daß ich, als nun vollends die Dämmerung einbrach, kaum sechs Schritte vor mir hinschauen konnte. Ganz erstarrt verließ ich den mir angewiesenen Platz und suchte Schutz tiefer im Walde. Da lehnte ich an einen Baum, die Büchse unterm Arm. Ich vergaß die Jagd, meine Gedanken trugen mich fort zu Seraphinen ins heimische Zimmer. Ganz entfernt fielen Schüsse, in demselben Moment rauschte es im Röhricht, und nicht zehn Schritte von mir erblickte ich einen starken Wolf, der vorüberrennen wollte. Ich legte an, drückte ab – ich hatte gefehlt, das Tier sprang mit glühenden Augen auf mich zu, ich war verloren, hatte ich nicht Besonnenheit genug, das Jagdmesser herauszureißen, das ich dem Tier, als es mich packen wollte, tief in die Gurgel stieß, so daß das Blut mir über Hand und Arm spritzte. Einer von den Jägern des Barons, der mir unfern gestanden, kam nun mit vollem Geschrei herangelaufen, und auf seinen wiederholten Jagdruf sammelten sich alle um uns. Der Baron eilte auf mich zu: »Um des Himmels willen. Sie bluten? – Sie bluten, Sie sind verwundet?« Ich versicherte das Gegenteil; da fiel der Baron über den Jäger her, der mir der nächste gestanden, und überhäufte ihn mit Vorwürfen, daß er nicht nachgeschossen, als ich gefehlt, und unerachtet dieser versicherte, daß das gar nicht möglich gewesen, weil in derselben Sekunde der Wolf auf mich zugestürzt, so daß jeder Schuß *mich* hätte treffen können, so blieb doch der Baron dabei, daß er mich, als einen minder erfahrnen Jäger, in Obhut hätte nehmen sollen. Unterdessen hatten die Jäger das Tier aufgehoben, es war das größte der Art, das sich seit langer Zeit hatte sehen lassen, und man bewunderte allgemein meinen Mut und meine Entschlossenheit, unerachtet mir mein Benehmen sehr natürlich schien und ich in der Tat an die Lebensgefahr, in der ich schwebte, gar nicht gedacht hatte. Vorzüglich bewies sich der Baron teilnehmend, er konnte gar nicht aufhören zu fragen, ob ich, sei ich auch nicht von der Bestie verwundet, doch nichts von den Folgen des Schrecks fürchte.

Es ging zurück nach dem Schlosse, der Baron faßte mich, wie einen Freund, unter den Arm, die Büchse mußte ein Jäger tragen. Er sprach noch immer von meiner heroischen Tat, so daß ich am Ende selbst an meinen Heroismus glaubte, alle Befangenheit verlor und mich selbst dem Baron gegenüber als ein Mann von Mut und seltener Entschlossenheit festgestellt fühlte. Der Schulknabe hatte sein Examen glücklich bestanden, war kein Schulknabe mehr, und alle demütige Ängstlichkeit des Schulknaben war von ihm gewichen. Erworben schien mir jetzt das Recht, mich um Seraphinens Gunst zu mühen. Man weiß ja, welcher albernen Zusammenstellungen die Phantasie eines verliebten Jünglings fähig ist. – Im Schlosse, am Kamin bei dem rauchenden Punschnapf, blieb ich der Held des Tages; nur der Baron selbst hatte außer mir noch einen tüchtigen Wolf erlegt, die übrigen mußten sich begnügen, ihre Fehlschüsse dem Wetter, der Dunkelheit zuzuschreiben und grauliche Geschichten von sonst auf der Jagd erlebtem Glück und überstandener Gefahr zu erzählen. Von dem Alten glaubte ich nun gar sehr gelobt und bewundert zu werden; mit diesem Anspruch erzählte ich ihm mein Abenteuer ziemlich breit und vergaß nicht, das wilde, blutdürstige Ansehn der wilden Bestie mit recht grellen Farben auszumalen. Der Alte lachte mir aber ins Gesicht und sprach: »Gott ist mächtig in den Schwachen!«

Als ich des Trinkens, der Gesellschaft überdrüssig, durch den Korridor nach dem Gerichtssaal schlich, sah ich vor mir eine Gestalt, mit dem Licht in der Hand hineinschlüpfen. In den Saal tretend, erkannte ich Fräulein Adelheid. »Muß man nicht umherirren wie ein Gespenst, wie ein Nachtwandler, um Sie, mein tapferer Wolfsjäger, aufzufinden!« So lispelte sie mir zu, indem sie mich bei der Hand ergriff. Die Worte: Nachtwandler – Gespenst fielen mir, hier an diesem Orte ausgesprochen, schwer aufs Herz; augenblicklich brachten sie mir die gespenstischen Erscheinungen jener beiden graulichen Nächte in Sinn und Gedanken; wie damals heulte der Seewind in tiefen Orgeltönen herüber, es knatterte und pfiff schauerlich durch die Bogenfenster, und der Mond warf sein bleiches Licht gerade auf die geheimnisvolle Wand, an der sich das Kratzen vernehmen ließ. Ich glaubte Blutflecke daran zu erkennen. Fräulein Adelheid mußte, mich noch immer bei der Hand haltend, die Eiskälte fühlen, die mich durchschauerte. »Was ist Ihnen, was ist Ihnen«, sprach sie leise, »Sie erstarren ja ganz? Nun will ich Sie ins Leben rufen. Wissen Sie wohl, daß die Baronin es gar nicht erwarten kann, Sie zu sehen? Eher glaubt sie nicht, daß der böse Wolf Sie wirklich nicht zerbissen hat. Sie ängstigt sich unglaublich! Ei, ei, mein Freund, was haben Sie mit Seraphinchen angefangen! Noch niemals habe ich sie so gesehen. Hu! – Wie jetzt der Puls anfängt zu prickeln! Wie der tote Herr so plötzlich erwacht ist! Nein, kommen Sie – fein leise –, wir müssen zur kleinen Baronin!«

Ich ließ mich schweigend fortziehen; die Art, wie Adelheid von der Baronin sprach, schien mir unwürdig und vorzüglich die Andeutung des Verständnisses zwischen uns gemein. Als ich mit Adelheid eintrat, kam Seraphine mir mit einem leisen Ach! drei, vier Schritte rasch entgegen, dann blieb sie, wie sich besinnend, mitten im Zimmer stehen, ich wagte, ihre Hand zu ergreifen und sie an meine Lippen zu drücken. Die Baronin ließ ihre Hand in der meinigen ruhen, indem sie sprach: »Aber mein Gott, ist es denn Ihres Berufs, es mit Wölfen aufzunehmen? Wissen Sie denn nicht, daß Orpheus', Amphions fabelhafte Zeit längst vorüber ist und daß die wilden Tiere allen Respekt vor den vortrefflichsten Sängern ganz verloren haben?« Diese anmutige Wendung, mit der die Baronin ihrer lebhaften Teilnahme sogleich alle Mißdeutung abschnitt, brachte mich augenblicks in richtigen Ton und Takt. Ich weiß selbst nicht, wie es kam, daß ich nicht, wie gewöhnlich, mich an das Instrument setzte, sondern neben der Baronin auf dem Kanapee Platz nahm. Mit dem Wort: »Und wie kamen Sie denn in Gefahr?« erwies sich unser Einverständnis, daß es heute nicht auf Musik, sondern auf Gespräch abgesehen sei. Nachdem ich meine Abenteuer im Walde erzählt und der lebhaften Teilnahme des Barons erwähnt, mit der leisen Andeutung, daß ich ihn deren nicht für fähig gehalten, fing die Baronin mit sehr weicher, beinahe wehmütiger Stimme an: »Oh, wie muß Ihnen der Baron so stürmisch, so rauh vorkommen, aber glauben Sie mir, nur während des Aufenthalts in diesen finstern, unheimlichen Mauern, nur während des wilden Jagens in den öden Föhrenwäldern ändert er sein ganzes Wesen, wenigstens sein äußeres Betragen. Was ihn vorzüglich so ganz und gar verstimmt, ist der Gedanke, der ihn beständig verfolgt, daß hier irgend etwas Entsetzliches geschehen werde; daher hat ihn Ihr Abenteuer, das zum Glück ohne üble Folgen blieb, gewiß tief erschüttert. Nicht den geringsten seiner Diener will er der mindesten Gefahr ausgesetzt wissen, viel weniger einen lieben, neugewonnenen Freund, und ich weiß gewiß, daß Gottlieb, dem er schuld gibt, Sie im Stiche gelassen zu haben, wo nicht mit Gefängnis bestraft werden, doch die beschämende Jägerstrafe dulden wird, ohne Gewehr, mit einem Knittel in der Hand, sich dem Jagdgefolge anschließen zu müssen. Schon daß solche Jagden, wie hier, nie ohne Gefahr sind und daß der Baron, immer Unglück befürchtend, doch in der Freude und Lust daran selbst den bösen Dämon neckt, bringt etwas Zerrissenes in sein Leben, das feindlich selbst auf mich wirken muß. Man erzählt viel Seltsames von dem Ahnherrn, der das Majorat stiftete, und ich weiß es wohl, daß ein düsteres Familiengeheimnis, das in diesen Mauern verschlossen, wie ein entsetzlicher Spuk die Besitzer wegtreibt und es ihnen nur möglich macht, eine kurze Zeit hindurch im lauten wilden Gewühl auszudauern. Aber ich! – Wie einsam muß ich mich in diesem Gewühl befinden, und wie muß mich das Unheimliche, das aus allen Wänden weht, im Innersten aufregen! Sie, mein lieber Freund, haben mir die ersten heitern Augenblicke, die ich hier verlebte, durch Ihre Kunst verschafft! Wie kann ich Ihnen denn herzlich genug dafür danken –!« Ich küßte die mir dargebotene Hand, indem ich erklärte, daß auch ich gleich am ersten Tage oder vielmehr in der ersten Nacht das Unheimliche des Aufenthalts bis zum tiefsten Entsetzen gefühlt habe. Die Baronin blickte mir starr ins Gesicht, als ich jenes Unheimliche der Bauart des ganzen Schlosses, vorzüglich den Verzierungen im Gerichtssaal, dem sausenden Seewinde und so weiter zuschrieb. Es kann sein, daß Ton und Ausdruck darauf hindeuteten, daß ich noch etwas anderes meine, genug, als ich schwieg, rief die Baronin heftig: »Nein, nein, es ist Ihnen irgend etwas Entsetzliches geschehen in jenem Saal, den ich nie ohne Schauer betrete! Ich beschwöre Sie – sagen Sie mir alles!«

Zur Totenblässe war Seraphinens Gesicht verbleicht, ich sah wohl ein, daß es nun geratener sei, alles, was mir widerfahren, getreulich zu erzählen, als Seraphinens aufgeregter Phantasie es zu überlassen, vielleicht einen Spuk, der in mir unbekannter Beziehung noch schrecklicher sein konnte als der erlebte, sich auszubilden. Sie hörte mich an, und immer mehr und mehr stieg ihre Beklommenheit und Angst. Als ich des Kratzens an der Wand erwähnte, schrie sie auf: »Das ist entsetzlich – ja, ja –, in dieser Mauer ist jenes fürchterliche Geheimnis verborgen!« Als ich dann weiter erzählte, wie der Alte mit geistiger Gewalt und Übermacht den Spuk gebannt, seufzte sie tief, als würde sie frei von einer schweren Last, die ihre Brust gedrückt. Sich zurücklehnend, hielt sie beide Hände vors Gesicht. Erst jetzt bemerkte ich, daß Adelheid uns verlassen. Längst hatte ich geendet, und da Seraphine noch immer schwieg, stand ich leise auf, ging an das Instrument und mühte mich, in anschwellenden Akkorden tröstende Geister heraufzurufen, die Seraphinen dem finstern Reiche, das sich ihr in meiner Erzählung erschlossen, entführen sollten. Bald intonierte ich so zart, als ich es vermochte, einer jener heiligen Kanzonen des Abbate Steffani. In den wehmutsvollen Klängen des *Ochi, perchè piangete* erwachte Seraphine aus düstern Träumen und horchte mild lächelnd, glänzende Perlen in den Augen, mir zu. – Wie geschah es denn, daß ich vor ihr hinkniete, daß sie sich zu mir herabbeugte, daß ich sie mit meinen Armen umschlang, daß ein langer, glühender Kuß auf meinen Lippen brannte? Wie geschah es denn, daß ich nicht die Besinnung verlor, daß ich es fühlte, wie sie sanft mich an sich drückte, daß ich sie aus meinen Armen ließ und, schnell mich emporrichtend, an das Instrument trat? Von mir abgewendet, ging die Baronin einige Schritte nach dem Fenster hin, dann kehrte sie um und trat mit einem beinahe stolzen Anstande, der ihr sonst gar nicht eigen, auf mich zu. Mir fest ins Auge blickend, sprach sie: »Ihr Onkel ist der würdigste Greis, den ich kenne, er ist der Schutzengel unserer Familie – möge er mich einschließen in sein frommes Gebet!« Ich war keines Wortes mächtig, verderbliches Gift, das ich in jenem Kusse eingesogen, gärte und flammte in allen Pulsen, in allen Nerven! Fräulein Adelheid trat herein – die Wut des innern Kampfes strömte aus in heißen Tränen, die ich nicht zurückzudrängen vermochte! Adelheid blickte mich verwundert und zweifelhaft lächelnd an – ich hätte sie ermorden können. Die Baronin reichte mir die Hand und sprach mit unbeschreiblicher Milde: »Leben Sie wohl, mein lieber Freund! Leben Sie recht wohl, denken Sie daran, daß vielleicht niemand besser als ich ihre Musik verstand. Ach, diese Töne werden lange, lange in meinem Innern widerklingen –.« Ich zwang mir einige unzusammenhängende, alberne Worte ab und lief nach unserm Gemach. Der Alte hatte sich schon zur Ruhe begeben. Ich blieb im Saal, ich stürzte auf die Knie, ich weinte laut, ich rief den Namen der Geliebten, kurz, ich überließ mich den Torheiten des verliebten Wahnsinns trotz einem, und nur der laute Zuruf des über mein Toben aufgewachten Alten: »Vetter, ich glaube du bist verrückt geworden oder balgst dich aufs neue mit einem Wolf? Schier dich zu Bette, wenn es dir sonst gefällig ist« – nur dieser Zuruf trieb mich hinein ins Gemach, wo ich mich mit dem festen Vorsatz niederlegte, nur von Seraphinen zu träumen.

Es mochte schon nach Mitternacht sein, als ich, noch nicht eingeschlafen, entfernte Stimmen, ein Hin- und Herlaufen und das Öffnen und Zuschlagen von Türen zu vernehmen glaubte. Ich horchte auf, da hörte ich Tritte auf dem Korridor sich nahen, die Tür des Saals wurde geöffnet, und bald klopfte es an unser Gemach. »Wer ist da?« rief ich laut; da sprach es draußen: »Herr Justitiarius, Herr Justitiarius, wachen Sie auf – wachen Sie auf!« Ich erkannte Franzens Stimme, und indem ich frug: »Brennt es im Schlosse?«, wurde der Alte wach und rief: »Wo brennt es? Wo ist schon wieder verdammter Teufelsspuk los?« – »Ach, stehen Sie auf, Herr Justitiarius«, sprach Franz, »stehen Sie auf, der Herr Baron verlangt nach Ihnen!« – »Was will der Baron von mir«, frug der Alte weiter, »was will er von mir zur Nachtzeit? Weiß er nicht, daß das Justitiariat mit dem Justitiarius zu Bette geht und ebensogut schläft als er?« – »Ach«, rief nun Franz ängstlich, »lieber Herr Justitiarius, stehen Sie doch nur auf – die gnädige Frau Baronin liegt im Sterben!« Mit einem Schrei des Entsetzens fuhr ich auf. »Öffne Franzen die Tür«, rief mir der Alte zu; besinnungslos wankte ich im Zimmer herum, ohne Tür und Schloß zu finden. Der Alte mußte mir beistehen, Franz trat bleich mit verstörtem Gesicht herein und zündete die Lichter an. Als wir uns kaum in die Kleider geworfen, hörten wir schon den Baron im Saal rufen: »Kann ich Sie sprechen, lieber V.?« –

»Warum hast du dich angezogen, Vetter, der Baron hat nur nach mir verlangt?« frug der Alte, im Begriff herauszutreten. »Ich muß hinab – ich muß sie sehen und dann sterben«, sprach ich dumpf und wie vernichtet vom trostlosen Schmerz. »Ja so! Da hast du recht, Vetter!« Dies sprechend, warf mir der Alte die Tür vor der Nase zu, daß die Angeln klirrten, und verschloß sie von draußen.

Im ersten Augenblick, über diesen Zwang empört, wollt' ich die Tür einrennen, aber mich schnell besinnend, daß dieses nur die verderblichen Folgen einer ungezügelten Raserei haben könne, beschloß ich, die Rückkehr des Alten abzuwarten, dann aber, koste es, was es wolle, seiner Aufsicht zu entschlüpfen. Ich hörte den Alten heftig mit dem Baron reden, ich hörte mehrmals meinen Namen nennen, ohne Weiteres verstehen zu können. Mit jeder Sekunde wurde mir meine Lage tödlicher. Endlich vernahm ich, wie dem Baron eine Botschaft gebracht wurde und wie er schnell davonrannte. Der Alte trat wieder in das Zimmer. »Sie ist tot« – mit diesem Schrei stürzte ich dem Alten entgegen – »Und du bist närrisch!« fiel er gelassen ein, faßte mich und drückte mich in einen Stuhl. »Ich muß hinab«, schrie ich, »ich muß hinab, sie sehen, und sollt es mir das Leben kosten!« – »Tue das, lieber Vetter«, sprach der Alte, indem er die Tür verschloß, den Schlüssel abzog und in die Tasche steckte. Nun flammte ich auf in toller Wut, ich griff nach der geladenen Büchse und schrie: »Hier vor Ihren Augen jage ich mir die Kugel durch den Kopf, wenn Sie nicht sogleich mir die Tür öffnen.« Da trat der Alte dicht vor mir hin und sprach, indem er mich mit durchbohrendem Blick ins Auge faßte: »Glaubst du, Knabe, daß du mich mit deiner armseligen Drohung erschrecken kannst? Glaubst du, daß mir dein Leben was wert ist, wenn du vermagst, es in kindischer Albernheit wie ein abgenutztes Spielzeug wegzuwerfen? – Was hast du mit dem Weibe des Barons zu schaffen? Wer gibt dir das Recht, dich wie ein überlästiger Geck da hinzudrängen, wo du nicht hingehörst und wo man dich auch gar nicht mag? Willst du den liebelnden Schäfer machen in ernster Todesstunde?« – Ich sank vernichtet in den Lehnstuhl. Nach einer Weile fuhr der Alte mit milderer Stimme fort: »Und damit du es nur weißt, mit der angeblichen Todesgefahr der Baronin ist es wahrscheinlich ganz und gar nichts – Fräulein Adelheid ist denn nun gleich außer sich über alles; wenn ihr ein Regentropfen auf die Nase fällt, so schreit sie „Welch ein schreckliches Unwetter!“ – Zum Unglück ist der Feuerlärm bis zu den alten Tanten gedrungen, die sind unter unziemlichem Weinen mit einem ganzen Arsenal von stärkenden Tropfen – Lebenselixieren, und was weiß ich sonst, angerückt. Eine starke Anwandlung von Ohnmacht –«

Der Alte hielt inne, er mochte bemerken, wie ich im Innern kämpfte. Er ging einigemal die Stube auf und ab, stellte sich wieder vor mir hin, lachte recht herzlich und sprach: »Vetter, Vetter! Was treibst du für närrisches Zeug? – Nun! Es ist einmal nicht anders, der Satan treibt hier seinen Spuk auf mancherlei Weise, du bist ihm ganz lustig in die Krallen gelaufen, und er macht jetzt sein Tänzchen mit dir.« Er ging wieder einige Schritte auf und ab, dann sprach er weiter: »Mit dem Schlaf ist's nun einmal vorbei, und da dächt' ich, man rauchte eine Pfeife und brächte so noch die paar Stündchen Nacht und Finsternis hin!«

Mit diesen Worten nahm der Alte eine tönerne Pfeife vom Wandschrank herab und stopfte sie, ein Liedchen brummend, langsam und sorgfältig, dann suchte er unter vielen Papieren, bis er ein Blatt herausriß, es zum Fidibus zusammenknetete und ansteckte. Die dicken Rauchwolken von sich blasend, sprach er zwischen den Zähnen: »Nun, Vetter, wie war es mit dem Wolf?« Ich weiß nicht, wie dies ruhige Treiben des Alten seltsam auf mich wirkte. Es war, als sei ich gar nicht mehr in R . . . sitten – die Baronin weit, weit von mir entfernt, so daß ich sie nur mit den geflügelten Gedanken erreichen könne! – Die letzte Frage des Alten verdroß mich. »Aber«, fiel ich ein, »finden Sie mein Jagdabenteuer so lustig, so zum Bespötteln geeignet?« – »Mitnichten«, erwiderte der Alte, »mitnichten, Herr Vetter, aber du glaubst nicht, welch komisches Gesicht solch ein Kiekindiewelt wie du schneidet und wie er sich überhaupt so possierlich dabei macht, wenn der liebe Gott ihn einmal würdigt, was Besonderes ihm passieren zu lassen. – Ich hatte einen akademischen Freund, der ein stiller, besonnener, mit sich einiger Mensch war. Der Zufall verwickelte ihn, der nie Anlaß zu dergleichen gab, in eine Ehrensache, und er, den die mehresten Burschen für einen Schwächling, für einen Pinsel hielten, benahm sich dabei mit solchem ernstem, entschlossenem Mute, daß alle ihn höchlich bewunderten. Aber seit der Zeit war er auch umgewandelt. Aus dem fleißigen, besonnenen Jüngling wurde ein prahlhafter, unausstehlicher Raufbold. Er kommerschierte und jubelte und schlug dummer Kinderei halber sich so lange, bis ihn der Senior einer Landsmannschaft, die er auf pöbelhafte Weise beleidigt, im Duell niederstieß. Ich erzähle dir das nur so, Vetter, du magst dir dabei denken, was du willst! – Um nun wieder auf die Baronin und ihre Krankheit zu kommen . . .« Es ließen sich in dem Augenblick leise Tritte auf dem Saal hören, und mir war es, als ginge ein schauerliches Ächzen durch die Lüfte! – Sie ist hin! – Der Gedanke durchfuhr mich wie ein tötender Blitz! – Der Alte stand rasch auf und rief laut: »Franz, Franz!« – »Ja, lieber

Herr Justitiarius«, antwortete es draußen. »Franz«, fuhr der Alte fort, »schüre ein wenig das Feuer im Kamin zusammen, und ist es tunlich, so magst du für uns ein paar Tassen guten Tee bereiten! – Es ist verteufelt kalt«, wandte sich der Alte zu mir, »und da wollen wir uns lieber draußen am Kamine was erzählen.« Der Alte schloß die Tür auf, ich folgte ihm mechanisch. »Wie geht's unten?« frug der Alte. »Ach«, erwiderte Franz, »es hatte gar nicht viel zu bedeuten, die gnädige Frau Baronin sind wieder ganz munter und schieben das bißchen Ohnmacht auf einen bösen Traum!« – Ich wollte aufjauchzen vor Freude und Entzücken, ein sehr ernster Blick des Alten wies mich zur Ruhe. – »Ja«, sprach der Alte, »im Grunde genommen wär's doch besser, wir legten uns noch ein paar Stündchen aufs Ohr! Laß es nur gut sein mit dem Tee, Franz!« – »Wie Sie befehlen, Herr Justitiarius«, erwiderte Franz und verließ den Saal mit dem Wunsch einer geruhsamen Nacht, unerachtet schon die Hähne krähten. »Höre, Vetter!« sprach der Alte, indem er die Pfeife im Kamin ausklopfte. »Höre, Vetter, gut ist's doch, daß dir kein Malheur passiert ist mit Wölfen und geladenen Büchsen!« Ich verstand jetzt alles und schämte mich, daß ich dem Alten Anlaß gab, mich zu behandeln wie ein ungezogenes Kind.

»Sei so gut«, sprach der Alte am andern Morgen, »sei so gut, lieber Vetter, steige herab und erkundige dich, wie es mit der Baronin steht. Du kannst nur immer nach Fräulein Adelheid fragen, die wird dich denn wohl mit einem tüchtigen Bulletin versehen.« – Man kann denken, wie ich hinabeilte. Doch in dem Augenblick, als ich leise an das Vorgemach der Baronin pochen wollte, trat mir der Baron rasch aus demselben entgegen. Er blieb verwundert stehen und maß mich mit finsterm, durchbohrendem Blick. »Was wollen Sie hier?« fuhr es ihm heraus. Unerachtet mir das Herz im Innersten schlug, nahm ich mich zusammen und erwiderte mit festem Ton: »Mich im Auftrage des Onkels nach dem Befinden der gnädigen Frau erkundigen.« – »Oh, es war ja gar nichts, ihr gewöhnlicher Nervenzufall. Sie schläft sanft, und ich weiß, daß sie wohl und munter bei der Tafel erscheinen wird! Sagen Sie das – sagen Sie das.« Dies sprach der Baron mit einer gewissen leidenschaftlichen Heftigkeit, die mir anzudeuten schien, daß er um die Baronin besorgter sei, als er es wolle merken lassen. Ich wandte mich, um zurückzukehren, da ergriff der Baron plötzlich meinen Arm und rief mit flammendem Blick: »Ich habe mit Ihnen zu sprechen, junger Mann!« Sah ich nicht den schwerbeleidigten Gatten vor mir, und mußt' ich nicht einen Auftritt befürchten, der vielleicht schmachvoll für mich enden konnte? Ich war unbewaffnet, doch im Moment besann ich mich auf mein künstliches Jagdmesser, das mir der Alte erst in R... sitten geschenkt und das ich noch in der Tasche trug. Nun folgte ich dem mich rasch fortziehenden Baron mit dem Entschluß, keines Leben zu schonen, wenn ich Gefahr laufen sollte, unwürdig behandelt zu werden.

Wir waren in des Barons Zimmer eingetreten, dessen Tür er hinter sich abschloß. Nun schritt er mit übereinandergeschlagenen Armen heftig auf und ab, dann blieb er vor mir stehen und wiederholte: »Ich habe mit Ihnen zu sprechen, junger Mann!« – Der verwegenste Mut war mir gekommen, und ich wiederholte mit erhöhtem Ton: »Ich hoffe, daß es Worte sein werden, die ich ungeahndet hören darf!« Der Baron schaute mich verwundert an, als verstehe er mich nicht. Dann blickte er finster zur Erde, schlug die Arme über den Rücken und fing wieder an, im Zimmer auf und ab zu rennen. Er nahm eine Büchse herab und stieß den Ladestock hinein, als wolle er versuchen, ob sie geladen sei oder nicht! Das Blut stieg mir in den Adern, ich faßte nach dem Messer und schritt dicht auf den Baron zu, um es ihm unmöglich zu machen, auf mich anzulegen. »Ein schönes Gewehr«, sprach der Baron, die Büchse wieder in den Winkel stellend. Ich trat einige Schritte zurück und der Baron an mich heran; kräftiger auf meine Schulter schlagend, als gerade nötig, sprach er dann: »Ich muß Ihnen aufgeregt und verstört vorkommen, Theodor, ich bin es auch wirklich von der in tausend Ängsten durchwachten Nacht. Der Nervenzufall meiner Frau war durchaus nicht gefährlich, das sehe ich jetzt ein, aber hier, hier in diesem Schloß, in das ein finstrer Geist gebannt ist, fürcht' ich das Entsetzliche, und dann ist es auch das erstemal, daß sie hier erkrankte. Sie, Sie allein sind daran schuld!« – Wie das möglich sein könne, davon hätte ich keine Ahnung, erwiderte ich gelassen. »Oh«, fuhr der Baron fort, »oh, wäre der verdammte Unglückskasten der Inspektorin auf blankem Eise zerbrochen in tausend Stücke, o wären Sie – doch nein! Nein! Es sollte, es mußte so sein, und ich allein bin schuld an allem. An mir lag es, in dem Augenblick, als Sie anfingen, in dem Gemach meiner Frau Musik zu machen, Sie von der ganzen Lage der Sache, von der Gemütsstimmung meiner Frau zu unterrichten.« – Ich machte Miene zu sprechen. – »Lassen Sie mich reden«, rief der Baron, »ich muß im voraus Ihnen alles voreilige Urteil abschneiden. Sie werden mich für einen rauhen, der Kunst abholden Mann halten. Ich bin das keineswegs, aber eine auf tiefe Überzeugung gebaute Rücksicht nötigt mich, hier womöglich solcher Musik, die jedes Gemüt und auch gewiß das meinige ergreift, den Eingang zu versagen. Erfahren Sie, daß meine Frau an einer Erregbarkeit kränkelt, die am Ende alle Lebensfreude wegzehren muß. In diesen wunderlichen Mauern kommt sie gar nicht heraus aus dem erhöhten, überreizten Zustande, der sonst nur momentan einzutreten pflegt, und zwar oft als Vorbote einer ernsten Krankheit. Sie fragen mit Recht, warum ich der zarten Frau diesen schauerlichen Aufenthalt, dieses wilde, verwirrte Jägerleben nicht erspare? Aber nennen Sie es immerhin Schwäche, genug, mir ist es nicht möglich, sie allein zurückzulassen. In tausend Ängsten und nicht fähig, Ernstes zu unternehmen, würde ich sein, denn ich weiß es, die entsetzlichsten Bilder von allerlei verstörendem Ungemach, das ihr widerfahren, verließen mich nicht im Walde, nicht im Gerichtssaal. – Dann aber glaube ich auch, daß dem schwächlichen Weibe gerade diese Wirtschaft hier wie ein erkräftigendes Stahlbad anschlagen muß – wahrhaftig, der Seewind, der nach seiner Art tüchtig durch die Föhren saust, das dumpfe Gebelle der Doggen, der keck und munter schmetternde Hörnerklang muß hier siegen über die verweichlenden, schmachtelnden Pinseleien am Klavier, das *so* kein Mann spielen sollte, aber Sie haben es darauf angelegt, meine Frau methodisch zu Tode zu quälen!« Der Baron sagte dies mit verstärkter Stimme und wildfunkelnden Augen – das Blut stieg mir in den Kopf, ich machte eine heftige Bewegung mit der Hand gegen den Baron, ich wollte sprechen, er ließ mich nicht zu Worte kommen. »Ich weiß, was Sie sagen wollen«, fing er an, »ich weiß es und wiederhole es, daß Sie auf dem Wege waren, meine Frau zu töten, und daß ich Ihnen dies auch nicht im mindesten zurechnen kann, wiewohl Sie begreifen, daß ich dem Dinge Einhalt tun muß. – Kurz! Sie exaltieren meine Frau durch Spiel und Gesang, und als sie in dem bodenlosen Meere träumerischer Visionen und Ahnungen, die Ihre Musik wie ein böser Zauber heraufbeschworen hat, ohne Halt und Steuer umherschwimmt, drücken Sie sie hinunter in die Tiefe mit der Erzählung eines unheimlichen Spuks, der Sie oben im Gerichtssaal geneckt haben soll. Ihr Großonkel hat mir alles erzählt, aber ich bitte Sie, wiederholen Sie mir alles, was Sie sahen oder nicht sahen – hörten, fühlten, ahnten.« Ich nahm mich zusammen und erzählte ruhig, wie es sich damit begeben, von Anfang bis zu Ende. Der Baron warf nur dann und wann einzelne Worte, die sein Erstaunen ausdrückten, dazwischen.

Als ich darauf kam, wie der Alte sich mit frommem Mut dem Spuk entgegengestellt und ihn gebannt habe mit kräftigen Worten, schlug er die Hände zusammen, hob sie gefaltet zum Himmel empor und rief begeistert: »Ja, er ist der Schutzgeist der Familie! Ruhen soll in der Gruft der Ahnen seine sterbliche Hülle!« – Ich hatte geendet. »Daniel, Daniel! Was machst du hier zu dieser

Stunde!« murmelte der Baron in sich hinein, indem er mit übereinandergeschlagenen Armen im Zimmer auf und ab schritt. »Weiter war es also nichts, Herr Baron?« frug ich laut, indem ich Miene machte, mich zu entfernen. Der Baron fuhr auf wie aus einem Traum, faßte freundlich mich bei der Hand und sprach: »Ja, lieber Freund, meine Frau, der Sie so arg mitgespielt haben, ohne es zu wollen, die müssen Sie wiederherstellen, Sie allein können das.« Ich fühlte mich erröten, und stand ich dem Spiegel gegenüber, so erblickte ich gewiß in demselben ein sehr albernes, verdutztes Gesicht. Der Baron schien sich an meiner Verlegenheit zu weiden, er blickte mir unverwandt ins Auge mit einem recht fatalen ironischen Lächeln. »Wie in aller Welt sollte ich es anfangen?« stotterte ich endlich mühsam heraus. »Nun, nun«, unterbrach mich der Baron, »Sie haben es mit keiner gefährlichen Patientin zu tun. Ich nehme jetzt ausdrücklich Ihre Kunst in Anspruch. Die Baronin ist nun einmal hereingezogen in den Zauberkreis Ihrer Musik, und sie plötzlich herauszureißen würde töricht und grausam sein. Setzen Sie die Musik fort. Sie werden zur Abendstunde in den Zimmern meiner Frau jedesmal willkommen sein. Aber gehen Sie nach und nach über zu kräftigerer Musik, verbinden Sie geschickt das Heitere mit dem Ernsten – und dann, vor allen Dingen, wiederholen Sie die Erzählung von dem unheimlichen Spuk recht oft. Die Baronin gewöhnt sich daran, sie vergißt, daß der Spuk hier in diesen Mauern hauset, und die Geschichte wirkt nicht stärker auf sie als jedes andere Zaubermärchen, das in irgendeinem Roman, in irgendeinem Gespensterbuch ihr aufgetischt worden. Das tun Sie, lieber Freund!« Mit diesen Worten entließ mich der Baron. Ich ging – ich war vernichtet in meinem eignen Innern, herabgesunken zum bedeutungslosen, törichten Kinde! Ich Wahnsinniger, der ich glaubte, Eifersucht könne sich in seiner Brust regen; er selbst schickt mich zu Seraphinen, er selbst sieht in mir nur das willenlose Mittel, das er braucht und wegwirft, wie es ihm beliebt! Vor wenigen Minuten fürchtete ich den Baron, es lag in mir tief im Hintergrunde verborgen das Bewußtsein der Schuld, aber diese Schuld ließ mich das höhere, herrlichere Leben deutlich fühlen, dem ich zugereift; nun war alles versunken in schwarze Nacht, und ich sah nur den albernen Knaben, der in kindischer Verkehrtheit die papierne Krone, die er sich auf den heißen Kopf stülpte, für echtes Gold gehalten. – Ich eilte zum Alten, der schon auf mich wartete. »Nun Vetter, wo bleibst du denn, wo bleibst du denn?« rief er mir entgegen. »Ich habe mit dem Baron gesprochen«, warf ich schnell und leise hin, ohne den Alten anschauen zu können. »Tausend Sapperlot!« sprach der Alte wie verwundert.

»Tausend Sapperlot, dacht' ich's doch gleich! Der Baron hat dich gewiß herausgefordert, Vetter?« Das schallende Gelächter, das der Alte gleich hinterher aufschlug, bewies mir, daß er auch dieses Mal, wie immer, ganz und gar mich durchschaute. Ich biß die Zähne zusammen – ich mochte kein Wort erwidern, denn wohl wußt' ich, daß es dessen nur bedurfte, um sogleich von den tausend Nekkereien überschüttet zu werden, die schon auf des Alten Lippen schwebten.

Die Baronin kam zur Tafel im zierlichen Morgenkleide, das, blendend weiß, frisch gefallenen Schnee besiegte. Sie sah matt aus und abgespannt, doch als sie nun, leise und melodisch sprechend, die dunklen Augen erhob, da blitzte süßes, sehnsüchtiges Verlangen aus düsterer Glut, und ein flüchtiges Rot überflog das lilienblasse Antlitz. Sie war schöner als jemals. – Wer ermißt die Torheiten eines Jünglings mit zu heißem Blut im Kopf und Herzen! Den bittern Groll, den der Baron in mir aufgeregt, trug ich über auf die Baronin. Alles erschien mir wie eine heillose Mystifikation, und nun wollt' ich beweisen, daß ich gar sehr bei vollem Verstande sei und über die Maßen scharfsichtig. Wie ein schmollendes Kind vermied ich die Baronin und entschlüpfte der mich verfolgenden Adelheid, so daß ich, wie ich gewollt, ganz am Ende der Tafel zwischen den beiden Offizieren meinen Platz fand, mit denen ich wacker zu zechen begann. Beim Nachtisch stießen wir fleißig die Gläser zusammen, und wie es in solcher Stimmung zu geschehen pflegt, ich war ungewöhnlich laut und lustig. Ein Bedienter hielt mir einen Teller hin, auf dem einige Bonbons lagen, mit den Worten: Von Fräulein Adelheid. Ich nahm und bemerkte bald, daß auf einem der Bonbons mit Silberstift gekritzelt stand: »Und Seraphine?« – Das Blut wallte mir auf in den Adern. Ich schaute hin nach Adelheid, die sah mich an mit überaus schlauer, verschmitzter Miene, nahm das Glas und nickte mir zu mit leisem Kopfnicken. Beinahe willkürlos murmelte ich still: »Seraphine«, nahm mein Glas und leerte es mit einem Zuge. Mein Blick flog hin zu ihr, ich gewahrte, daß sie auch in dem Augenblick getrunken hatte und ihr Glas eben hinsetzte – ihre Augen trafen die meinen, und ein schadenfroher Teufel raunte es mir in die Ohren: »Unseliger! Sie liebt dich doch!« – Einer der Gäste stand auf und brachte, nordischer Sitte gemäß, die Gesundheit der Frau vom Hause aus. Die Gläser erklangen im lauten Jubel. Entzücken und Verzweiflung spalteten mir das Herz, die Glut des Weins flammte in mir auf, alles drehte sich in Kreisen, es war, als müßte ich vor aller Augen hinstürzen zu ihren Füßen und mein Leben aushauchen! »Was ist Ihnen, lieber Freund?« Diese

Frage meines Nachbars gab mir die Besinnung wieder, aber Seraphine war verschwunden.

Die Tafel wurde aufgehoben. Ich wollte fort, Adelheid hielt mich fest, sie sprach allerlei, ich hörte, ich verstand kein Wort – sie faßte mich bei beiden Händen und rief mir laut lachend etwas in die Ohren. Wie von der Starrsucht gelähmt, blieb ich stumm und regungslos. Ich weiß nur, daß ich endlich mechanisch ein Glas Likör aus Adelheids Hand nahm und es austrank, daß ich mich einsam in einem Fenster wiederfand, daß ich dann hinausstürzte aus dem Saal, die Treppe hinab und hinauslief in den Wald. In dichten Flocken fiel der Schnee herab, die Föhren seufzten, vom Sturm bewegt; wie ein Wahnsinniger sprang ich umher in weiten Kreisen und lachte und schrie wild auf: »Schaut zu, schaut zu! Heißa! Der Teufel macht sein Tänzchen mit dem Knaben, der zu speisen gedachte total verbotene Früchte!« – Wer weiß, wie mein tolles Spiel geendet, wenn ich nicht meinen Namen laut in den Wald hineinrufen gehört. Das Wetter hatte nachgelassen, der Mond schien hell durch die zerrissenen Wolken, ich hörte Doggen anschlagen und gewahrte eine finstere Gestalt, die sich mir näherte. Es war der alte Jäger. »Ei, ei, lieber Herr Theodor«, fing er an, »wie haben Sie sich denn verirrt in dem bösen Schneegestöber, der Herr Justitiarius wartet auf Sie mit vieler Ungeduld!« – Schweigend folgte ich dem Alten. Ich fand den Großonkel im Gerichtssaal arbeitend. »Das hast du gut gemacht«, rief er mir entgegen, »das hast du sehr gut gemacht, daß du ein wenig ins Freie gingst, um dich gehörig abzukühlen. Trinke doch nicht so viel Wein, du bist noch viel zu jung dazu, das taugt nicht.« – Ich brachte kein Wort hervor, schweigend setzte ich mich hin an den Schreibtisch. »Aber sage mir nur, lieber Vetter, was wollte denn eigentlich der Baron von dir?« – Ich erzählte alles und schloß damit, daß ich mich nicht hergeben wollte zu der zweifelhaften Kur, die der Baron vorgeschlagen. »Würde auch gar nicht angehen«, fiel der Alte mir in die Rede, »denn wir reisen morgen in aller Frühe fort, lieber Vetter!« Es geschah so, ich sah Seraphinen nicht wieder!

Kaum angekommen in K. klagte der alte Großonkel, daß er mehr als jemals sich von der beschwerlichen Fahrt angegriffen fühle. Sein mürrisches Schweigen, nur unterbrochen von heftigen Ausbrüchen der übelsten Laune, verkündete die Rückkehr seiner podagristischen Zufälle. Eines Tages wurd' ich schnell hingerufen, ich fand den Alten, vom Schlage getroffen, sprachlos auf dem Lager, einen zerknitterten Brief in der krampfhaft geschlossenen Hand. Ich erkannte die Schriftzüge des Wirtschaftsinspektors aus R. . .sitten, doch, von dem tiefsten Schmerz durchdrungen, wagte ich es nicht, den Brief dem Alten zu entreißen, ich zweifelte nicht an seinem baldigen Tod. Doch noch ehe der Arzt kam, schlugen die Lebenspulse wieder, die wunderbar kräftige Natur des siebzigjährigen Greises widerstand dem tödlichen Anfall, noch desselben Tages erklärte ihn der Arzt außer Gefahr. Der Winter war hartnäckiger als jemals, ihm folgte ein rauher, düsterer Frühling, und so kam es, daß nicht jener Zufall sowohl als das Podagra, von dem bösen Klima wohl gehegt, den Alten für lange Zeit auf das Krankenlager warf. In dieser Zeit beschloß er, sich von jedem Geschäft ganz zurückzuziehen. Er trat seine Justitiariate an andere ab, und so war mir jede Hoffnung verschwunden, jemals wieder nach R. . .sitten zu kommen. Nur *meine* Pflege litt der Alte, nur von mir verlangte er unterhalten, aufgeheitert zu werden. Aber wenn auch in schmerzlosen Stunden seine Heiterkeit wiedergekehrt war, wenn es an derben Späßen nicht fehlte, wenn es selbst zu Jagdgeschichten kam und ich jeden Augenblick vermutete, meine Heldentat, wie ich den greulichen Wolf mit dem Jagdmesser erlegte, würde herhalten müssen – niemals, niemals erwähnte er unseres Aufenthaltes in R. . .sitten, und wer mag nicht einsehen, daß ich aus natürlicher Scheu mich wohl hütete, ihn geradezu darauf zu bringen.

Meine bittere Sorge, meine stete Mühe um den Alten hatte Seraphinens Bild in den Hintergrund gestellt. Sowie des Alten Krankheit nachließ, gedachte ich lebhafter wieder jenes Moments im Zimmer der Baronin, der mir wie ein leuchtender, auf ewig für mich untergegangener Stern erschien. Ein Ereignis rief allen empfundenen Schmerz hervor, indem es mich zugleich, wie eine Erscheinung aus der Geisterwelt, mit eiskalten Schauern durchbebte! Als ich nämlich eines Abends die Brieftasche, die ich in R. . .sitten getragen, öffne, fällt mir aus den aufgeblätterten Papieren eine dunkle, mit einem weißen Bande umschlungene Locke entgegen, die ich augenblicklich für Seraphinens Haar erkenne! Aber als ich das Band näher betrachtete, sehe ich deutlich die Spur eines Blutstropfens! Vielleicht wußte Adelheid in jenen Augenblicken des bewußtlosen Wahnsinns, der mich am letzten Tage ergriffen, mir dies Andenken geschickt zuzustellen, aber warum der Blutstropfen, der mich Entsetzliches ahnen ließ und jenes beinahe zu schäfermäßige Pfand zur schauervollen Mahnung an eine Leidenschaft, die teures Herzblut kosten konnte, hinaufsteigerte? Das war jenes weiße Band, das mich, zum erstenmal Seraphinen nahe, wie im leichten, losen Spiel umflatterte und dem nun die dunkle Macht das Wahrzeichen der Verletzung zum Tode gegeben. Nicht spielen soll der Knabe mit der Waffe, deren Gefährlichkeit er nicht ermißt!

Endlich hatten die Frühlingsstürme zu toben aufgehört, der Sommer behauptete sein Recht, und war erst die Kälte unerträglich, so wurd' es nun, als der Julius begonnen, die Hitze. Der Alte erkräftigte sich zusehends und zog, wie er sonst zu tun pflegte, in einen Garten der Vorstadt. An einem stillen, lauen Abende saßen wir in der duftenden Jasminlaube, der Alte war ungewöhnlich heiter und dabei nicht, wie sonst, voll sarkastischer Ironie, sondern mild, beinahe weich gestimmt. »Vetter«, fing er an, »ich weiß nicht, wie mir heute ist, ein ganz besonderes Wohlsein, wie ich es seit vielen Jahren nicht gefühlt, durchdringt mich mit gleichsam elektrischer Wärme. Ich glaube, das verkündet mir einen baldigen Tod.« Ich mühte mich, ihn von dem düstern Gedanken abzubringen. »Laß es gut sein, Vetter«, sprach er, »lange bleibe ich nicht mehr hier unten, und da will ich dir noch eine Schuld abtragen! Denkst du noch an die Herbstzeit in R. . .sitten?« – Wie ein Blitz durchfuhr mich diese Frage des Alten, noch ehe ich zu antworten vermochte, fuhr er weiter fort: »Der Himmel wollte es, daß du dort auf ganz eigne Weise eintratst und wider deinen Willen eingeflochten wurdest in die tiefsten Geheimnisse des Hauses. Jetzt ist es an der Zeit, daß du alles erfahren mußt. Oft genug, Vetter, haben wir über Dinge gesprochen, die du mehr ahntest als verstandest. Die Natur stellt den Zyklus des menschlichen Lebens in dem Wechsel der Jahreszeiten symbolisch dar, das sagen sie alle, aber ich meine das auf andere Weise als alle. Die Frühlingsnebel fallen, die Dünste des Sommers verdampfen, und erst des Herbstes reiner Äther zeigt deutlich die ferne Landschaft, bis das Hienieden versinkt in die Nacht des Winters. Ich meine, daß im Hellsehen des Alters sich deutlicher das Walten der unerforschlichen Macht zeigt. Es sind Blicke vergönnt in das gelobte Land, zu dem die Pilgerfahrt beginnt mit dem zeitlichen Tode. Wie wird mir in diesem Augenblick so klar das dunkle Verhängnis jenes Hauses, dem ich durch festere Bande, als Verwandtschaft sie zu schlingen vermag, verknüpft wurde. Wie liegt alles so erschlossen vor meines Geistes Augen! Doch, wie ich nun alles so gestaltet vor mir sehe, das Eigentliche, das kann ich dir nicht mit Worten sagen, keines Menschen Zunge ist dessen fähig. Höre, mein Sohn, das, was ich dir nur wie eine merkwürdige Geschichte, die sich wohl zutragen konnte, zu erzählen vermag. Bewahre tief in deiner Seele die Erkenntnis, daß die geheimnisvollen Beziehungen, in die du dich vielleicht nicht unberufen wagtest, dich verderben konnten! Doch – das ist nun vorüber!«

*

Die Geschichte des R. . .schen Majorats, die der Alte jetzt erzählte, trage ich so treu im Gedächtnis, daß ich sie beinahe mit seinen Worten – er sprach von sich selbst in der dritten Person – zu wiederholen vermag . . .

In einer stürmischen Herbstnacht des Jahres 1760 weckte ein entsetzlicher Schlag, als falle das ganze weitläufige Schloß in tausend Trümmer zusammen, das Hausgesinde in R. . .sitten aus tiefem Schlafe. Im Nu war alles auf den Beinen, Lichter wurden angezündet, Schrecken und Angst im leichenblassen Gesicht, keuchte der Hausverwalter mit den Schlüsseln herbei, aber nicht gering war jedes Erstaunen, als man in tiefer Totenstille, in der das pfeifende Gerassel der mühsam geöffneten Schlösser, jeder Fußtritt recht schauerlich widerhallte, durch unversehrte Gänge, Säle, Zimmer fort und fort wandelte. Nirgends die mindeste Spur irgendeiner Verwüstung. Eine finstere Ahnung erfaßte den alten Hausverwalter. Er schritt hinauf in den großen Rittersaal, in dessen Seitenkabinett der Freiherr Roderich von R. zu ruhen pflegte, wenn er astronomische Beobachtungen angestellt. Eine zwischen der Tür dieses und eines andern Kabinetts angebrachte Pforte führte durch einen engen Gang unmittelbar in den astronomischen Turm. Aber sowie Daniel – so war der Hausverwalter geheißen – diese Pforte öffnete, warf ihm der Sturm, abscheulich heulend und sausend, Schutt und zerbröckelte Mauersteine entgegen, so daß er vor Entsetzen weit zurückprallte und, indem er den Leuchter, dessen Kerzen prasselnd verlöschten, auf die Erde fallen ließ, laut aufschrie: »O Herr des Himmels! Der Baron ist jämmerlich zerschmettert!« In dem Augenblicke ließen sich Klagelaute vernehmen, die aus dem Schlafkabinett des Freiherrn kamen. Daniel fand die übrigen Diener um den Leichnam ihres Herrn versammelt. Vollkommen und reicher gekleidet als jemals, ruhigen Ernst im unentstellten Gesichte, fanden sie ihn sitzend in dem großen, reich verzierten Lehnstuhle, als ruhe er aus von gewichtiger Arbeit. Es war aber der Tod, in dem er ausruhte. Als es Tag geworden, gewahrte man, daß die Krone des Turms in sich eingestürzt. Die großen Quadersteine hatten Decke und Fußboden des astronomischen Zimmers eingeschlagen, nebst den nun voranstürzenden mächtigen Balken mit gedoppelter Kraft des Falles das untere Gewölbe durchbrochen und einen Teil der Schloßmauer und des engen Ganges mit fortgerissen. Nicht einen Schritt durch die Pforte des Saals durfte man tun, ohne Gefahr, wenigstens achtzig Fuß hinabzustürzen in tiefe Gruft.

Der alte Freiherr hatte seinen Tod bis auf die Stunde vorausgesehen und seine Söhne davon benachrichtigt. So geschah es, daß gleich folgenden Tages Wolfgang Freiherr von R., ältester Sohn des Verstorbenen, mithin Majoratsherr, eintraf. Auf die Ahnung des alten Vaters wohl bauend, hatte er, sowie er den verhängnisvollen Brief erhalten, sogleich Wien, wo er auf der Reise sich gerade befand, verlassen und war, so schnell es nur gehen wollte, nach R . . .-sitten geeilt. Der Hausverwalter hatte den großen Saal schwarz ausschlagen und den alten Freiherrn in den Kleidern, wie man ihn gefunden, auf ein prächtiges Paradebett, das hohe silberne Leuchter mit brennenden Kerzen umgaben, legen lassen. Schweigend schritt Wolfgang die Treppe herauf, in den Saal hinein und dicht hinan an die Leiche des Vaters. Da blieb er mit über die Brust verschränkten Armen stehen und schaute starr und düster mit zusammengezogenen Augenbrauen dem Vater ins bleiche Antlitz. Er glich einer Bildsäule, keine Träne kam in seine Augen. Endlich, mit einer beinahe krampfthaften Bewegung, den rechten Arm hin nach der Leiche zuckend, murmelte er dumpf: »Zwangen dich die Gestirne, den Sohn, den du liebtest, elend zu machen?« Die Hände zurückgeworfen, einen kleinen Schritt hinter sich getreten, warf nun der Baron den Blick in die Höhe und sprach mit gesenkter, beinahe weicher Stimme: »Armer, betörter Greis! Das Fastnachtsspiel mit seinen läppischen Täuschungen ist nun vorüber! Nun magst du erkennen, daß das kärglich zugemessene Besitztum hienieden nichts gemein hat mit dem Jenseits über den Sternen. Welcher Wille, welche Kraft reicht hinaus über das Grab?« Wieder schwieg der Baron einige Sekunden – dann rief er heftig: »Nein, nicht ein Quentlein meines Erdenglücks, das du zu vernichten erachtetest, soll mir dein Starrsinn rauben«, und damit riß er ein zusammengelegtes Papier aus der Tasche und hielt es zwischen zwei Fingern hoch empor an eine dicht bei der Leiche stehende brennende Kerze. Das Papier, von der Kerze ergriffen, flackerte hoch auf, und als der Widerschein der Flamme auf dem Gesicht des Leichnams hin und her zuckte und spielte, war es, als rührten sich die Muskeln und der Alte spräche tonlose Worte, so daß der entfernt stehenden Dienerschaft tiefes Grauen und Entsetzen ankam. Der Baron vollendete sein Geschäft mit Ruhe, indem er das letzte Stückchen Papier, das er flammend zu Boden fallen lassen, mit dem Fuße sorglich austrat. Dann warf er noch einen düstern Blick auf den Vater und eilte mit schnellen Schritten zum Saal hinaus.

Andern Tages machte Daniel den Freiherrn mit der neuerlich geschehenen Verwüstung des Turmes bekannt und schilderte mit vielen Worten, wie sich überhaupt alles in der Todesnacht des alten seligen Herrn zugetragen, indem er damit endete, daß es wohl geraten sein würde, sogleich den Turm herstellen zu lassen, da, stürze er noch mehr zusammen, das ganze Schloß in Gefahr stehe, wo nicht zertrümmert, doch hart beschädigt zu werden.

»Den Turm herstellen?« fuhr der Freiherr den alten Diener, funkelnden Zorn in den Augen, an. »Den Turm herstellen? Nimmermehr! Merkst du denn nicht«, fuhr er dann gelassener fort, »merkst du denn nicht, Alter, daß der Turm nicht so, ohne weitern Anlaß, einstürzen konnte? Wie, wenn mein Vater selbst die Vernichtung des Orts, wo er seine unheimliche Sterndeuterei trieb, gewünscht, wie, wenn er selbst gewisse Vorrichtungen getroffen hätte, die es ihm möglich machten, die Krone des Turms, wenn er wollte, einstürzen und so das Innere des Turmes zerschmettern zu lassen? Doch dem sei, wie ihm wolle, und mag auch das ganze Schloß zusammenstürzen, mir ist es recht. Glaubt ihr denn, daß ich in dem abenteuerlichen Eulenneste hier hausen werde? Nein! Jener kluge Ahnherr, der in dem schönen Talgrunde die Fundamente zu einem neuen Schloß legen ließ, der hat mir vorgearbeitet, dem will ich folgen.« – »Und so werden«, sprach Daniel kleinlaut, »dann auch wohl die alten treuen Diener den Wanderstab zur Hand nehmen müssen.« – »Daß ich«, erwiderte der Freiherr, »mich nicht von unbehilflichen, schlotterbeinigten Greisen bedienen lassen werde, versteht sich von selbst, aber verstoßen werde ich keinen. Arbeitslos soll euch das Gnadenbrot gut genug schmecken.« »Mich«, rief der Alte voller Schmerz, »mich, den Hausverwalter, so außer Aktivität –.« Da wandte der Freiherr, der, dem Alten den Rücken gekehrt, im Begriff stand, den Saal zu verlassen, sich plötzlich um, blutrot im ganzen Gesichte vor Zorn, die geballte Faust vorgestreckt, schritt er auf den Alten zu und schrie mit fürchterlicher Stimme: »Dich, du alter, heuchlerischer Schurke, der du mit dem alten Vater das unheimliche Wesen triebst dort oben, der du dich wie ein Vampir an sein Herz legtest, der vielleicht des Alten Wahnsinn verbrecherisch nützte, um in ihm die höllischen Entschlüsse zu erzeugen, die mich an den Rand des Abgrunds brachten – dich sollte ich hinausstoßen wie einen räudigen Hund!« – Der Alte war vor Schreck über diese entsetzlichen Reden dicht neben dem Freiherrn auf beide Knie gesunken, und so mochte es geschehen, daß dieser, indem er vielleicht unwillkürlich, wie denn im Zorn oft der Körper dem Gedanken mechanisch folgt und das Gedachte mimisch ausführt, bei den letzten Worten den rechten Fuß vorschleuderte, den Alten so hart an der Brust traf, daß er mit einem dumpfen Schrei umstürzte. Er raffte sich mühsam in die Höhe, und indem er einen sonderbaren Laut, gleich dem heulenden Gewimmer eines auf den

Tod wunden Tieres, ausstieß, durchbohrte er den Freiherrn mit einem Blick, in dem Wut und Verzweiflung glühten. Den Beutel mit Geld, den ihm der Freiherr im Davonschreiten zugeworfen, ließ er unberührt auf dem Fußboden liegen. –

Unterdessen hatten sich die in der Gegend befindlichen nächsten Verwandten des Hauses eingefunden, mit vielem Prunk wurde der alte Freiherr in der Familiengruft, die in der Kirche von R. . .sitten befindlich, beigesetzt, und nun, da die geladenen Gäste sich wieder entfernt, schien der neue Majoratsherr, von der düstern Stimmung verlassen, sich des erworbenen Besitztums recht zu erfreuen. Mit V., dem Justitiarius des alten Freiherrn, dem er gleich, nachdem er ihn nur gesprochen, sein volles Vertrauen schenkte und ihn in seinem Amt bestätigte, hielt er genaue Rechnung über die Einkünfte des Majorats und überlegte, wieviel davon verwandt werden könne zu Verbesserungen und zum Aufbau eines neuen Schlosses. V. meinte, daß der alte Freiherr unmöglich seine jährlichen Einkünfte aufgezehrt haben könne und daß, da sich unter den Briefschaften nur ein paar unbedeutende Kapitalien in Bankoscheinen befanden und die in einem eisernen Kasten befindliche bare Summe tausend Taler nur um weniges überstiege, gewiß irgendwo noch Geld verborgen sein müsse. Wer anders konnte davon unterrichtet sein als Daniel, der, störrisch und eigensinnig, wie er war, vielleicht nur darauf wartete, daß man ihn darum befrage. Der Baron war nicht wenig besorgt, daß Daniel, den er schwer beleidigt, nun nicht sowohl aus Eigennutz, denn was konnte ihm, dem kinderlosen Greise, der im Stammschlosse R. . .sitten sein Leben zu enden wünschte, die größte Summe Geldes helfen, als vielmehr um Rache zu nehmen für den erlittenen Schimpf, irgendwo versteckte Schätze lieber vermodern lassen als ihm entdecken werde. Er erzählte V. den ganzen Vorfall mit Daniel umständlich und schloß damit, daß nach mehreren Nachrichten, die ihm zugekommen, Daniel allein es gewesen sei, der in dem alten Freiherrn einen unerklärlichen Abscheu, seine Söhne in R. . .sitten wiederzusehen, zu nähren gewußt habe. Der Justitiarius erklärte diese Nachrichten durchaus für falsch, da kein menschliches Wesen auf der Welt imstande gewesen sei, des alten Freiherrn Entschlüsse nur einigermaßen zu lenken, viel weniger zu bestimmen, und übernahm es übrigens, dem Daniel das Geheimnis wegen irgend in einem verborgenen Winkel aufbewahrten Geldes zu entlocken. Es bedurfte dessen gar nicht, denn kaum fing der Justitiarius an: »Aber wie kommt es denn, Daniel, daß der alte Herr so wenig bares Geld hinterlassen?«, so erwiderte Daniel mit widrigem Lächeln: »Meinen Sie die lumpigten paar Taler, Herr Justitiarius, die Sie in dem kleinen Kästchen fanden? Das übrige liegt ja im Gewölbe neben dem Schlafkabinett des alten gnädigen Herrn! – Aber das Beste«, fuhr er dann fort, indem sein Lächeln sich zum abscheulichen Grinsen verzog und blutrotes Feuer in seinen Augen funkelte, »aber das Beste, viele tausend Goldstücke, liegen da unten im Schutt vergraben!« – Der Justitiarius rief sogleich den Freiherrn herbei, man begab sich in das Schlafkabinett, in einer Ecke desselben rückte Daniel an dem Getäfel der Wand, und ein Schloß wurde sichtbar. Indem der Freiherr das Schloß mit gierigen Blicken anstarrte, dann aber Anstalt machte, die Schlüssel, welche an dem großen Bunde hingen, den er mit vielem Geklapper mühsam aus der Tasche gezerrt, an dem glänzenden Schlosse zu versuchen, stand Daniel da, hoch aufgerichtet und wie mit hämischem Stolz herabblickend auf den Freiherrn, der sich niedergebückt hatte, um das Schloß besser in Augenschein zu nehmen. Den Tod im Antlitz, mit bebender Stimme sprach er dann: »Bin ich ein Hund, hochgnädiger Freiherr!, so bewahr ich auch in mir des Hundes Treue.« Damit reichte er dem Baron einen blanken, stählernen Schlüssel hin, den ihm dieser mit hastiger Begier aus der Hand riß und die Tür mit leichter Mühe öffnete. Man trat in ein kleines, niedriges Gewölbe, in welchem eine große eiserne Truhe mit geöffnetem Deckel stand. Auf den vielen Geldsäcken lag ein Zettel. Der alte Freiherr hatte mit seinen wohlbekannten, großen, altväterischen Schriftzügen darauf geschrieben:

Einmal hundertundfunfzigtausend Reichstaler in alten Friedrichsdor erspartes Geld von den Einkünften des Majoratsgutes R. . .sitten, und ist diese Summe bestimmt zum Bau des Schlosses. Es soll ferner der Majoratsherr, der mir folgt im Besitztum, von diesem Gelde auf dem höchsten Hügel, östlich gelegen dem alten Schloßturm, den er eingestürzt finden wird, einen hohen Leuchtturm zum Besten der Seefahrer aufführen und allnächtlich feuern lassen.

R. . .sitten, in der Michaelisnacht des Jahres 1760.

Roderich Freiherr von R.

Erst als der Freiherr die Beutel, einen nach dem andern, gehoben und wieder in den Kasten fallen lassen, sich ergötzend an dem klirrenden Klingen des Goldes, wandte er sich rasch zu dem alten Hausverwalter, dankte ihm für die bewiesene Treue und versicherte, daß nur verleumderische Klätschereien schuld daran wären, daß er ihm anfangs übel begegnet. Nicht allein im Schlosse, sondern in vollem Dienst als Hausverwalter, mit verdoppeltem Gehalt, solle er bleiben. »Ich bin dir volle Entschädigung schuldig, willst du Gold, so nimm dir einen von jenen Beuteln!« So schloß der Freiherr seine Rede, indem er mit niedergeschlagenen Augen vor dem Alten stehend mit der Hand nach dem Kasten hinzeigte, an den er nun aber noch einmal hintrat und die Beutel musterte. Dem Hausverwalter trat plötzlich glühende Röte ins Gesicht, und er stieß jenen entsetzlichen, dem heulenden Gewimmer eines auf den Tod wunden Tiers ähnlichen Laut aus, wie ihn der Freiherr dem Justitiarius beschrieben. Dieser erbebte, denn was der Alte nun zwischen den Zähnen murmelte, klang wie: »Blut für Gold!« Der Freiherr, vertieft in dem Anblick des Schatzes, hatte von allem nicht das mindeste bemerkt; Daniel, den es wie im krampfigten Fieberfrost durch alle Glieder geschüttelt, nahte sich mit gebeugtem Haupt in demütiger Stellung dem Freiherrn, küßte ihm die Hand und sprach mit weinerlicher Stimme, indem er mit dem Taschentuch sich über die Augen fuhr, als ob er Tränen wegwische: »Ach, mein lieber, gnädiger Herr, was soll ich armer, kinderloser Greis mit dem Golde? Aber das doppelte Gehalt, das nehme ich an mit Freuden und will mein Amt verwalten rüstig und unverdrossen!«

Der Freiherr, der nicht sonderlich auf die Worte des Alten geachtet, ließ nun den schweren Deckel der Truhe zufallen, daß das ganze Gwölbe krachte und dröhnte, und sprach dann, indem er die Truhe verschloß und die Schlüssel sorgfältig auszog, schnell hingeworfen: »Schon gut, schon gut, Alter! Aber du hast noch«, fuhr er fort, nachdem sie schon in den Saal getreten waren, »aber du hast noch von vielen Goldstücken gesprochen, die unten im zerstörten Turm liegen sollen?« Der Alte trat schweigend an die Pforte und schloß sie mit Mühe auf. Aber sowie er die Flügel aufriß, trieb der Sturm dickes Schneegestöber in den Saal; aufgescheucht flatterte ein Rabe kreischend und krächzend umher, schlug mit den schwarzen Schwingen gegen die Fenster und stürzte sich, als er die offene Pforte wiedergewonnen, in den Abgrund. Der Freiherr trat hinaus in den Korridor, bebte aber zurück, als er kaum einen Blick in die Tiefe geworfen. »Abscheulicher Anblick – Schwindel«, stotterte er und sank wie ohnmächtig dem Justitiarius in die Arme. Er raffte sich jedoch gleich wieder zusammen und frug, den Alten mit scharfen Blicken erfassend: »Und da unten?« Der Alte hatte indessen die Pforte wieder verschlossen, er drückte nun noch mit ganzer Leibeskraft dagegen, so daß er keuchte und ächzte, um nur die großen Schlüssel aus den ganz verrosteten Schlössern loswinden zu können. Dies endlich zustande gebracht, wandte er sich um nach dem Baron und sprach, die großen Schlüssel in der Hand hin und her schiebend, mit seltsamem Lächeln: »Ja, da unten liegen tausend und tausend – alle schönen Instrumente des seligen Herrn, Teleskope, Quadranten, Globen, Nachtspiegel, alles liegt zertrümmert im Schutt zwischen den Steinen und Balken!« – »Aber, bares Geld, bares Geld«, fiel der Freiherr ein, »du hast von Goldstücken gesprochen, Alter?« – »Ich meinte nur«, erwiderte der Alte, »Sachen, welche viele tausend Goldstücke gekostet.« – Mehr war aus dem Alten nicht herauszubringen.

Der Baron zeigte sich hoch erfreut, nun mit einemmal zu allen Mitteln gelangt zu sein, deren er bedurfte, seinen Lieblingsplan ausführen, nämlich ein neues, prächtiges Schloß aufbauen zu können. Zwar meinte der Justitiarius, daß nach dem Willen des Verstorbenen nur von der Reparatur, von dem völligen Ausbau des alten Schlosses, die Rede sein könne und daß in der Tat jeder neue Bau schwerlich die ehrwürdige Größe, den ernsten, einfachen Charakter des alten Stammhauses erreichen werde; der Freiherr blieb aber bei seinem Vorsatz und meinte, daß in solchen Verfügungen, die nicht durch die Stiftungsurkunde sanktioniert worden, der tote Wille des Dahingeschiedenen weichen müsse. Er gab dabei zu verstehen, daß es seine Pflicht sei, den Aufenthalt in R. . .sitten so zu verschönern, als es nur Klima, Boden und Umgebung zulasse, da er gedenke, in kurzer Zeit als sein innig geliebtes Weib ein Wesen heimzuführen, die in jeder Hinsicht der größten Opfer würdig sei.

Die geheimnisvolle Art, wie der Freiherr sich über das vielleicht schon insgeheim geschlossene Bündnis äußerte, schnitt dem Justitiarius jede weitere Frage ab, indessen fand er sich durch die Entscheidung des Freiherrn insofern beruhigt, als er wirklich in seinem Streben nach Reichtum mehr die Begier, eine geliebte Person das schönere Vaterland, dem sie entsagen mußte, ganz vergessen zu lassen als eigentlichen Geiz finden wollte. Für geizig, wenigstens für unausstehlich habsüchtig mußte er sonst den Baron halten, der im Golde wühlend, die alten Friedrichsdor beäugelnd, sich nicht enthalten konnte, mürrisch aufzufahren: »Der alte Halunke hat uns gewiß den reichsten Schatz verschwiegen, aber künftigen Frühling lass' ich den Turm ausräumen unter meinen Augen.«

Baumeister kamen, mit denen der Freiherr weitläufig überlegte, wie mit dem Bau am zweckmäßigsten zu verfahren sei. Er verwarf Zeichnung auf Zeichnung, keine Architektur war ihm reich, großartig genug. Nun fing er an, selbst zu zeichnen und, aufgeheitert durch diese Beschäftigungen, die ihm beständig das sonnenhelle Bild der glücklichsten Zukunft vor Augen stellten, erfaßte ihn eine frohe Laune, die oft an Ausgelassenheit anstreifte und die er allen mitzuteilen wußte. Seine Freigebigkeit, die Opulenz seiner Bewirtung widerlegte wenigstens jeden Verdacht des Geizes. Auch Daniel schien nun ganz jenen Tort, der ihm geschehen, vergessen zu haben. Er betrug sich still und demütig gegen den Freiherrn, der ihn, des Schatzes in der Tiefe halber, oft mit mißtrauischen Blicken verfolgte. Was aber allen wunderbar vorkam, war, daß der Alte sich zu verjüngen schien von Tage zu Tage. Es mochte sein, daß ihn der Schmerz um den alten Herrn tief gebeugt hatte und er nun den Verlust zu verschmerzen begann, wohl aber auch, daß er nun nicht, wie sonst, kalte Nächte schlaflos auf dem Turm zubringen und bessere Kost, guten Wein, wie es ihm gefiel, genießen durfte, genug, aus dem Greise schien ein rüstiger Mann werden zu wollen mit roten Wangen und wohlgenährtem Körper, der kräftig auftrat und mit lauter Stimme mitlachte, wo es einen Spaß gab.

Das lustige Leben in R. . .sitten wurde durch die Ankunft eines Mannes unterbrochen, von dem man hätte denken sollen, er gehöre nun gerade hin. Wolfgangs jüngerer Bruder Hubert war dieser Mann, bei dessen Anblick Wolfgang, im Antlitz den bleichen Tod, laut aufschrie: »Unglücklicher, was willst du hier!« – Hubert stürzte dem Bruder in die Arme, dieser faßte ihn aber und zog ihn mit sich fort und hinauf in ein entferntes Zimmer, wo er sich mit ihm einschloß. Mehrere Stunden blieben beide zusammen, bis endlich Hubert herabkam mit verstörtem Wesen und nach seinen Pferden rief. Der Justitiarius trat ihm in den Weg, er wollte vorüber; V., von der Ahnung ergriffen, daß vielleicht gerade hier ein tödlicher Bruderzwist enden könne, bat ihn, wenigstens ein paar Stunden zu verweilen, und in dem Augenblick kam auch der Freiherr herab, laut rufend: »Bleibe hier, Hubert! – Du wirst dich besinnen!« – Huberts Blicke heiterten sich auf, er gewann Fassung, und indem er den reichen Leibpelz, den er schnell abgezogen, hinter sich dem Bedienten zuwarf, nahm er V.s Hand und sprach, mit ihm in die Zimmer schreitend, mit einem verhöhnenden Lächeln: »Der Majoratsherr will mich doch also hier leiden.« V. meinte, daß gewiß sich jetzt das unglückliche Mißverständnis lösen werde, welches nur bei getrenntem Leben habe gedeihen können. Hubert nahm die stählerne Zange, die beim Kamin stand, zur Hand, und indem er damit ein astiges, dampfendes Stück Holz auseinanderklopfte und das Feuer besser aufschürte, sprach er zu V.: »Sie merken, Herr Justitiarius, daß ich ein gutmütiger Mensch bin und geschickt zu allerlei häuslichen Diensten. Aber Wolfgang ist voll der wunderlichsten Vorurteile und – ein kleiner Geizhals.« V. fand es nicht geraten, weiter in das Verhältnis der Brüder einzudringen, zumal Wolfgangs Gesicht, sein Benehmen, sein Ton den durch Leidenschaften jeder Art im Innersten zerrissenen Menschen ganz deutlich zeigte.

Um des Freiherrn Entschlüsse in irgendeiner das Majorat betreffenden Angelegenheit zu vernehmen, ging V. noch am späten Abend hinauf in sein Gemach. Er fand ihn, wie er, die Arme über den Rücken zusammengeschränkt, ganz verstört mit großen Schritten das Zimmer maß. Er blieb stehen, als er endlich den Justitiarius erblickte, faßte seine beiden Hände, und düster ihm ins Auge schauend, sprach er mit gebrochener Stimme: »Mein Bruder ist gekommen! – Ich weiß«, fuhr er fort, als V. kaum den Mund zur Frage geöffnet, »ich weiß, was Sie sagen wollen. Ach. Sie wissen nichts. Sie wissen nicht, daß mein unglücklicher Bruder – ja unglücklich nur will ich ihn nennen –, daß er wie ein böser Geist mir überall in den Weg tritt und meinen Frieden stört. An ihm liegt es nicht, daß ich nicht unaussprechlich elend wurde, er tat das Seinige dazu, doch der Himmel wollt' es nicht. Seit der Zeit, daß die Stiftung des Majorats bekannt wurde, verfolgt er mich mit tödlichem Haß. Er beneidet mich um das Besitztum, das in seinen Händen wie Spreu verflogen wäre. Er ist der wahnsinnigste Verschwender, den es gibt. Seine Schuldenlast übersteigt bei weitem die Hälfte des freien Vermögens in Kurland, die ihm zufällt, und nun, verfolgt von Gläubigern, die ihn quälen, eilt er her und bettelt um Geld.« – »Und Sie, der Bruder, verweigern«, wollte ihm V. in die Rede fallen, doch der Freiherr rief, indem er V.s Hände fahrenließ und einen starken Schritt zurücktrat, laut und heftig: »Halten Sie ein! Ja! Ich verweigere! Von den Einkünften des Majorats kann und werde ich keinen Taler verschenken! Aber hören Sie, welchen Vorschlag ich dem Unsinnigen vor wenigen Stunden vergebens machte, und dann richten Sie über mein Pflichtgefühl. Das freie Vermögen in Kurland ist, wie Sie wissen, bedeutend; auf die mir zufallende Hälfte wollt' ich verzichten, aber zugunsten seiner Familie. Hubert ist verheiratet in Kurland an ein schönes, armes Fräulein. Sie hat ihm Kinder erzeugt und darbt mit ihnen. Die Güter sollten administriert, aus den Revenuen ihm die nötigen Gelder zum Unterhalt angewiesen, die Gläubiger vermöge Abkommens befriedigt werden. Aber was gilt ihm ein ruhiges, sorgenfreies Leben, was gilt ihm Frau und Kind! Geld, bares Geld in großen Summen will er haben, damit er in verruchtem Leichtsinn es verprassen könne! Welcher Dämon hat ihm das Geheimnis mit den einhundertundfünfzigtausend Talern verraten – davon verlangt er die Hälfte nach seiner wahnsinnigen Weise, behauptend, dies Geld sei, getrennt vom Majorat, als freies Vermögen zu achten. Ich muß und werde ihm dies verweigern, aber mir ahnt es, mein Verderben brütet er aus im Innern!«

Sosehr V. sich auch bemühte, dem Freiherrn den Verdacht wider seinen Bruder auszureden, wobei er sich freilich, uneingeweiht in die näheren Verhältnisse, mit ganz allgemeinen moralischen, ziemlich flachen Gründen behelfen mußte, so gelang ihm dies doch ganz und gar nicht. Der Freiherr gab ihm den Auftrag, mit dem feindseligen, geldgierigen Hubert zu unterhandeln. V. tat dies mit so viel Vorsicht, als ihm nur möglich war, und freute sich nicht wenig, als Hubert endlich erklärte: »Mag es dann sein, ich nehme die Vorschläge des Majoratsherrn an, doch unter der Bedingung, daß er mir jetzt, da ich auf dem Punkt stehe, durch die Härte meiner Gläubiger Ehre und guten Namen auf immer zu verlieren, tausend Friedrichsdor bar vorschieße und erlaube, daß ich künftig, wenigstens einige Zeit hindurch, meinen Wohnsitz in dem schönen R. . .-sitten bei dem gütigen Bruder nehme.« – »Nimmermehr!« schrie der Freiherr auf, als ihm V. diese Vorschläge des Bruders hinterbrachte. »Nimmermehr werde ich's zugeben, daß Hubert auch nur eine Minute in meinem Hause verweile, sobald ich mein Weib hergebracht! Gehen Sie, mein teurer Freund, sagen Sie dem Friedenstörer, daß er zweitausend Friedrichsdor haben soll, nicht als Vorschuß, nein als Geschenk, nur fort – fort!« V. wußte nun mit einemmal, daß der Freiherr sich ohne Wissen des Vaters schon verheiratet hatte und daß in dieser Heirat auch der Grund des Bruderzwistes liegen mußte. Hubert hörte stolz und gelassen den Justitiarius an und sprach, nachdem er geendet, dumpf und düster: »Ich werde mich besinnen, vor der Hand aber noch einige Tage hierbleiben!«

V. bemühte sich, dem Unzufriedenen darzutun, daß der Freiherr doch in der Tat alles tue, ihn durch die Abtretung des freien Vermögens soviel als möglich zu entschädigen, und daß er über ihn sich durchaus nicht zu beklagen habe, wenn er gleich bekennen müsse, daß jede Stiftung, die den Erstgebornen so vorwiegend begünstige und die andern Kinder in den Hintergrund stelle, etwas Gehässiges habe. Hubert riß, wie einer, der Luft machen will der beklemmten Brust, die Weste von oben bis unten auf; die eine Hand in die offne Busenkrause begraben, die andere in die Seite gestemmt, drehte er sich mit einer raschen Tänzerbewegung auf einem Fuße um und rief mit schneidender Stimme: »Pah! Das Gehässige wird geboren vom Haß« – dann schlug er ein gellendes Gelächter auf und sprach: »Wie gnädig doch der Majoratsherr dem armen Bettler seine Goldstücke zuzuwerfen gedenkt.« V. sah nun wohl ein, daß von völliger Aussöhnung der Brüder gar nicht die Rede sein könne.

Hubert richtete sich in den Zimmern, die ihm in den Seitenflügeln des Schlosses angewiesen worden, zu des Freiherrn Verdruß auf recht langes Bleiben ein. Man bemerkte, daß er oft und lange mit dem Hausverwalter sprach, ja daß dieser sogar zuweilen mit ihm auf die Wolfsjagd zog. Sonst ließ er sich wenig sehen und mied es ganz, mit dem Bruder allein zusammenzukommen, welches diesem eben ganz recht war. V. fühlte das Drückende dieses Verhältnisses, ja er mußte sich es selbst gestehen, daß die ganz besondere unheimliche Manier Huberts in allem, was er sprach und tat, alle Lust recht geflissentlich zerstörend, eingriff. Jener Schreck des Freiherrn, als er den Bruder eintreten sah, war ihm nun ganz erklärlich.

V. saß allein in der Gerichtsstube unter den Akten, als Hubert eintrat, ernster, gelassener als sonst, und mit beinahe wehmütiger Stimme sprach: »Ich nehme auch die letzten Vorschläge des Bruders an, bewirken Sie, daß ich die zweitausend Friedrichsdor noch heute erhalte, in der Nacht will ich fort, zu Pferde, ganz allein.« – »Mit dem Gelde?« frug V. »Sie haben recht«, erwiderte Hubert, »ich weiß, was Sie sagen wollen –: die Last! Stellen Sie es in Wechsel auf Isak Lazarus in K.! Noch in dieser Nacht will ich hin nach K. Es treibt mich von hier fort, der Alte hat seine bösen Geister hier hineingehext!« – »Sprechen Sie von Ihrem Vater, Herr Baron?« frug V. sehr ernst. Huberts Lippen bebten, er hielt sich an dem Stuhl fest, um nicht umzusinken, dann aber, sich plötzlich ermannend, rief er: »Also noch heute, Herr Justitiarius« und wankte, nicht ohne Anstrengung, zur Tür hinaus. »Er sieht jetzt ein, daß keine Täuschungen mehr möglich sind, daß er nichts vermag gegen meinen festen Willen«, sprach der Freiherr, indem er den Wechsel auf Isak Lazarus in K. ausstellte. Eine Last wurde seiner Brust entnommen durch die Abreise des feindlichen Bruders, lange war er nicht so froh gewesen als bei der Abendtafel. Hubert hatte sich entschuldigen lassen, alle vermißten ihn recht gern.

V. wohnte in einem etwas abgelegenen Zimmer, dessen Fenster nach dem Schloßhofe herausgingen. In der Nacht fuhr er plötzlich auf aus dem Schlafe, und es war ihm, als habe ein fernes, klägliches Wimmern ihn aus dem Schlafe geweckt. Mochte er aber auch horchen, wie er wollte, es blieb alles totenstill, und so mußte er jenen Ton, der ihm in die Ohren geklungen, für die Täuschung eines Traums halten. Ein ganz besonderes Gefühl von Grauen und Angst bemächtigte sich seiner aber so ganz und gar, daß er nicht im Bette bleiben konnte. Er stand auf und trat ans Fenster. Nicht lange dauerte es, so wurde das Schloßtor geöffnet, und eine Gestalt mit einer brennenden Kerze in der Hand trat heraus und schritt über den Schloßhof. V. erkannte in der Gestalt den alten Daniel und sah, wie er die Stalltür öffnete, in den Stall hineinging und bald darauf ein gesatteltes Pferd herausbrachte. Nun trat aus der Finsternis eine zweite Gestalt hervor, wohl eingehüllt in einen Pelz, eine Fuchsmütze auf dem Kopf. V. erkannte Hubert, der mit Daniel einige Minuten hindurch heftig sprach, dann aber sich zurückzog. Daniel führte das Pferd wieder in den Stall, verschloß diesen und ebenso die Tür des Schlosses, nachdem er über den Hof, wie er gekommen, zurückgekehrt. – Hubert hatte wegreiten wollen und sich in dem Augenblick eines andern besonnen, das war nun klar. Ebenso aber auch, daß Hubert gewiß mit dem alten Hausverwalter in irgendeinem gefährlichen Bündnisse stand. V. konnte kaum den Morgen erwarten, um den Freiherrn von den Ereignissen der Nacht zu unterrichten. Es galt nun wirklich, sich gegen Anschläge des bösartigen Hubert zu waffnen, die sich, wie V. jetzt überzeugt war, schon gestern in seinem verstörten Wesen kundgetan.

Andern Morgens zur Stunde, wann der Freiherr aufzustehen pflegte, vernahm V. ein Hinundherrennen, Türauf-, Türzuschlagen, ein verwirrtes Durcheinanderreden und Schreien. Er trat hinaus und stieß überall auf Bediente, die, ohne auf ihn zu achten, mit leichenblassen Gesichtern an ihm vorbei – treppauf, treppab – hinaus, hinein durch die Zimmer rannten. Endlich erfuhr er, daß der Freiherr vermißt und schon stundenlang vergebens gesucht werde. In Gegenwart des Jägers hatte er sich ins Bett gelegt, er mußte dann aufgestanden sein und sich im Schlafrock und Pantoffeln, mit dem Armleuchter in der Hand, entfernt haben, denn ebendiese Stücke wurden vermißt. V. lief, von düsterer Ahnung getrieben, in den verhängnisvollen Saal, dessen Seitenkabinett, gleich dem Vater, Wolfgang zu seinem Schlafgemach gewählt hatte. Die Pforte zum Turm stand weit offen, tief entsetzt schrie V. laut auf: »Dort in der Tiefe liegt er zerschmettert!« – Es war dem so. Schnee war gefallen, so daß man von oben herab nur den zwischen den Steinen hervorragenden starren Arm des Unglücklichen deutlich wahrnehmen konnte. Viele Stunden gingen hin, ehe es den Arbeitern gelang, mit Lebensgefahr auf zusammengebundenen Leitern herabzusteigen und dann den Leichnam an Stricken heraufzuziehen. Im Krampf der Todesangst hatte der Baron den silbernen Armleuchter festgepackt, die Hand, die ihn noch festhielt, war der einzige unversehrte Teil des ganzen Körpers, der sonst durch das Anprallen an die spitzen Steine auf das gräßlichste zerschellt worden.

Alle Furien der Verzweiflung im Antlitz, stürzte Hubert herbei, als die Leiche eben hinaufgeborgen und in dem Saal, gerade an der

Stelle auf einen breiten Tisch gelegt worden, wo vor wenigen Wochen der alte Roderich lag. Niedergeschmettert von dem gräßlichen Anblick, heulte er: »Bruder, o mein armer Bruder, nein, das hab' ich nicht erfleht von den Teufeln, die über mir waren!« – V. erbebte vor dieser verfänglichen Rede, es war ihm so, als müsse er zufahren auf Hubert als den Mörder seines Bruders. Hubert lag von Sinnen auf dem Fußboden, man brachte ihn ins Bett, und er erholte sich, nachdem er stärkende Mittel gebraucht, ziemlich bald. Sehr bleich, düstern Gram im halb erloschnen Auge, trat er dann bei V. ins Zimmer und sprach, indem er, vor Mattigkeit nicht fähig zu stehen, sich langsam in einen Lehnstuhl niederließ: »Ich habe meines Bruders Tod gewünscht, weil der Vater ihm den besten Teil des Erbes zugewandt durch eine törichte Stiftung – jetzt hat er seinen Tod gefunden auf schreckliche Weise, ich bin Majoratsherr, aber mein Herz ist zermalmt, ich kann, ich werde niemals glücklich sein. Ich bestätige Sie im Amte, Sie erhalten die ausgedehntesten Vollmachten rücksichts der Verwaltung des Majorats, auf dem ich nicht zu hausen vermag!«

Hubert verließ das Zimmer und war in ein paar Stunden schon auf dem Wege nach K. Es schien, daß der unglückliche Wolfgang in der Nacht aufgestanden war und sich vielleicht in das andere Kabinett, wo eine Bibliothek aufgestellt, begeben wollen. In der Schlaftrunkenheit verfehlte er die Tür, öffnete statt derselben die Pforte, schritt vor und stürzte hinab. Diese Erklärung enthielt indessen immer viel Erzwungenes. Konnte der Baron nicht schlafen, wollte er sich noch ein Buch aus der Bibliothek holen, um zu lesen, so schloß dieses alle Schlaftrunkenheit aus, aber nur so war es möglich, die Tür des Kabinetts zu verfehlen und statt dieser die Pforte zu öffnen. Überdem war diese fest verschlossen und mußte erst mit vieler Mühe aufgeschlossen werden. »Ach«, fing endlich, als V. diese Unwahrscheinlichkeit vor versammelter Dienerschaft entwickelte, des Freiherrn Jäger, Franz geheißen, an, »ach, lieber Herr Justitiarius, so hat es wohl sich nicht zugetragen!« – »Wie denn anders?« fuhr ihn V. an. Franz, ein ehrlicher, treuer Kerl, der seinem Herrn hätte ins Grab folgen mögen, wollte aber nicht vor den andern mit der Sprache heraus, sondern behielt sich vor, das, was er davon zu sagen wisse, dem Justitiarius allein zu vertrauen. V. erfuhr nun, daß der Freiherr zu Franz sehr oft von den vielen Schätzen sprach, die da unten in dem Schutt begraben lägen, und daß er oft, wie vom bösen Geist getrieben, zur Nachtzeit noch die Pforte, zu der den Schlüssel ihm Daniel hatte geben müssen, öffnete und mit Sehnsucht hinabschaute in die Tiefe nach den vermeintlichen Reichtümern. Gewiß war es nun wohl also, daß in jener verhängnisvollen Nacht der Freiherr, nachdem ihn der Jäger schon verlassen, noch einen Gang nach dem Turm gemacht und ihn dort ein plötzlicher Schwindel erfaßt und herabgestürzt hatte. Daniel, der von dem entsetzlichen Tode des Freiherrn auch sehr erschüttert schien, meinte, daß es gut sein würde, die gefährliche Pforte fest vermauern zu lassen, welches denn auch gleich geschah. Freiherr Hubert von R., jetziger Majoratsbesitzer, ging, ohne sich wieder in R . . . sitten sehen zu lassen, nach Kurland zurück. V. erhielt alle Vollmachten, die zur unumschränkten Verwaltung des Majorats nötig waren. Der Bau des neuen Schlosses unterblieb, wogegen so viel möglich das alte Gebäude in guten Stand gesetzt wurde. Schon waren mehrere Jahre verflossen, als Hubert zum erstenmal zur späten Herbstzeit sich in R . . . sitten einfand und, nachdem er mehrere Tage mit V., in seinem Zimmer eingeschlossen, zugebracht, wieder nach Kurland zurückging. Bei seiner Durchreise durch K. hatte er bei der dortigen Landesregierung sein Testament niedergelegt.

Während seines Aufenthalts in R . . . sitten sprach der Freiherr, der in seinem tiefsten Wesen ganz geändert schien, viel von Ahnungen eines nahen Todes. Diese gingen wirklich in Erfüllung; denn er starb schon das Jahr darauf. Sein Sohn, wie er, Hubert geheißen, kam schnell herüber von Kurland, um das reiche Majorat in Besitz zu nehmen. Ihm folgten Mutter und Schwester. Der Jüngling schien alle bösen Eigenschaften der Vorfahren in sich zu vereinen; er bewies sich als stolz, hochfahrend, ungestüm, habsüchtig gleich in den ersten Augenblicken seines Aufenthalts in R . . . sitten. Er wollte auf der Stelle vieles ändern lassen, welches ihm nicht bequem, nicht gehörig schien; den Koch warf er zum Hause hinaus; den Kutscher versuchte er zu prügeln, welches aber nicht gelang, da der baumstarke Kerl die Frechheit hatte, es nicht leiden zu wollen; kurz, er war im besten Zuge, die Rolle des strengen Majoratsherrn zu beginnen, als V. ihm mit Ernst und Festigkeit entgegentrat, sehr bestimmt versichernd, kein Stuhl solle hier gerückt werden, keine Katze das Haus verlassen, wenn es ihr noch sonst darin gefalle, vor Eröffnung des Testaments. »Sie unterstehen sich hier, dem Majoratsherrn . . .«, fing der Baron an. V. ließ den vor Wut schäumenden Jüngling jedoch nicht ausreden, sondern sprach, indem er ihn mit durchbohrenden Blicken maß: »Keine Übereilung, Herr Baron! Durchaus dürfen Sie hier nicht regieren wollen vor Eröffnung des Testaments; jetzt bin *ich, ich* allein, hier Herr und werde Gewalt mit Gewalt zu vertreiben wissen. Erinnern Sie sich, daß ich kraft meiner Vollmacht als Vollzieher des väterlichen Testaments, kraft der getroffenen Verfügungen des Gerichts berechtigt bin, Ihnen den Aufenthalt hier in R . . . sitten zu versagen, und ich rate Ihnen, um das Unangenehme zu verhüten, sich ruhig nach K. zu begeben.« Der Ernst des Gerichtshalters, der entschiedene Ton, mit dem er sprach, gab seinen Worten gehörigen Nachdruck, und so kam es, daß der junge Baron, der mit gar zu spitzigen Hörnern anlaufen wollte wider den festen Bau, die Schwäche seiner Waffen fühlte und für gut fand, im Rückzuge seine Beschämung mit einem höhnischen Gelächter auszugleichen.

Drei Monate waren verflossen und der Tag gekommen, an dem nach dem Willen des Verstorbenen das Testament in K., wo es niedergelegt worden, eröffnet werden sollte. Außer den Gerichtspersonen, dem Baron und V., befand sich noch ein junger Mensch von edlem Ansehen in dem Gerichtssaal, den V. mitgebracht und den man, da ihm ein eingeknöpftes Aktenstück aus dem Busen hervorragte, für V.s Schreiber hielt. Der Baron sah ihn, wie er es beinahe mit allen übrigen machte, über die Achsel an und verlangte stürmisch, daß man die langweilige, überflüssige Zeremonie nur schnell und ohne viele Worte und Schreiberei abmachen solle. Er begreife nicht, wie es überhaupt in dieser Erbangelegenheit, wenigstens hinsichts des Majorats, auf ein Testament ankommen könne, und werde, insofern hier irgend etwas verfügt sein solle, es lediglich von seinem Willen abhängen, das zu beachten oder nicht. Hand und Siegel des verstorbenen Vaters erkannte der Baron an, nachdem er einen flüchtigen, mürrischen Blick darauf geworfen, dann, indem der Gerichtsschreiber sich zum lauten Ablesen des Testaments anschickte, schaute er gleichgültig nach dem Fenster hin, den rechten Arm nachlässig über die Stuhllehne geworfen, den linken Arm gelehnt auf den Gerichtstisch, und auf dessen grüner Decke mit den Fingern trommelnd. Nach einem kurzen Eingange erklärte der verstorbene Freiherr Hubert von R., daß er das Majorat niemals als wirklicher Majoratsherr besessen, sondern dasselbe nur namens des einzigen Sohnes des verstorbenen Freiherrn Wolfgang von R., nach seinem Großvater Roderich geheißen, verwaltet habe; dieser sei derjenige, dem nach der Familiensukzession durch seines Vaters Tod das Majorat zugefallen. Die genauesten Rechnungen über Einnahme und Ausgabe, über den vorzufindenden Bestand und so weiter würde man in seinem Nachlaß finden. Wolfgang von R., so erzählte Hubert in dem Testament, lernte auf seinen Reisen in Genf das Fräulein Julie von St. Val kennen und faßte eine solche heftige Neigung zu ihr, daß er sich nie mehr von ihr zu trennen beschloß. Sie war sehr arm, und ihre Familie, unerachtet von gutem Adel, gehörte eben nicht zu den glänzendsten. Schon deshalb durfte er auf die Einwilligung des alten Roderich, dessen ganzes Streben dahin ging, das Majoratshaus auf alle nur mögliche Weise zu erheben, nicht hoffen. Er wagte es dennoch, von Paris aus dem Vater seine Neigung zu entdecken; was aber vorauszusehen, geschah wirklich, indem der Alte bestimmt erklärte, daß er schon selbst die Braut für den Majoratsherrn erkoren und von einer andern niemals die Rede sein könne. Wolfgang, statt, wie er sollte, nach England hinüberzuschiffen, kehrt unter dem Namen *Born* nach Genf zurück und vermählte sich mit Julien, die ihm nach Verlauf eines Jahres den Sohn gebar, der mit dem Tode Wolfgangs Majoratsherr wurde. Darüber, daß Hubert, von der ganzen Sache unterrichtet, so lange schwieg und sich selbst als Majoratsherr gerierte, waren verschiedene Ursachen angeführt, die sich auf frühere Verabredung mit Wolfgang bezogen, indessen unzureichend und aus der Luft gegriffen schienen.

Wie vom Donner gerührt, starrte der Baron den Gerichtsscheiber an, der mit eintöniger, schnarrender Stimme alles Unheil verkündete. Als er geendet, stand V. auf, nahm den jungen Menschen, den er mitgebracht, bei der Hand und sprach, indem er sich gegen die Anwesenden verbeugte: »Hier, meine Herren, habe ich die Ehre, Ihnen den Freiherrn Roderich von R., Majoratsherrn von R. . .sitten, vorzustellen!« Baron Hubert blickte den Jüngling, der, wie vom Himmel gefallen, ihn um das reiche Majorat, um die Hälfte des freien Vermögens in Kurland brachte, verhaltenen Grimm im glühenden Auge, an, drohte dann mit geballter Faust und rannte, ohne ein Wort hervorbringen zu können, zum Gerichtssaal hinaus. Von den Gerichtspersonen dazu aufgefordert, holte jetzt Baron Roderich die Urkunden hervor, die ihn als die Person, für die er sich ausgab, legitimieren sollten. Er überreichte den beglaubigten Auszug aus den Registern der Kirche, wo sein Vater sich trauen lassen, worin bezeugt wurde, daß an dem und dem Tage der Kaufmann Wolfgang Born, gebürtig aus K., mit dem Fräulein Julie von St. Val in Gegenwart der genannten Personen durch priesterliche Einsegnung getraut worden. Ebenso hatte er seinen Taufschein – er war in Genf als von dem Kaufmann Born mit seiner Gemahlin Julie, geborene von St. Val, in gültiger Ehe erzeugtes Kind getauft worden –, verschiedene Briefe seines Vaters an seine schon längst verstorbene Mutter, die aber alle nur mit W. unterzeichnet waren.

V. sah alle diese Papiere mit finsterm Gesicht durch und sprach, ziemlich bekümmert, als er sie wieder zusammenschlug: »Nun, Gott wird helfen!«

Schon andern Tages reichte der Freiherr Hubert von R. durch einen Advokaten, den er zu seinem Rechtsfreunde erkoren, bei der Landesregierung in K. eine Vorstellung ein, worin er auf nichts weniger antrug, als sofort die Übergabe des Majorats R . . . sitten an ihn zu veranlassen. Es verstehe sich von selbst, sagte der Advokat, daß weder testamentarisch noch auf irgendeine andere Weise der verstorbene Freiherr Hubert von R. habe über das Majorat verfügen können. Jenes Testament sei also nichts anders als die aufgeschriebene und gerichtlich übergebene Aussage, nach welcher der Freiherr Wolfgang von R. das Majorat an einen Sohn vererbt haben solle, der noch lebe, die keine höhere Beweiskraft als jede andere irgendeines Zeugen haben und also unmöglich die Legitimation des angeblichen Freiherrn Roderich von R. bewirken könne. Vielmehr sei es die Sache dieses Prätendenten, sein vorgebliches Erbrecht, dem hiemit ausdrücklich widersprochen werde, im Wege des Prozesses darzutun und das Majorat, welches jetzt nach dem Recht der Sukzession dem Baron Hubert von R. zugefallen, zu vindizieren. Durch den Tod des Vaters sei der Besitz unmittelbar auf den Sohn übergegangen; es habe keiner Erklärung über den Erbschaftsantritt bedurft, da der Majoratsfolge nicht entsagt werden könne, mithin dürfte der jetzige Majoratsherr in dem Besitz nicht durch ganz illiquide Ansprüche turbiert werden. Was der Verstorbene für Grund gehabt habe, einen andern Majoratsherrn aufzustellen, sei ganz gleichgültig, nur werde bemerkt, daß er selbst, wie aus den nachgelassenen Papieren erforderlichenfalls nachgewiesen werden könne, eine Liebschaft in der Schweiz gehabt habe, und so sei vielleicht der angebliche Bruderssohn der eigne, in einer verbotenen Liebe erzeugte, dem er in einem Anfall von Reue das reiche Majorat zuwenden wollte.

Sosehr auch die Wahrscheinlichkeit für die im Testament behaupteten Umstände sprach, sosehr auch die Richter hauptsächlich die letzte Wendung, in der der Sohn sich nicht scheute, den Verstorbenen eines Verbrechens anzuklagen, empörte, so blieb doch die Ansicht der Sache, wie sie aufgestellt worden, die richtige, und nur den rastlosen Bemühungen V.s, der bestimmten Versicherung, daß der die Legitimation des Freiherrn Roderich von R. bewirkende Beweis in kurzer Zeit auf das bündigste geführt werden solle, konnte es gelingen, daß die Übergabe des Majorats noch ausgesetzt und die Fortdauer der Administration bis nach entschiedener Sache verfügt wurde.

V. sah nur zu gut ein, wie schwer es ihm werden würde, sein Versprechen zu halten. Er hatte alle Briefschaften des alten Roderich durchstöbert, ohne die Spur eines Briefes oder sonst eines Aufsatzes zu finden, der Bezug auf jenes Verhältnis Wolfgangs mit dem Fräulein von St. Val gehabt hätte. Gedankenvoll saß er in R...-sitten in dem Schlafkabinett des alten Roderich, das er ganz durchsucht, und arbeitete an einem Aufsatze für den Notar in Genf, der ihm als ein scharfsinniger, tätiger Mann empfohlen worden und der ihm einige Notizen schaffen sollte, die die Sache des jungen Freiherrn ins klare bringen konnten.

Es war Mitternacht geworden, der Vollmond schien hell hinein in den anstoßenden Saal, dessen Tür offenstand. Da war es, als schritte jemand langsam und schwer die Treppe herauf und klirre und klappere mit Schlüsseln. V. wurde aufmerksam, er stand auf, ging in den Saal und vernahm nun deutlich, daß jemand sich durch den Flur der Türe des Saals nahte. Bald darauf wurde diese geöffnet, und ein Mensch mit leichenblassem, entstelltem Antlitz, in Nachtkleidern, in der einen Hand den Armleuchter mit brennenden Kerzen, in der andern den großen Schlüsselbund, trat langsam hinein. V. erkannte augenblicklich den Hausverwalter und war im Begriff, ihm zuzurufen, was er so spät in der Nacht wolle, als ihn in dem ganzen Wesen des Alten, in dem zum Tode erstarrten Antlitz etwas Unheimliches, Gespenstisches mit Eiskälte anhauchte. Er erkannte, daß er einen Nachtwandler vor sich habe. Der Alte ging mit gemessenen Schritten quer durch den Saal, gerade los auf die vermauerte Tür, die ehemals zum Turm führte. Dicht vor derselben blieb er stehen und stieß aus tiefer Brust einen heulenden Laut aus, der so entsetzlich in dem ganzen Saale widerhallte, daß V. erbebte vor Grausen. Dann, den Armleuchter auf den Fußboden gestellt, den Schlüsselbund an den Gürtel gehängt, fing Daniel an, mit beiden Händen an der Mauer zu kratzen, daß bald das Blut unter den Nägeln hervorquoll, und dabei stöhnte er und ächzte wie gepeinigt von einer namenlosen Todesqual. Nun legte er das Ohr an die Mauer, als wolle er irgend etwas erlauschen, dann winkte er mit der Hand, wie jemanden beschwichtigend, bückte sich, den Armleuchter wieder vom Boden aufhebend, und schlich mit leisen, gemessenen Schritten nach der Türe zurück. V. folgte ihm behutsam mit dem Leuchter in der Hand. Es ging die Treppe herab, der Alte schloß die große Haupttür des Schlosses auf, V. schlüpfte geschickt hindurch; nun begab er sich nach dem Stall, und nachdem er zu V.s tiefem Erstaunen den Armleuchter so geschickt hingestellt hatte, daß das ganze Gebäude genugsam erhellt wurde ohne irgendeine Gefahr, holte er Sattel und Zeug herbei und rüstete mit großer Sorgfältigkeit, den Gurt fest-, die Steigbügel hinaufschnallend, ein

Pferd aus, das er losgebunden von der Krippe. Nachdem er noch ein Büschel Haare über den Stirnriemen weg durch die Hand gezogen, nahm er, mit der Zunge schnalzend und mit der einen Hand ihm den Hals klopfend, das Pferd beim Zügel und führte es heraus. Draußen im Hofe blieb er einige Sekunden stehen in der Stellung, als erhalte er Befehle, die er kopfnickend auszuführen versprach. Dann führte er das Pferd zurück in den Stall, sattelte es wieder ab und band es an die Krippe. Nun nahm er den Armleuchter, verschloß den Stall, kehrte in das Schloß zurück und verschwand endlich in sein Zimmer, das er sorgfältig verriegelte. V. fühlte sich von diesem Auftritt im Innersten ergriffen, die Ahnung einer entsetzlichen Tat erhob sich vor ihm wie ein schwarzes, höllisches Gespenst, das ihn nicht mehr verließ. Ganz erfüllt von der bedrohlichen Lage seines Schützlings, glaubte er wenigstens das, was er gesehen, nützen zu müssen zu seinem Besten.

Andern Tages, es wollte schon die Dämmerung einbrechen, kam Daniel in sein Zimmer, um irgendeine sich auf den Hausstand beziehende Anweisung einzuholen. Da faßte ihn V. bei beiden Armen und fing an, indem er ihn zutraulich in den Sessel niederdrückte: »Höre, alter Freund Daniel! Lange habe ich dich fragen wollen, was hältst du denn von dem verworrenen Kram, den uns Huberts sonderbares Testament über den Hals gebracht hat? Glaubst du denn wohl, daß der junge Mensch wirklich Wolfgangs in rechtsgültiger Ehe erzeugter Sohn ist?« Der Alte, sich über die Lehne des Stuhls wegbeugend und V.s starr auf ihn gerichteten Blicken ausweichend, rief mürrisch: »Pah! Er kann es sein; er kann es auch nicht sein. Was schiert's mich, mag nun hier Herr werden, wer da will.« – »Aber ich meine«, fuhr V. fort, indem er dem Alten näher rückte und die Hand auf seine Schulter legte, »aber ich meine, da du des alten Freiherrn ganzes Vertrauen hattest, so verschwieg er dir gewiß nicht die Verhältnisse seiner Söhne. Er erzählte dir von dem Bündnis, das Wolfgang wider seinen Willen geschlossen?« – »Ich kann mich auf dergleichen gar nicht besinnen«, erwiderte der Alte, indem er auf ungezogene Art laut gähnte. – »Du bist schläfrig, Alter«, sprach V., »hast du vielleicht eine unruhige Nacht gehabt?« – »Daß ich nicht wüßte«, entgegnete der Alte frostig, »aber ich will nun gehen und das Abendessen bestellen.« Hiemit erhob er sich schwerfällig vom Stuhl, indem er sich den gekrümmten Rücken rieb und abermals, und zwar noch lauter, gähnte als zuvor. »Bleibe doch noch, Alter«, rief V., indem er ihn bei der Hand ergriff und zum Sitzen nötigen wollte, der Alte blieb aber vor dem Arbeitstisch stehen, auf den er sich mit beiden Händen stemmte, den Leib übergebogen nach V. hin, und mürrisch fragend: »Nun, was soll's denn, was schiert mich das Testament, was schiert mich der Streit um das Majorat.« – »Davon«, fiel ihm V. in die Rede, »wollen wir gar nicht mehr sprechen: von ganz etwas anderm, lieber Daniel! Du bist mürrisch, du gähnst, das alles zeugt von besonderer Abspannung, und nun möcht' ich beinahe glauben, daß *du* es wirklich gewesen bist in dieser Nacht.« – »Was bin ich gewesen in dieser Nacht?« frug der Alte, in seiner Stellung verharrend. »Als ich«, sprach V. weiter, »gestern mitternacht dort oben in dem Kabinett des alten Herrn neben dem großen Saal saß, kamst du zur Türe herein, ganz starr und bleich, schrittest auf die zugemauerte Tür los, kratztest mit beiden Händen an der Mauer und stöhntest, als wenn du große Qualen empfändest. Bist du denn ein Nachtwandler, Daniel?« Der Alte sank zurück in den Stuhl, den ihm V. schnell unterschob. Er gab keinen Laut von sich, die tiefe Dämmerung ließ sein Gesicht nicht erkennen, V. bemerkte nur, daß er kurz Atem holte und mit den Zähnen klapperte. »Ja«, fuhr V. nach kurzem Schweigen fort, »ja, es ist ein eignes Ding mit den Nachtwandlern. Andern Tages wissen sie von diesem sonderbaren Zustande, von allem, was sie in vollem Wachen begonnen haben, nicht das allermindeste.« Daniel blieb still. »Ähnliches«, sprach V. weiter, »wie gestern mit dir, habe ich schon erlebt. Ich hatte einen Freund, der stellte so wie du, trat der Vollmond ein, regelmäßig nächtliche Wanderungen an. Ja, manchmal setzte er sich hin und schrieb Briefe. Am merkwürdigsten war es aber, daß, fing ich an, ihm ganz leise ins Ohr zu flüstern, es mir bald gelang, ihn zum Sprechen zu bringen. Er antwortete gehörig auf alle Fragen, und selbst das, was er im Wachen sorglich verschwiegen haben würde, floß nun unwillkürlich, als könne er der Kraft nicht widerstehen, die auf ihn einwirkte, von seinen Lippen. – Der Teufel! Ich glaube, verschwiege ein Mondsüchtiger irgendeine begangene Untat noch so lange, man könnte sie ihm abfragen in dem seltsamen Zustande. Wohl dem, der ein reines Gewissen hat, wie wir beide, guter Daniel, wir können schon immer Nachtwandler sein, uns wird man kein Verbrechen abfragen. Aber höre, Daniel, gewiß willst du herauf in den astronomischen Turm, wenn du so abscheulich an der zugemauerten Türe kratzest? Du willst gewiß laborieren wie der alte Roderich? Nun, das werd' ich dir nächstens abfragen!«

Der Alte hatte, während V. dieses sprach, immer stärker und stärker gezittert, jetzt flog sein ganzer Körper, von heillosem Krampf hin und her geworfen, und er brach aus in ein gellendes, unverständliches Geplapper. V. schellte die Diener herauf. Man brachte Lichter, der Alte ließ nicht nach, wie ein willkürlos bewegter Automat hob man ihn auf und brachte ihn ins Bette. Nachdem beinahe eine Stunde dieser heillose Zustand gedauert, verfiel er in tiefer Ohnmacht ähnlichen Schlaf. Als er erwachte, verlangte er Wein zu trinken, und als man ihm diesen gereicht, trieb er den Diener, der bei ihm wachen wollte, fort und verschloß sich, wie gewöhnlich, in sein Zimmer. V. hatte wirklich beschlossen, den Versuch anzustellen, in dem Augenblick, als er davon gegen Daniel sprach, wiewohl er sich selbst gestehen mußte, einmal, daß Daniel, vielleicht erst jetzt von seiner Mondsucht unterrichtet, alles anwenden werde, ihm zu entgehen, dann aber, daß Geständnisse, in diesem Zustande abgelegt, eben nicht geeignet sein würden, darauf weiter fortzubauen. Demunerachtet begab er sich gegen Mitternacht in den Saal, hoffend, daß Daniel, wie es in dieser Krankheit geschieht, gezwungen werden würde, willkürlos zu handeln. Um Mitternacht erhob sich ein großer Lärm auf dem Hofe. V. hörte deutlich ein Fenster einschlagen, er eilte herab, und als er die Gänge durchschritt, wallte ihm ein stinkender Dampf entgegen, der, wie er bald gewahrte, aus dem geöffneten Zimmer des Hausverwalters herausquoll. Diesen brachte man eben todstarr herausgetragen, um ihn in einem andern Zimmer ins Bette zu legen. Um Mitternacht wurde ein Knecht, so erzählten die Diener, durch ein seltsames, dumpfes Pochen geweckt, er glaubte, dem Alten sei etwas zugestoßen, und schickte sich an aufzustehen, um ihm zu Hilfe zu kommen, als der Wächter auf dem Hofe laut rief: »Feuer, Feuer! In der Stube des Herrn Verwalters brennt's lichterloh!« Auf dies Geschrei waren gleich mehrere Diener bei der Hand, aber alles Mühen, die Tür des Zimmers einzubrechen, blieb umsonst. Nun eilten sie heraus auf den Hof, aber der entschlossene Wächter hatte schon das Fenster des niedrigen, im Erdgeschosse befindlichen Zimmers eingeschlagen und die brennenden Gardinen herabgerissen, worauf ein paar hineingegossene Eimer Wasser den Brand augenblicklich löschten. Den Hausverwalter fand man mitten im Zimmer auf der Erde liegend in tiefer Ohnmacht. Er hielt noch fest den Armleuchter in der Hand, dessen brennende Kerzen die Gardinen erfaßt und so das Feuer veranlaßt hatten. Brennende herabfallende Lappen hatten dem Alten die Augenbraunen und ein gut Teil Kopfhaare weggesengt. Bemerkte der Wächter nicht das Feuer, so hätte der Alte hilflos verbrennen müssen. Zu nicht geringer Verwunderung fanden die Diener, daß die Tür des Zimmers von innen durch zwei ganz neu angeschrobene Riegel, die noch den Abend vorher nicht dagewesen, verwahrt war. V. sah ein, daß der Alte sich hatte das Hinausschreiten aus dem Zimmer unmöglich machen wollen; widerstehen konnte er dem blinden Triebe nicht.

Der Alte verfiel in eine ernste Krankheit; er sprach nicht, er nahm nur wenig Nahrung zu sich und starrte, wie festgeklammert von einem entsetzlichen Gedanken, mit Blicken, in denen sich der Tod malte, vor sich hin. V. glaubte, daß der Alte von dem Lager nicht erstehen werde. Alles, was sich für seinen Schützling tun ließ, hatte V. getan, er mußte ruhig den Erfolg abwarten und wollte deshalb nach K. zurück. Die Abreise war für den folgenden Morgen bestimmt. V. packte spät abends seine Skripturen zusammen, da fiel ihm ein kleines Paket in die Hände, welches ihm der Freiherr Hubert von R. versiegelt und mit der Aufschrift: »Nach Eröffnung meines Testaments zu lesen« zugestellt und das er unbegreiflicherweise noch nicht beobachtet hatte. Er war im Begriff, dieses Paket zu entsiegeln, als die Tür aufging und mit leisen, gespenstischen Schritten Daniel hereintrat. Er legte eine schwarze Mappe, die er unter dem Arm trug, auf den Schreibtisch, dann mit einem tiefen Todesseufzer auf beide Knie sinkend, V.s Hände mit den seinen krampfhaft fassend, sprach er hohl und dumpf, wie aus tiefem Grabe: »Auf dem Schafott stürb' ich nicht gern! Der dort oben richtet!« dann richtete er sich unter angstvollem Keuchen mühsam auf und verließ das Zimmer, wie er gekommen.

V. brachte die ganze Nacht hin, alles das zu lesen, was die schwarze Mappe und Huberts Paket enthielt. Beides hing genau zusammen und bestimmte von selbst die weitern Maßregeln, die nun zu ergreifen. Sowie V. in K. angekommen, begab er sich zum Freiherrn Hubert von R., der ihn mit rauhem Stolz empfing. Die merkwürdige Folge einer Unterredung, welche mittags anfing und bis spät in die Nacht hinein ununterbrochen fortdauerte, war aber, daß der Freiherr andern Tages vor Gericht erklärte, daß er den Prätendenten des Majorats dem Testamente seines Vaters gemäß für den in rechtsgültiger Ehe von dem ältesten Sohn des Freiherrn Roderich von R., Wolfgang von R., mit dem Fräulein Julie von St. Val erzeugten Sohn, mithin für den rechtsgültig legitimierten Majoratserben anerkenne. Als er von dem Gerichtssaal herabstieg, stand sein Wagen mit Postpferden vor der Türe, er reiste schnell ab und ließ Mutter und Schwester zurück. Sie würden ihn vielleicht nie wiedersehen, hatte er ihnen mit andern rätselhaften Äußerungen geschrieben. Roderichs Erstaunen über diese Wendung, die die Sache nahm, war nicht gering, er drang in V., ihm doch nur zu erklären, wie dies Wunder habe bewirkt werden können, welche geheimnisvolle Macht im Spiele sei. V. vertröstete ihn indessen auf künftige Zeiten, und zwar wenn er Besitz genommen haben würde von dem Majorat. Die Übergabe des Majorats konnte nämlich deshalb nicht geschehen, weil nun die Gerichte, nicht befriedigt durch jene Erklärung Huberts, außerdem die vollständige Legitimation Roderichs verlangten. V. bot dem Freiherrn die Wohnung in R... sitten an und setzte hinzu, daß Huberts Mutter und Schwester, durch seine schnelle Abreise in augenblickliche Verlegenheit gesetzt, den stillen Aufenthalt auf dem Stammgute der geräuschvollen, teuren Stadt vorziehen würden. Das Entzücken, womit Roderich den Gedanken ergriff, mit der Baronin und ihrer Tochter wenigstens eine Zeitlang unter einem Dache zu wohnen, bewies, welchen tiefen Eindruck Seraphine, das holde, anmutige Kind, auf ihn gemacht hatte. In der Tat wußte der Freiherr seinen Aufenthalt in R... sitten so gut zu benutzen, daß er, wenige Wochen waren vergangen, Seraphinens innige Liebe und der Mutter beifällig Wort zur Verbindung mit ihr gewonnen hatte. Dem V. war das alles zu schnell, da bis jetzt Roderichs Legitimation als Majoratsherr von R... sitten noch immer zweifelhaft geblieben. Briefe aus Kurland unterbrachen das Idyllenleben auf dem Schlosse. Hubert hatte sich gar nicht auf den Gütern sehen lassen, sondern war unmittelbar nach Petersburg gegangen, dort in Militärdienste getreten und stand jetzt im Felde gegen die Perser, mit denen Rußland gerade im Kriege begriffen. Dies machte die schnelle Abreise der Baronin mit ihrer Tochter nach den Gütern, wo Unordnung und Verwirrung herrschte, nötig. Roderich, der sich schon als den aufgenommenen Sohn betrachtete, unterließ nicht, die Geliebte zu begleiten, und so wurde, da V. ebenfalls nach K. zurückkehrte, das Schloß einsam wie vorher. Des Hausverwalters böse Krankheit wurde schlimmer und schlimmer, so daß er nicht mehr daraus zu erstehen glaubte, sein Amt wurde einem alten Jäger, Wolfgangs treuem Diener, Franz geheißen, übertragen. Endlich nach langem Harren erhielt V. die günstigsten Nachrichten aus der Schweiz. Der Pfarrer, der Wolfgangs Trauung vollzogen, war längst gestorben, indessen fand sich in dem Kirchenbuche von seiner Hand notiert, daß derjenige, den er unter dem Namen Born mit dem Fräulein St. Val ehelich verbunden, sich bei ihm als Freiherr Wolfgang von R., ältesten Sohn des Freiherrn Roderich von R. auf R... sitten, vollständig legitimiert habe. Außerdem wurden noch zwei Trauzeugen, ein Kaufmann in Genf und ein alter, französischer Kapitän, der nach Lyon gezogen, ausgemittelt, denen Wolfgang ebenfalls sich entdeckt hatte, und ihre eidlichen Aussagen bekräftigten den Vermerk des Pfarrers im Kirchenbuche. Mit den in rechtlicher Form ausgefertigten Verhandlungen in der Hand, führte nun V. den vollständigen Nachweis der Rechte seines Machtgebers, und nichts stand der Übergabe des Majorats im Wege, die im künftigen Herbst erfolgen sollte. Hubert war gleich in der ersten Schlacht, der er beiwohnte, geblieben, ihn hatte das Schicksal seines jüngern Bruders, der ein Jahr vor seines Vaters Tode ebenfalls im Felde blieb, getroffen; so fielen die Güter in Kurland der Baronesse Seraphine von R. zu und wurden eine schöne Mitgift für den überglücklichen Roderich.

Der November war angebrochen, als die Baronin, Roderich mit seiner Braut in R...sitten anlangten. Die Übergabe des Majorats erfolgte und dann Roderichs Verbindung mit Seraphinen. Manche Woche verging im Taumel der Lust, bis endlich die übersättigten Gäste nach und nach das Schloß verließen zur großen Zufriedenheit V.s, der von R...sitten nicht scheiden wollte, ohne den jungen Majoratsherrn auf das genaueste einzuweihen in alle Verhältnisse des neuen Besitztums. Mit der strengsten Genauigkeit hatte Roderichs Oheim die Rechnungen über Einnahme und Ausgabe geführt, so daß, da Roderich nur eine geringe Summe jährlich zu seinem Unterhalt bekam, durch die Überschüsse der Einnahme jenes bare Kapital, das man in des alten Freiherrn Nachlaß vorfand, einen bedeutenden Zuschuß erhielt. Nur in den ersten drei Jahren hatte Hubert die Einkünfte des Majorats in seinen Nutzen verwandt, darüber aber ein Schuldinstrument ausgestellt und es auf den ihm zustehenden Anteil der Güter in Kurland versichern lassen. – V. hatte seit der Zeit, als ihm Daniel als Nachtwandler erschien, das Schlafgemach des alten Roderich zu seinem Wohnzimmer gewählt, um desto sicherer das erlauschen zu können, was ihm Daniel nachher freiwillig offenbarte. So kam es, daß dies Gemach und der anstoßende große Saal der Ort blieb, wo der Freiherr mit V. im Geschäft zusammenkam. Da saßen nun beide beim hellodernden Kaminfeuer an dem großen Tische, V. mit der Feder in der Hand, die Summen notierend und den Reichtum des Majoratsherrn berechnend, dieser mit aufgestemmtem Arm hineinblinzelnd in die aufgeschlagenen Rechnungsbücher, in die gewichtigen Dokumente. Keiner vernahm das dumpfe Brausen der See, das Angstgeschrei der Möwen, die das Unwetter verkündend im Hin- und Herflattern an die Fensterscheiben schlugen, keiner achtete des Sturms, der um Mitternacht heraufgekommen, in wildem Tosen das Schloß durchsauste, so daß alle Unkenstimmen in den Kaminen, in den engen Gängen erwachten und widerlich durcheinanderpfiffen und heulten. Als endlich nach einem Windstoß, vor dem der ganze Bau erdröhnte, plötzlich der ganze Saal im düstern Feuer des Vollmonds stand, rief V.: »Ein böses Wetter!« Der Freiherr, ganz vertieft in die Aussicht des Reichtums, der ihm zugefallen, erwiderte gleichgültig, indem er mit zufriedenem Lächeln ein Blatt des Einnahmebuchs umschlug: »In der Tat, sehr stürmisch.« Aber wie fuhr er, von der eisigen Faust des Schreckens berührt, in die Höhe, als die Tür des Saals aufsprang und eine bleiche, gespenstische Gestalt sichtbar wurde, die, den Tod im Antlitz, hineinschritt. Daniel, den V. sowie jedermann in tiefer Krankheit ohnmächtig daliegend nicht für fähig hielt, ein Glied zu rühren, war es, der abermals von der Mondsucht befallen, seine nächtliche Wanderung begonnen. Lautlos starrte der Freiherr den Alten an, als dieser nun aber unter angstvollen Seufzern der Todesqual an der Wand kratzte, da faßte den Freiherrn tiefes Entsetzen. Bleich im Gesicht wie der Tod, mit emporgesträubtem Haar sprang er auf, schritt in bedrohlicher Stellung zu auf den Alten und rief mit starker Stimme, daß der Saal erdröhnte: »Daniel! Daniel! Was machst du hier zu dieser Stunde!« Da stieß der Alte jenes grauenvolle, heulende Gewimmer aus, gleich dem Todeslaut des getroffenen Tiers, wie damals, als ihm Wolfgang Gold für seine Treue bot, und sank zusammen. V. rief die Bedienten herbei, man hob den Alten auf, alle Versuche, ihn zu beleben, blieben vergebens. Da schrie der Freiherr wie außer sich: »Herrgott! Herrgott! Habe ich denn nicht gehört, daß Nachtwandler auf der Stelle des Todes sein können, wenn man sie beim Namen ruft? Ich! Ich Unglückseligster – ich habe den armen Greis erschlagen! Zeit meines Lebens habe ich keine ruhige Stunde mehr!« – V., als die Bedienten den Leichnam fortgetragen und der Saal leer geworden, nahm den immerfort sich anklagenden Freiherrn bei der Hand, führte ihn in tiefem Schweigen vor die zugemauerte Tür und sprach: »Der hier tot zu Ihren Füßen niedersank, Freiherr Roderich, war der verruchte Mörder Ihres Vaters!« Als säh' er Geister der Hölle, starrte der Freiherr den V. an. Dieser fuhr fort: »Es ist nun wohl an der Zeit, Ihnen das gräßliche Geheimnis zu enthüllen, das auf diesem Unhold lastete und ihn, den Fluchbeladenen, in den Stunden des Schlafs umhertrieb. Die ewige Macht ließ den Sohn Rache nehmen an dem Mörder des Vaters. – Die Worte, die Sie dem entsetzlichen Nachtwandler in die Ohren donnerten, waren die letzten, die Ihr unglücklicher Vater sprach!« Bebend, unfähig, ein Wort zu sprechen, hatte der Freiherr neben V., der sich vor den Kamin setzte, Platz genommen. V. fing mit dem Inhalt des Aufsatzes an, den Hubert für V. zurückgelassen und den er erst nach Eröffnung des Testaments entsiegeln sollte. Hubert klagte sich mit Ausdrücken, die von der tiefsten Reue zeigten, des unversöhnlichen Hasses an, der in ihm gegen den ältern Bruder Wurzel faßte von dem Augenblick, als der alte Roderich das Majorat gestiftet hatte. Jede Waffe war ihm entrissen, denn wär' es ihm auch gelungen, auf hämische Weise den Sohn mit dem Vater zu entzweien, so blieb dies ohne Wirkung, da Roderich selbst nicht ermächtigt war, dem ältesten Sohn die Rechte der Erstgeburt zu entreißen, und es, wandte sich auch sein Herz und Sinn ganz ab von ihm, doch nach seinen Grundsätzen nimmermehr getan hätte. Erst als Wolfgang in Genf das Liebesverhältnis mit Julien von St. Val begonnen, glaubte Hubert den Bruder verderben zu können. Da fing die Zeit an, in der er im Einverständnisse mit Daniel auf bübische Weise den Alten zu Entschlüssen nötigen wollte, die den Sohn zur Verzweiflung bringen mußten.

Er wußte, daß nur die Verbindung mit einer der ältesten Familien des Vaterlandes nach dem Sinn des alten Roderich den Glanz des Majorats auf ewige Zeiten begründen konnte. Der Alte hatte diese Verbindung in den Gestirnen gelesen, und jedes frevelige Zerstören der Konstellation konnte nur Verderben bringen über die Stiftung. Wolfgangs Verbindung mit Julien erschien in dieser Art dem Alten ein verbrecherisches Attentat, wider Beschlüsse der Macht gerichtet, die ihm beigestanden im irdischen Beginnen, und jeder Anschlag, Julien, die wie ein dämonisches Prinzip sich ihm entgegengeworfen, zu verderben, gerechtfertigt. Hubert kannte des Bruders an Wahnsinn streifende Liebe zu Julien, ihr Verlust mußte ihn elend machen, vielleicht töten, und um so lieber wurde er tätiger Helfershelfer bei den Plänen des Alten, als er selbst sträfliche Neigung zu Julien gefaßt und sie für sich zu gewinnen hoffte. Eine besondere Schickung des Himmels wollt' es, daß die giftigsten Anschläge an Wolfgangs Entschlossenheit scheiterten, ja daß es ihm gelang, den Bruder zu täuschen. Für Hubert blieb Wolfgangs wirklich vollzogene Ehe sowie die Geburt eines Sohnes ein Geheimnis. Mit der Vorahnung des nahen Todes kam dem alten Roderich zugleich der Gedanke, daß Wolfgang jene ihm feindliche Julie geheiratet habe; in dem Briefe, der dem Sohn befahl, am bestimmten Tage nach R... sitten zu kommen, um das Majorat anzutreten, fluchte er ihm, wenn er nicht jene Verbindung zerreißen werde. Diesen Brief verbrannte Wolfgang bei der Leiche des Vaters.

An Hubert schrieb der Alte, daß Wolfgang Julien geheiratet habe, er werde aber diese Verbindung zerreißen. Hubert hielt dies für die Einbildung des träumerischen Vaters, erschrak aber nicht wenig, als Wolfgang in R...sitten selbst mit vieler Freimütigkeit die Ahnung des Alten nicht allein bestätigte, sondern auch hinzufügte, daß Julien ihm einen Sohn geboren und daß er nun in kurzer Zeit Julie, die ihn bis jetzt für den Kaufmann Born aus M. gehalten, mit der Nachricht seines Standes und seines reichen Besitztums hoch erfreuen werde. Selbst wolle er hin nach Genf, um das geliebte Weib zu holen. Noch ehe er diesen Entschluß ausführen konnte, ereilte ihn der Tod. Hubert verschwieg sorglich, was ihm von dem Dasein eines in der Ehe mit Julien erzeugten Sohnes bekannt, und riß so das Majorat an sich, das diesem gebührte. Doch nur wenige Jahre waren vergangen, als ihn tiefe Reue ergriff. Das Schicksal mahnte ihn an seine Schuld auf fürchterliche Weise durch den Haß, der zwischen seinen beiden Söhnen mehr und mehr emporkeimte. »Du bist ein armer, dürftiger Schlucker«, sagte der älteste, ein zwölfjähriger Knabe, zu dem jüngsten, »aber ich werde, wenn der Vater stirbt, Majoratsherr von R... sitten, und da mußt du demütig sein und mir die Hand küssen, wenn ich dir Geld geben soll zum neuen Rock.« Der jüngste, in volle Wut geraten über des Bruders höhnenden Stolz, warf das Messer, das er gerade in der Hand hatte, nach ihm hin und traf ihn beinahe zum Tode. Hubert, großes Unglück fürchtend, schickte den jüngsten fort nach Petersburg, wo er später als Offizier unter Suwarow wider die Franzosen focht und blieb. Vor der Welt das Geheimnis seines unredlichen, betrügerischen Besitzes kundzutun, davon hielt ihn die Scham, die Schande, die über ihn gekommen, zurück, aber entziehen wollte er dem rechtmäßigen Besitzer keinen Groschen mehr. Er zog Erkundigungen ein in Genf und erfuhr, daß die Frau Born, trostlos über das unbegreifliche Verschwinden ihres Mannes, gestorben, daß aber der junge Roderich Born von einem wackern Mann, der ihn aufgenommen, erzogen werde. Da kündigte sich Hubert unter fremdem Namen als Verwandter des auf der See umgekommenen Kaufmanns Born an und schickte Summen ein, die hinreichten, den jungen Majoratsherrn sorglich und anständig zu erziehn. Wie er die Überschüsse der Einkünfte des Majorats sorgfältig sammelte, wie er dann testamentarisch verfügte, ist bekannt. Über den Tod seines Bruders sprach Hubert in sonderbaren rätselhaften Ausdrücken, die so viel erraten ließen, daß es damit eine geheimnisvolle Bewandtnis haben mußte und daß Hubert wenigstens mittelbar teilnahm an einer gräßlichen Tat. Der Inhalt der schwarzen Mappe klärte alles auf. Der verräterischen Korrespondenz Huberts mit Daniel lag ein Blatt bei, das Daniel beschrieben und unterschrieben hatte. V. las ein Geständnis, vor dem sein Innerstes erbebte. Auf Daniels Veranlassung war Hubert nach R... sitten gekommen, Daniel war es, der ihm von den gefundenen einhundertundfünfzigtausend Reichstalern geschrieben. Man weiß, wie Hubert von dem Bruder aufgenommen wurde, wie er, getäuscht in allen seinen Wünschen und Hoffnungen, fort wollte, wie ihn V. zurückhielt. In Daniels Innerm kochte blutige Rache, die er zu nehmen hatte an dem jungen Menschen, der ihn hatte ausstoßen wollen wie einen räudigen Hund. *Der* schürte und schürte an dem Brande, von dem der verzweifelnde Hubert verzehrt wurde. Im Föhrenwalde auf der Wolfsjagd, im Sturm und Schneegestöber wurden sie einig über Wolfgangs Verderben. »Wegschaffen«, murmelte Hubert, indem er seitwärts wegblickte und die Büchse anlegte. »Ja, wegschaffen«, grinste Daniel, »aber nicht so, nicht so.« Nun vermaß er sich hoch und teuer, er werde den Freiherrn ermorden, und kein Hahn solle darnach krähen. Hubert, als er endlich Geld erhalten, tat der Anschlag leid, er wollte fort, um jeder weitern Versuchung zu widerstehen. Daniel selbst sattelte in der Nacht das Pferd und führte es aus dem Stalle, als aber der Baron sich aufschwingen wollte, sprach Daniel mit schneidender Stimme: »Ich dächte, Freiherr Hubert, du bliebst auf dem Majorat, das dir in diesem Augenblick zugefallen, denn der stolze Majoratsherr liegt zerschmettert in der Gruft des Turms!« Daniel hatte beobachtet, daß, von Golddurst geplagt, Wolfgang oft in der Nacht aufstand, vor die Tür trat, die sonst zum Turme führte, und mit sehnsüchtigen Blicken hinabschaute in die Tiefe, die nach Daniels Versicherung noch bedeutende Schätze bergen sollte. Darauf gefaßt, stand in jener verhängnisvollen Nacht Daniel vor der Türe des Saals. Sowie er den Freiherrn die zum Turm führende Tür öffnen hörte, trat er hinein und dem Freiherrn nach, der dicht an dem Abgrunde stand. Der Freiherr drehte sich um und rief, als er den verruchten Diener, dem der Mord schon aus den Augen blitzte, gewahrte, entsetzt: »Daniel, Daniel, was macht du hier zu dieser Stunde!« Aber da kreischte Daniel wild auf: »Hinab mit dir, du räudiger Hund«, und schleuderte mit einem kräftigen Fußstoß den Unglücklichen hinunter in die Tiefe! – Ganz erschüttert von der gräßlichen Untat, fand der Freiherr keine Ruhe auf dem Schlosse, wo sein Vater ermordet. Er ging auf seine Güter nach Kurland und kam nur jedes Jahr zur Herbstzeit nach R . . . sitten. Franz, der alte Franz, behauptete, daß Daniel, dessen Verbrechen er ahnde, noch oft zur Zeit des Vollmonds spuke, und beschrieb den Spuk gerade so, wie ihn V. später erfuhr und bannte. Die Entdeckung dieser Umstände, welche das Andenken des Vaters schändeten, trieben auch den jungen Freiherrn Hubert fort in die Welt. So hatte der Großonkel alles erzählt, nun nahm er meine Hand und sprach, indem ihm volle Tränen in die Augen traten, mit sehr weicher

Stimme: »Vetter, Vetter, auch *sie,* die holde Frau, hat das böse Verhängnis, die unheimliche Macht, die dort auf dem Stammschlosse hauset, ereilt! Zwei Tage, nachdem wir R... sitten verlassen, veranstaltete der Freiherr zum Beschluß eine Schlittenfahrt. Er selbst fährt seine Gemahlin, doch, als es talabwärts geht, reißen die Pferde, plötzlich auf unbegreifliche Weise scheu geworden, aus in vollem wütenden Schnauben und Toben. „Der Alte – der Alte ist hinter uns her", schreit die Baronin auf mit schneidender Stimme! In dem Augenblick wird sie durch den Stoß, der den Schlitten umwirft, weit fortgeschleudert. Man findet sie leblos – sie ist hin! Der Freiherr kann sich nimmer trösten, seine Ruhe ist die eines Sterbenden! – Nimmer kommen wir wieder nach R... sitten, Vetter!«

Der alte Großonkel schwieg, ich schied von ihm mit zerrissenem Herzen, und nur die alles beschwichtigende Zeit konnte den tiefen Schmerz lindern, in dem ich vergehen zu müssen glaubte.

Jahre waren vergangen. V. ruhte längst im Grabe, ich hatte mein Vaterland verlassen. Da trieb mich der Sturm des Krieges, der verwüstend über ganz Deutschland hinbrauste, in den Norden hinein, fort nach Petersburg. Auf der Rückreise, nicht mehr weit von K., fuhr ich in einer finstern Sommernacht dem Gestade der Ostsee entlang, als ich vor mir am Himmel einen großen, funkelnden Stern erblickte. Näher gekommen, gewahrte ich wohl an der roten, flakkernden Flamme, daß das, was ich für einen Stern gehalten, ein starkes Feuer sein müsse, ohne zu begreifen, wie es so hoch in den Lüften schweben könne. »Schwager! Was ist das für ein Feuer dort vor uns?« frug ich den Postillion. »Ei«, erwiderte dieser, »ei, das ist kein Feuer, das ist der Leuchtturm von R... sitten.« R... sitten! – Sowie der Postillion den Namen nannte, sprang in hellem Leben das Bild jener verhängnisvollen Herbsttage hervor, die ich dort verlebte. Ich sah den Baron – Seraphinen, aber auch die alten wunderlichen Tanten, mich selbst mit blankem Milchgesicht, schön frisiert und gepudert, in zartes Himmelblau gekleidet –. Ja mich, den Verliebten, der wie ein Ofen seufzt, mit Jammerlied auf seiner Liebsten Braue! In der tiefen Wehmut, die mich durchbebte, flackerten wie bunte Lichterchen V.s derbe Späße auf, die mir nun ergötzlicher waren als damals. So von Schmerz und wunderbarer Lust bewegt, stieg ich am frühen Morgen in R... sitten aus dem Wagen, der vor der Postexpedition hielt. Ich erkannte das Haus des Ökonomieinspektors, ich frug nach ihm. »Mit Verlaub«, sprach der Postschreiber, indem er die Pfeife aus dem Munde nahm und an der Nachtmütze rückte, »mit Verlaub, hier ist kein Ökonomieinspektor, es ist ein königliches Amt, und der Herr Amtsrat belieben noch zu schlafen.« Auf weiteres Fragen erfuhr ich, daß schon vor sechzehn Jahren der Freiherr Roderich von R., der letzte Majoratsbesitzer, ohne Deszendenten gestorben und das Majorat der Stiftungsurkunde gemäß dem Staate anheimgefallen sei. –

Ich ging hinauf nach dem Schlosse, es lag in Ruinen zusammengestürzt. Man hatte einen großen Teil der Steine zu dem Leuchtturm benutzt, so versicherte ein alter Bauer, der aus dem Föhrenwalde kam und mit dem ich mich ins Gespräch einließ. Der wußte auch noch von dem Spuk zu erzählen, wie er auf dem Schlosse gehaust haben sollte, und versicherte, daß noch jetzt sich oft, zumal beim Vollmonde, grauenvolle Klagelaute in dem Gestein hören ließen.

Armer, alter, kurzsichtiger Roderich! Welche böse Macht beschworst du herauf, die den Stamm, den du mit fester Wurzel für die Ewigkeit zu pflanzen gedachtest, im ersten Aufkeimen zum Tode vergiftete.

DAS FRÄULEIN VON SCUDERI

Erzählung aus dem Zeitalter Ludwigs des Vierzehnten

In der Straße Saint-Honoré war das kleine Haus gelegen, welches Magdaleine von Scuderi, bekannt durch ihre anmutigen Verse, durch die Gunst Ludwigs XIV. und der Maintenon, bewohnte.

Spät um Mitternacht – es mochte im Herbste des Jahres 1680 sein – wurde an dieses Haus hart und heftig angeschlagen, daß es im ganzen Flur laut widerhallte. Baptiste, der in des Fräuleins kleinem Haushalt Koch, Bedienten und Türsteher zugleich vorstellte, war mit Erlaubnis seiner Herrschaft über Land gegangen zur Hochzeit seiner Schwester, und so kam es, daß die Martinière, des Fräuleins Kammerfrau, allein im Hause noch wachte. Sie hörte die wiederholten Schläge, es fiel ihr ein, daß Baptiste fortgegangen und sie mit dem Fräulein ohne weitern Schutz im Hause geblieben sei; aller Frevel von Einbruch, Diebstahl und Mord, wie er jemals in Paris verübt worden, kam ihr in den Sinn, es wurde ihr gewiß, daß irgendein Haufen Meuter, von der Einsamkeit des Hauses unterrichtet, da draußen tobe und, eingelassen, ein böses Vorhaben gegen die Herrschaft ausführen wolle, und so blieb sie in ihrem Zimmer, zitternd und zagend und den Baptiste verwünschend samt seiner Schwester Hochzeit. Unterdessen donnerten die Schläge immer fort, und es war ihr, als rufe eine Stimme dazwischen: »So macht doch nur auf um Christi willen, so macht doch nur auf!« Endlich in steigender Angst ergriff die Martinière schnell den Leuchter mit der brennenden Kerze und rannte hinaus auf den Flur; da vernahm sie ganz deutlich die Stimme des Anpochenden: »Um Christi willen, so macht doch nur auf!« – In der Tat, dachte die Martinière, so spricht doch wohl kein Räuber; wer weiß, ob nicht gar ein Verfolgter Zuflucht sucht bei meiner Herrschaft, die ja geneigt ist zu jeder Wohltat. Aber laßt uns vorsichtig sein! Sie öffnete ein Fenster und rief hinab, wer denn da unten in später Nacht so an der Haustür tobe und alles aus dem Schlafe wecke, indem sie ihrer tiefen Stimme so viel Männliches zu geben sich bemühte, als nur möglich. In dem Schimmer der Mondesstrahlen, die eben durch die finstern Wolken brachen, gewahrte sie eine lange, in einen hellgrauen Mantel gewickelte Gestalt, die den breiten Hut tief in die Augen gedrückt hatte. Sie rief nun mit lauter Stimme, so, daß es der unten vernehmen konnte: »Baptiste, Claude, Pierre, steht auf und seht einmal zu, welcher Taugenichts uns das Haus einschlagen will!« Da sprach es aber mit sanfter, beinahe klagender Stimme von unten herauf: »Ach, La Martinière, ich weiß ja, daß Ihr es seid, liebe Frau, sosehr Ihr Eure Stimme zu verstellen trachtet, ich weiß ja, daß Baptiste über Land gegangen ist und Ihr mit Eurer Herrschaft allein im Hause seid. Macht mir nur getrost auf, befürchtet nichts. Ich muß durchaus mit Eurem Fräulein sprechen, noch in dieser Minute.« – »Wo denkt Ihr hin«, erwiderte die Martinière, »mein Fräulein wollt Ihr sprechen mitten in der Nacht? Wißt Ihr denn nicht, daß sie längst schläft und daß ich sie um keinen Preis wecken werde aus dem ersten süßesten Schlummer, dessen sie in ihren Jahren wohl bedarf.« – »Ich weiß«, sprach der Untenstehende, »ich weiß, daß Euer Fräulein soeben das Manuskript ihres Romans, C l e l i a geheißen, an dem sie rastlos arbeitet, beiseite gelegt hat und jetzt noch einige Verse aufschreibt, die sie morgen bei der Marquise de Maintenon vorzulesen gedenkt. Ich beschwöre Euch, Frau Martinière, habt die Barmherzigkeit und öffnet mir die Türe. Wißt, daß es darauf ankommt, einen Unglücklichen vom Verderben zu retten, wißt, daß Ehre, Freiheit, ja das Leben eines Menschen abhängt von diesem Augenblick, in dem ich Euer Fräulein sprechen muß. Bedenkt, daß Eurer Gebieterin Zorn ewig auf Euch lasten würde, wenn sie erführe, daß Ihr es waret, die den Unglücklichen, welcher kam, ihre Hilfe zu erflehen, hartherzig von der Türe wieset.« – »Aber warum sprecht Ihr denn meines Fräuleins Mitleid an in dieser ungewöhnlichen Stunde, kommt morgen zu guter Zeit wieder«, so sprach die Martinière herab; da erwiderte der unten: »Kehrt sich denn das Schicksal, wenn es verderbend wie der tötende Blitz einschlägt, an Zeit und Stunde? Darf, wenn nur ein Augenblick Rettung noch möglich ist, die Hilfe aufgeschoben werden? Öffnet mir die Türe, fürchtet doch nur nichts von einem Elenden, der schutzlos, verlassen von aller Welt, verfolgt, bedrängt von einem ungeheuern Geschick, Euer Fräulein um Rettung anflehen will aus drohender Gefahr!« Die Martinière vernahm, wie der Untenstehende bei diesen Worten vor tiefem Schmerz stöhnte und schluchzte; dabei war der Ton von seiner Stimme der eines Jünglings, sanft und eindringend tief in die Brust. Sie fühlte sich im Innersten bewegt; ohne sich weiter lange zu besinnen, holte sie die Schlüssel herbei.

Sowie sie die Türe kaum geöffnet, drängte sich ungestüm die im Mantel verhüllte Gestalt hinein und rief, der Martinière vorbeischreitend in den Flur, mit wilder Stimme: »Führt mich zu Euerm Fräulein!« Erschrocken hob die Martinière den Leuchter in die Höhe, und der Kerzenschimmer fiel in ein todbleiches, furchtbar entstelltes Jünglingsantlitz. Vor Schrecken hätte die Martinière zu Boden sinken mögen, als nun der Mensch den Mantel auseinanderschlug und der blanke Griff eines Stiletts aus dem Brustlatz hervorragte. Es blitzte der Mensch sie an mit funkelnden Augen und rief noch wilder als zuvor: »Führt mich zu Euerm Fräulein, sage ich Euch!« Nun sah die Martinière ihr Fräulein in der dringendsten Gefahr; alle Liebe zu der teuren Herrschaft, in der sie zugleich die fromme, treue Mutter ehrte, flammte stärker auf im Innern und erzeugte einen Mut, dessen sie wohl selbst sich nicht fähig geglaubt hätte. Sie warf die Türe ihres Gemachs, die sie offengelassen, schnell zu, trat vor dieselbe und sprach stark und fest: »In der Tat, Euer tolles Betragen hier im Hause paßt schlecht zu Euern kläglichen Worten da draußen, die, wie ich nun wohl merke, mein Mitleiden sehr zu unrechter Zeit erweckt haben. Mein Fräulein sollt und werdet Ihr jetzt nicht sprechen. Habt Ihr nichts Böses im Sinn, dürft Ihr den Tag nicht scheuen, so kommt morgen wieder und bringt Eure Sache an! Jetzt schert Euch aus dem Hause!« Der Mensch stieß einen dumpfen Seufzer aus, blickte die Martinière starr an mit entsetzlichem Blick und griff nach dem Stilett. Die Martinière befahl im stillen ihre Seele dem Herrn, doch blieb sie standhaft und sah dem Menschen keck ins Auge, indem sie sich fester an die Türe des Gemachs drückte, durch welches der Mensch gehen mußte, um zu dem Fräulein zu gelangen. »Laßt mich zu Eurem Fräulein, sage ich Euch«, rief der Mensch nochmals. »Tut, was Ihr wollt«, erwiderte die Martinière, »ich weiche nicht von diesem Platz, vollendet nur die böse Tat, die Ihr begonnen, auch Ihr werdet den schmachvollen Tod finden auf dem Grèveplatz, wie Eure verruchten Spießgesellen.« – »Ha«, schrie der Mensch auf, »Ihr habt recht, la Martinière! Ich sehe aus, ich bin bewaffnet wie ein verruchter Räuber und Mörder, aber meine Spießgesellen sind nicht gerichtet, sind nicht gerichtet!« Und damit zog er, giftige Blicke schießend auf die zum Tode geängstete Frau, das Stilett heraus. »Jesus!« rief sie, den Todesstoß erwartend, aber in dem Augenblick ließ sich auf der Straße das Geklirr von Waffen, der Huftritt von Pferden hören. »Die Maréchaussée – die Maréchaussée. Hilfe, Hilfe!« schrie die Martinière. »Entsetzliches Weib, du willst mein Verderben – nun ist alles aus, alles aus! Nimm! Nimm; gib das dem Fräulein heute noch – morgen, wenn du willst.« Dies leise murmelnd, hatte der Mensch der Martinière den Leuchter weggerissen, die Kerze verlöscht und ihr ein Kästchen in die Hände gedrückt. »Um deiner Seligkeit willen, gib das Kästchen dem Fräulein«, rief der Mensch und sprang zum Hause hinaus. Die Martinière war zu Boden gesunken, mit Mühe stand sie auf und tappte sich in der Finsternis zurück in ihr Gemach, wo sie ganz erschöpft, keines Lautes mächtig, in den Lehnstuhl sank. Nun hörte sie die Schlüssel klirren, die sie im Schloß der Haustüre hatte steckenlassen. Das Haus wurde zugeschlossen, und leise unsichere Tritte nahten sich dem Gemach. Festgebannt, ohne Kraft, sich zu regen, erwartete sie das Gräßliche; doch wie geschah ihr, als die Türe aufging und sie bei dem Scheine der Nachtlampe auf den ersten Blick den ehrlichen Baptiste erkannte; der sah leichenblaß aus und ganz verstört. »Um aller Heiligen willen«, fing er an, »um aller Heiligen willen, sagt mir, Frau Martinière, was ist geschehen? Ach die Angst, die Angst! Ich weiß nicht, was es war, aber fortgetrieben hat es mich von der Hochzeit gestern abend mit Gewalt! Und nun komme ich in die Straße. Frau Martinière, denk' ich, hat einen leisen Schlaf, die wird's wohl hören, wenn ich leise und säuberlich anpoche an die Haustüre, und mich hineinlassen. Da kommt mir eine starke Patrouille entgegen, Reiter, Fußvolk, bis an die Zähne bewaffnet, und hält mich an und will mich nicht fortlassen. Aber zum Glück ist Desgrais dabei, der Maréchaussée-Lieutenant, der mich recht gut kennt; der spricht, als sie mir die Laterne unter die Nase halten: „Ei, Baptiste, wo kommst du her des Wegs in der Nacht? Du mußt fein im Hause bleiben und es hüten. Hier ist es nicht geheuer, wir denken noch in dieser Nacht einen guten Fang zu machen." Ihr glaubt gar nicht, Frau Martinière, wie mir diese

Worte aufs Herz fielen. Und nun trete ich auf die Schwelle, und da stürzt ein verhüllter Mensch aus dem Hause, das blanke Stilett in der Faust, und rennt mich um und um – das Haus ist offen, die Schlüssel stecken im Schlosse. Sagt, was hat das alles zu bedeuten?« Die Martinière, von ihrer Todesangst befreit, erzählte, wie sich alles begeben. Beide, sie und Baptiste, gingen in den Hausflur, sie fanden den Leuchter auf dem Boden, wo der fremde Mensch ihn im Entfliehen hingeworfen. »Es ist nur zu gewiß«, sprach Baptiste, »daß unser Fräulein beraubt und wohl gar ermordet werden sollte. Der Mensch wußte, wie Ihr erzählt, daß Ihr allein wart mit dem Fräulein, ja sogar, daß sie noch wachte bei ihren Schriften; gewiß war es einer von den verfluchten Gaunern und Spitzbuben, die bis ins Innere der Häuser dringen, alles listig auskundschaftend, was ihnen zur Ausführung ihrer teuflischen Anschläge dienlich. Und das kleine Kästchen, Frau Martinière, das, denk' ich, werfen wir in die Seine, wo sie am tiefsten ist. Wer steht uns dafür, daß nicht irgendein verruchter Unhold unserm guten Fräulein nach dem Leben trachtet, daß sie, das Kästchen öffnend, nicht tot niedersinkt wie der alte Marquis von Tournay, als er den Brief aufmachte, den er von unbekannter Hand erhalten!« Lange ratschlagend, beschlosen die Getreuen endlich, dem Fräulein am andern Morgen alles zu erzählen und ihr auch das geheimnisvolle Kästchen einzuhändigen, das ja mit gehöriger Vorsicht geöffnet werden könne. Beide erwägten sie genau jeden Umstand der Erscheinung des verdächtigen Fremden, meinten, daß wohl ein besonderes Geheimnis im Spiele sein könne, über das sie eigenmächtig nicht schalten dürften, sondern die Enthüllung ihrer Herrschaft überlassen müßten.

Baptistes Besorgnisse hatten ihren guten Grund. Gerade zu der Zeit war Paris der Schauplatz der verruchtesten Greueltaten, gerade zu der Zeit bot die teuflischste Erfindung der Hölle die leichtesten Mittel dazu dar.

Glaser, ein deutscher Apotheker, der beste Chemiker seiner Zeit, beschäftigte sich, wie es bei Leuten von seiner Wissenschaft wohl zu geschehen pflegt, mit alchimistischen Versuchen. Er hatte es darauf abgesehen, den Stein der Weisen zu finden. Ihm gesellte sich ein Italiener zu, namens *Exili*. Diesem diente aber die Goldmacherkunst nur zum Vorwande. Nur das Mischen, Kochen, Sublimieren der Giftstoffe, in denen Glaser sein Heil zu finden hoffte, wollte er erlernen, und es gelang ihm endlich, jenes feine Gift zu bereiten, das ohne Geruch, ohne Geschmack, entweder auf der Stelle oder langsam tötend, durchaus keine Spur im menschlichen Körper zurückläßt und alle Kunst, alle Wissenschaft der Ärzte täuscht, die, den Giftmord nicht ahnend, den Tod einer natürlichen Ursache zuschreiben müssen. So vorsichtig Exili auch zu Werke ging, so kam er doch in den Verdacht des Giftverkaufs und wurde nach der Bastille gebracht. In dasselbe Zimmer sperrte man bald darauf den Hauptmann Godin de Sainte Croix ein. Dieser hatte mit der Marquise de Brinvillier lange Zeit in einem Verhältnisse gelebt, welches Schande über die ganze Familie brachte und endlich, da der Marquis unempfindlich blieb für die Verbrechen seiner Gemahlin, ihren Vater, Dreux d'Aubray, Zivil-Lieutenant zu Paris, nötigte, das verbrecherische Paar durch einen Verhaftsbefehl zu trennen, den er wider den Hauptmann auswirkte. Leidenschaftlich, ohne Charakter, Frömmigkeit heuchelnd und zu Lastern aller Art geneigt von Jugend auf, eifersüchtig, rachsüchtig bis zur Wut, konnte dem Hauptmann nichts willkommener sein als Exilis teuflisches Geheimnis, das ihm die Macht gab, alle seine Feinde zu vernichten. Er wurde Exilis eifriger Schüler und tat es bald seinem Meister gleich, so daß er, aus der Bastille entlassen, allein fortzuarbeiten imstande war.

Die Brinvillier war ein entartetes Weib, durch Sainte Croix wurde sie zum Ungeheuer. Sie vermochte es nach und nach, erst ihren eigenen Vater, bei dem sie sich befand, ihn mit verruchter Heuchelei im Alter pflegend, dann ihre beiden Brüder und endlich ihre Schwester zu vergiften: den Vater aus Rache, die andern der reichen Erbschaft wegen. Die Geschichte mehrerer Giftmörder gibt das entsetzliche Beispiel, daß Verbrechen der Art zur unwiderstehlichen Leidenschaft werden. Ohne weitern Zweck, aus reiner Lust daran, wie der Chemiker Experimente macht zu seinem Vergnügen, haben oft Giftmörder Personen gemordet, deren Leben oder Tod ihnen völlig gleich sein konnte. Das plötzliche Hinsterben mehrerer Armen im Hotel Dieu erregte später den Verdacht, daß die Brote, welche die Brinvillier dort wöchentlich auszuteilen pflegte, um als Muster der Frömmigkeit und des Wohltuns zu gelten, vergiftet waren. Gewiß ist es aber, daß sie Taubenpasteten vergiftete und sie den Gästen, die sie geladen, vorsetzte. Der Chevalier du Guet und mehrere andere Personen fielen als Opfer dieser höllischen Mahlzeiten. Sainte Croix, sein Gehilfe La Chaussee, die Brinvillier wußten lange Zeit hindurch ihre gräßlichen Untaten in undurchdringliche Schleier zu hüllen; doch welche verruchte List verworfener Menschen vermag zu bestehen, hat die ewige Macht des Himmels beschlossen, schon hier auf Erden die Frevler zu richten! Die Gifte, welche Sainte Croix bereitete, waren so fein, daß, lag das Pulver – poudre de succession nannten es die Pariser – bei der Bereitung offen, ein einziger Atemzug hinreichte, sich augenblicklich den Tod zu geben. Sainte Croix trug deshalb bei seinen Operationen eine Maske von feinem Glase. Diese fiel eines Tags, als er eben ein fertiges Giftpulver in eine Phiole schütten wollte, herab, und er sank, den feinen Staub des Giftes einatmend, augenblicklich tot nieder. Da er ohne Erben verstorben, eilten die Gerichte herbei, um den Nachlaß unter Siegel zu nehmen. Da fand sich in einer Kiste verschlossen das ganze höllische Arsenal des Giftmords, das dem verruchten Sainte Croix zu Gebote gestanden, aber auch die Briefe der Brinvillier wurden aufgefunden, die über ihre Untaten keinen Zweifel ließen. Sie floh nach Lüttich in ein Kloster. Desgrais, ein Beamter der Maréchaussée, wurde ihr nachgesendet. Als Geistlicher verkleidet, erschien er in dem Kloster, wo sie sich verborgen. Es gelang ihm, mit dem entsetzlichen Weibe einen Liebeshandel anzuknüpfen und sie zu einer heimlichen Zusammenkunft in einem einsamen Garten vor der Stadt zu verlocken. Kaum dort angekommen, wurde sie aber von Desgrais' Häschern umringt, der geistliche Liebhaber verwandelte sich plötzlich in den Beamten der Maréchaussée und nötigte sie in den Wagen zu steigen, der vor dem Garten bereitstand und, von den Häschern umringt, geradeswegs nach Paris abfuhr. La Chaussee war schon früher enthauptet worden, die Brinvillier litt denselben Tod, ihr Körper wurde nach der Hinrichtung verbrannt und die Asche in die Lüfte zerstreut.

Die Pariser atmeten auf, als das Ungeheuer von der Welt war, das die heimliche mörderische Waffe ungestraft richten konnte gegen Feind und Freund. Doch bald tat es sich kund, daß des verruchten La Croix' entsetzliche Kunst sich fortvererbt hatte. Wie ein unsichtbares tückisches Gespenst schlich der Mord sich ein in die engsten Kreise, wie sie Verwandtschaft, Liebe, Freundschaft nur bilden können, und erfaßte sicher und schnell die unglücklichen Opfer. Der, den man heute in blühender Gesundheit gesehen, wankte morgen krank und siech umher, und keine Kunst der Ärzte konnte ihn vor dem Tode retten. Reichtum, ein einträgliches Amt, ein schönes, vielleicht zu jugendliches Weib – das genügte zur Verfolgung auf den Tod. Das grausamste Mißtrauen trennte die heiligsten Bande. Der Gatte zitterte vor der Gattin, der Vater vor dem Sohn, die Schwester vor dem Bruder. Unberührt blieben die Speisen, blieb der Wein bei dem Mahl, das der Freund den Freunden gab, und wo sonst Lust und Scherz gewaltet, spähten verwilderte Blicke nach dem verkappten Mörder. Man sah Familienväter ängstlich in entfernten Gegenden Lebensmittel einkaufen und in dieser, jener schmutzigen Garküche selbst bereiten, in ihrem eigenen Hause teuflischen Verrat fürchtend. Und doch war manchmal die größte, bedachteste Vorsicht vergebens.

Der König, dem Unwesen, das immer mehr überhandnahm, zu steuern, ernannte einen eigenen Gerichtshof, dem er ausschließlich die Untersuchung und Bestrafung dieser heimlichen Verbrechen übertrug. Das war die sogenannte Chambre ardente, die ihre Sitzungen unfern der Bastille hielt und welcher La Regnie als Präsident vorstand. Mehrere Zeit hindurch blieben Regnies Bemühungen, so eifrig sie auch sein mochten, fruchtlos; dem verschlagenen Desgrais war es vorbehalten, den geheimsten Schlupfwinkel des Verbrechens zu entdecken. – In der Vorstadt Saint Germain wohnte ein altes Weib, La Voisin geheißen, die sich mit Wahrsagen und Geisterbeschwören abgab und mit Hilfe ihrer Spießgesellen, Le Sage und Le Vigoureux, auch selbst Personen, die eben nicht schwach und leichtgläubig zu nennen, in Furcht und Erstaunen zu setzen wußte. Aber sie tat mehr als dieses. Exilis Schülerin wie La Croix, bereitete sie wie dieser das feine, spurlose Gift und half auf diese Weise ruchlosen Söhnen zur frühen Erbschaft, entarteten Weibern zum andern, jüngern Gemahl. Desgrais drang in ihr Geheimnis ein, sie gestand alles, die Chambre ardente verurteilte sie zum Feuertode, den sie auf dem Grèveplatze erlitt. Man fand bei ihr eine Liste aller Personen, die sich ihrer Hilfe bedient hatten; und so kam es, daß nicht allein Hinrichtung auf Hinrichtung folgte, sondern auch schwerer Verdacht selbst auf Personen von hohem Ansehen lastete. So glaubte man, daß der Kardinal Bonzy bei der La Voisin das Mittel gefunden, alle Personen, denen er als Erzbischof von Narbonne Pensionen bezahlen mußte, in kurzer Zeit hinsterben zu lassen. So wurden die Herzogin von Bouillon, die Gräfin von Soissons, deren Namen man auf der Liste gefunden, der Verbindung mit dem teuflischen Weibe angeklagt, und selbst François Henri de Montmorenci, Boudebelle, Herzog von Luxemburg, Pair und Marschall des Reichs, blieb nicht verschont. Auch ihn verfolgte die furchtbare Chambre ardente. Er stellte sich selbst zum Gefängnis in der Bastille, wo ihn Louvois' und La Regnies Haß in ein sechs Fuß langes Loch einsperren ließ. Monate vergingen, ehe es sich vollkommen ausmittelte, daß des Herzogs Verbrechen keine Rüge verdienen konnte. Er hatte sich einmal von Le Sage das Horoskop stellen lassen. Gewiß ist es, daß blinder Eifer den Präsidenten La Regnie zu Gewaltstreichen und Grausamkeiten verleitete. Das Tribunal nahm ganz den Charakter der Inquisition an, der geringfügigste Verdacht reichte hin zu strenger Einkerkerung, und oft war es dem Zufall überlassen, die Unschuld des auf den Tod Angeklagten darzutun. Dabei war Regnie von garstigem Ansehen und heimtückischem Wesen, so daß er bald den Haß derer auf sich lud, deren Rächer oder Schützer zu sein er berufen wurde. Die Herzogin von Bouillon, von ihm im Verhöre gefragt, ob sie den Teufel gesehen, erwiderte: »Mich dünkt, ich sehe ihn in diesem Augenblick!« Während nun auf dem Grèveplatz das Blut Schuldiger und Verdächtiger in Strömen floß und endlich der heimliche Giftmord seltner und seltner wurde, zeigte sich ein Unheil anderer Art, welches neue Bestürzung verbreitete. Eine Gaunerbande schien es darauf angelegt zu haben, alle Juwelen in ihren Besitz zu bringen. Der reiche Schmuck, kaum gekauft, verschwand auf unbegreifliche Weise, mochte er verwahrt sein, wie er wollte. Noch viel ärger war es aber, daß jeder, der es wagte, zur Abendzeit Juwelen bei sich zu tragen, auf offener Straße oder in finstern Gängen der Häuser beraubt, ja wohl gar ermordet wurde. Die mit dem Leben davongekommen, sagten aus, ein Faustschlag auf den Kopf habe sie wie ein Wetterstrahl niedergestürzt, und aus der Betäubung erwacht, hätten sie sich beraubt und am ganz andern Orte als da, wo sie der Schlag getroffen, wiedergefunden. Die Ermordeten, wie sie beinahe jeden Morgen auf der Straße oder in den Häusern lagen, hatten alle dieselbe tödliche Wunde. Einen Dolchstich ins Herz, nach dem Urteil der Ärze so schnell und sicher tötend, daß der Verwundete, keines Lautes mächtig, zu Boden sinken mußte. Wer war an dem üppigen Hofe Ludwigs des XIV., der nicht in einen geheimen Liebeshandel verstrickt, spät zur Geliebten schlich und manchmal ein reiches Geschenk bei sich trug? Als stünden die Gauner mit Geistern im Bunde, wußten sie genau, wenn sich so etwas zutragen sollte. Oft erreichte der Unglückliche nicht das Haus, wo er Liebesglück zu genießen dachte, oft fiel er auf der Schwelle, ja vor dem Zimmer der Geliebten, die mit Entsetzen den blutigen Leichnam fand.

Vergebens ließ Argenson, der Polizeiminister, alles aufgreifen in Paris, was von dem Volk nur irgend verdächtig schien, vergebens wütete La Regnie und suchte Geständnisse zu erpressen, vergebens wurden Wachen, Patrouillen verstärkt, die Spur der Täter war nicht zu finden. Nur die Vorsicht, sich bis an die Zähne zu bewaffnen und sich eine Leuchte vortragen zu lassen, half einigermaßen, und doch fanden sich Beispiele, daß der Diener mit Steinwürfen geängstet und der Herr in demselben Augenblick ermordet und beraubt wurde.

Merkwürdig war es, daß aller Nachforschungen auf allen Plätzen, wo Juwelenhandel nur möglich war, unerachtet nicht das mindeste von den geraubten Kleinodien zum Vorschein kam und also auch hier keine Spur sich zeigte, die hätte verfolgt werden können.

Desgrais schäumte vor Wut, daß selbst seiner List die Spitzbuben zu entgehen wußten. Das Viertel der Stadt, in dem er sich gerade befand, blieb verschont, während in dem andern, wo keiner Böses geahnt, der Raubmord seine reichen Opfer erspähte.

Desgrais besann sich auf das Kunststück, mehrere Desgrais zu schaffen, sich untereinander so ähnlich an Gang, Stellung, Sprache, Figur, Gesicht, daß selbst die Häscher nicht wußten, wo der rechte Desgrais stecke. Unterdessen lauschte er, sein Leben wagend, allein in den geheimsten Schlupfwinkeln und folgte von weitem diesem oder jenem, der auf seinen Anlaß einen reichen Schmuck bei sich trug. *Der* blieb unangefochten; also auch von *dieser* Maßregel waren die Gauner unterrichtet. Desgrais geriet in Verzweiflung.

Eines Morgens kommt Desgrais zu dem Präsidenten La Regnie, blaß, entstellt, außer sich. »Was habt Ihr, was für Nachrichten? Fandet Ihr die Spur?« ruft ihm der Präsident entgegen. »Ha, gnädiger Herr«, fängt Desgrais an, vor Wut stammelnd, »ha, gnädiger Herr, gestern in der Nacht, unfern des Louvre ist der Marquis de la Fare angefallen worden in meiner Gegenwart.« – »Himmel und Erde«, jauchzte La Regnie auf vor Freude, »wir haben sie!« – »Oh, hört nur«, fällt Desgrais mit bitterm Lächeln ein, »oh, hört nur erst, wie sich alles begeben. Am Louvre steh' ich also und passe, die ganze Hölle in der Brust, auf die Teufel, die meiner spotten. Da kommt mit unsicherm Schritt, immer hinter sich schauend, eine Gestalt dicht bei mir vorüber, ohne mich zu sehen. Im Mondesschimmer erkenne ich den Marquis de la Fare. Ich konnt' ihn da erwarten, ich wußte, wo er hinschlich. Kaum ist er zehn, zwölf Schritte bei mir vorüber, da springt wie aus der Erde herauf eine Figur, schmettert ihn nieder und fällt über ihn her. Unbesonnen, überrascht von dem Augenblick, der den Mörder in meine Hand liefern konnte, schrie ich laut auf und will mit einem gewaltigen Sprunge aus meinem Schlupfwinkel heraus auf ihn zusetzen; da verwickle ich mich in den Mantel und falle hin. Ich sehe den Menschen wie auf den Flügeln des Windes forteilen, ich rapple mich auf, ich renne ihm nach – laufend stoße ich in mein Horn, aus der Ferne antworten die Pfeifen der Häscher, es wird lebendig, Waffengeklirr, Pferdegetrappel von allen Seiten. „Hierher – hierher – Desgrais – Desgrais!" schreie ich, daß durch die Straßen es hallt. Immer sehe ich den Menschen vor mir im hellen Mondschein, wie er, mich zu täuschen, da, dort einbiegt; wir kommen in die Straße Nicaise, da scheinen seine Kräfte zu sinken, ich strenge die meinigen doppelt an, noch fünfzehn Schritte höchstens hat er Vorsprung.« – »Ihr holt ihn ein, Ihr packt ihn, die Häscher kommen«, ruft La Regnie mit blitzenden Augen, indem er Desgrais beim Arm ergreift, als sei *der* der fliehende Mörder selbst. »Fünfzehn Schritte«, fährt Desgrais mit dumpfer Stimme und mühsam atmend fort, »fünfzehn Schritte vor mir springt der Mensch auf die Seite in den Schatten und verschwindet durch die Mauer.« – »Verschwindet? Durch die Mauer! Seid Ihr rasend?« ruft La Regnie, indem er zwei Schritte zurücktritt und die Hände zusammenschlägt. »Nennt mich«, fährt Desgrais fort, sich die Stirne reibend wie einer, den böse Gedanken plagen, »nennt mich, gnädiger Herr, immerhin einen Rasenden, einen törichten Geisterseher, aber es ist nicht anders, als wie ich es Euch erzähle. Erstarrt stehe ich vor der Mauer, als mehrere Häscher atemlos herbeikommen; mit ihnen der Marquis de la Fare, der sich aufgerafft, den bloßen Degen in der Hand. Wir zünden die Fackeln an, wir tappen an der Mauer hin und her; keine Spur einer Türe, eines Fensters, einer Öffnung. Es ist eine starke steinerne Hofmauer, die sich an das Haus lehnt, in dem Leute wohnen, gegen die auch nicht der leiseste Verdacht aufkommt. Noch heute habe ich alles in genauen Augenschein genommen. Der Teufel selbst ist es, der uns foppt.« Desgrais' Geschichte wurde in Paris bekannt. Die Köpfe waren erfüllt von den Zaubereien, Geisterbeschwörungen, Teufelsbündnissen der Voisin, des Vigoureux, des berüchtigten Priesters Le Sage; und wie es denn nun in unserer ewigen Natur liegt, daß der Hang zum Übernatürlichen, zum Wunderbaren alle Vernunft überbietet, so glaubte man bald nichts Geringeres, als daß, wie Desgrais nur im Unmut gesagt, wirklich der Teufel selbst die Verruchten schütze, die ihm ihre Seelen verkauft. Man kann es sich denken, daß Desgrais' Geschichte mancherlei tollen Schmuck erhielt. Die Erzählung davon mit einem Holzschnitt darüber, eine gräßliche Teufelsgestalt vorstellend, die vor dem erschrockenen Desgrais in die Erde versinkt, wurde gedruckt und an allen Ecken verkauft. Genug, das Volk einzuschüchtern und selbst den Häschern allen Mut zu nehmen, die nun zur Nachtzeit mit Zittern und Zagen die Straßen durchirrten, mit Amuletten behängt und eingeweicht in Weihwasser.

Argenson sah die Bemühungen der Chambre ardente scheitern und ging den König an, für das neue Verbrechen einen Gerichtshof zu ernennen, der mit noch ausgedehnterer Macht den Tätern nachspüre und sie strafe. Der König, überzeugt, schon der Chambre ardente zu viel Gewalt gegeben zu haben, erschüttert von dem Greuel unzähliger Hinrichtungen, die der blutgierige La Regnie veranlaßt, wies den Vorschlag gänzlich von der Hand.

Man wählte ein anderes Mittel, den König für die Sache zu beleben.

In den Zimmern der Maintenon, wo sich der König nachmittags aufzuhalten und wohl auch mit seinen Ministern bis in die späte Nacht hinein zu arbeiten pflegte, wurde ihm ein Gedicht überreicht im Namen der gefährdeten Liebhaber, welche klagten, daß, gebiete ihnen die Galanterie, der Geliebten ein reiches Geschenk zu bringen, sie allemal ihr Leben daransetzen müßten. Ehre und Lust sei es, im ritterlichen Kampf sein Blut für die Geliebte zu verspritzen; anders verhalte es sich aber mit dem heimtückischen Anfall des Mörders, wider den man sich nicht wappnen könne. Ludwig, der leuchtende Polarstern aller Liebe und Galanterie, der möge hell aufstrahlend die finstre Nacht zerstreuen und so das schwarze Geheimnis, das darin verborgen, enthüllen. Der göttliche Held, der seine Feinde niedergeschmettert, werde nun auch sein siegreich funkelndes Schwert zücken und, wie Herkules die Lernäische Schlange, wie Theseus den Minotaur, das bedrohliche Ungeheuer bekämpfen, das alle Liebeslust wegzehre und alle Freude verdüstre in tiefes Leid, in trostlose Trauer.

So ernst die Sache auch war, so fehlte es diesem Gedicht doch nicht, vorzüglich in der Schilderung, wie die Liebhaber auf dem heimlichen Schleichwege zur Geliebten sich ängstigen müßten, wie die Angst schon alle Liebeslust, jedes schöne Abenteuer der Galanterie im Aufkeimen töte, an geistreich-witzigen Wendungen. Kam nun noch hinzu, daß beim Schluß alles in einen hochtrabenden Panegyrikus auf Ludwig den XIV. ausging, so konnte es nicht fehlen, daß der König das Gedicht mit sichtlichem Wohlgefallen durchlas. Damit zustande gekommen, drehte er sich, die Augen nicht wegwendend von dem Papier, rasch um zur Maintenon, las das Gedicht noch einmal mit lauter Stimme ab und fragte dann, anmutig lächelnd, was sie von den Wünschen der gefährdeten Liebhaber halte. Die Maintenon, ihrem ernsten Sinne treu und immer in der Farbe einer gewissen Frömmigkeit, erwiderte, daß geheime verbotene Wege eben keines besondern Schutzes würdig, die entsetzlichen Verbrecher aber wohl besonderer Maßregeln zu ihrer Vertilgung wert wären. Der König, mit dieser schwankenden Antwort unzufrieden, schlug das Papier zusammen und wollte zurück zu dem Staatssekretär, der in dem andern Zimmer arbeitete, als ihm bei einem Blick, den er seitwärts warf, die Scuderi ins Auge fiel, die zugegen war und eben unfern der Maintenon auf einem kleinen Lehnsessel Platz genommen hatte. Auf diese schritt er nun los; das anmutige Lächeln, das erst um Mund und Wangen spielte und das verschwunden, gewann wieder Oberhand, und dicht vor dem Fräulein stehend und das Gedicht wieder auseinanderfaltend, sprach er sanft: »Die Marquise mag nun einmal von den Galanterien unserer verliebten Herren nichts wissen und weicht mir aus auf Wegen, die nichts weniger als verboten sind. Aber Ihr, mein Fräulein, was haltet Ihr von dieser dichterischen Supplik?« – Die Scuderi stand ehrerbietig auf von ihrem Lehnsessel, ein flüchtiges Rot überflog wie Abendpurpur die blassen Wangen der alten würdigen Dame, sie sprach, sich leise verneigend, mit niedergeschlagenen Augen:

»Un amant, qui craint les voleurs,
n'est point digne d'amour.«

Der König, ganz erstaunt über den ritterlichen Geist dieser wenigen Worte, die das ganze Gedicht mit seinen ellenlangen Tiraden zu Boden schlugen, rief mit blitzenden Augen: »Beim heiligen Dionys, Ihr habt recht, Fräulein! Keine blinde Maßregel, die den Unschuldigen trifft mit dem Schuldigen, soll die Feigheit schützen; mögen Argenson und La Regnie das Ihrige tun!«

Alle die Greuel der Zeit schilderte nun die Martinière mit den lebhaftesten Farben, als sie am andern Morgen ihrem Fräulein erzählte, was sich in voriger Nacht zugetragen, und übergab ihr zitternd und zagend das geheimnisvolle Kästchen. Sowohl sie als Baptiste, der ganz verblaßt in der Ecke stand und, vor Angst und Beklommenheit die Nachtmütze in den Händen knetend, kaum sprechen konnte, baten das Fräulein auf das wehmütigste um aller Heiligen willen, doch nur mit möglichster Behutsamkeit das Kästchen zu öffnen. Die Scuderi, das verschlossene Geheimnis in der Hand wiegend und prüfend, sprach lächelnd: »Ihr seht beide Gespenster! Daß ich nicht reich bin, daß bei mir keine Schätze, eines Mordes wert, zu holen sind, das wissen die verruchten Meuchelmörder da draußen, die, wie ihr selbst sagt, das Innerste der Häuser erspähen, wohl ebensogut als ich und ihr. Auf mein Leben soll es abgesehen sein? Wem kann was an dem Tode liegen einer Person von dreiundsiebzig Jahren, die niemals andere verfolgte als die Bösewichter und Friedenstörer in den Romanen, die sie selbst schuf, die mittelmäßige Verse macht, welche niemandes Neid erregen können, die nichts hinterlassen wird als den Staat des alten Fräuleins, das bisweilen an den Hof ging, und ein paar Dutzend gut eingebundene Bücher mit vergoldetem Schnitt! Und du, Martinière, du magst nun die Erscheinung des fremden Menschen so schreckhaft beschreiben, wie du willst, doch kann ich nicht glauben, daß er Böses im Sinne getragen.«

»Also!« –

Die Martinière prallte drei Schritte zurück, Baptiste sank mit einem dumpfen Ach halb in die Knie, als das Fräulein nun an einen hervorragenden stählernen Knopf drückte und der Deckel des Kästchens mit Geräusch aufsprang.

Wie erstaunte das Fräulein, als ihr aus dem Kästchen ein Paar goldne, reich mit Juwelen besetzte Armbänder und eben ein solcher Halsschmuck entgegenfunkelten. Sie nahm das Geschmeide heraus, und indem sie die wundervolle Arbeit des Halsschmucks lobte, beäugelte die Martinière die reichen Armbänder und rief ein Mal über das andere, daß ja selbst die eitle Montespan nicht solchen Schmuck besitze. »Aber was soll das, was hat das zu bedeuten?« sprach die Scuderi. In dem Augenblick gewahrte sie auf dem Boden des Kästchens einen kleinen zusammengefalteten Zettel. Mit Recht hoffte sie den Aufschluß des Geheimnisses darin zu finden. Der Zettel, kaum hatte sie, was er enthielt, gelesen, entfiel ihren zitternden Händen. Sie warf einen sprechenden Blick zum Himmel und sank dann, wie halb ohnmächtig, in den Lehnsessel zurück. Erschrocken sprang die Martinière, sprang Baptiste ihr bei. »Oh«, rief sie nun mit von Tränen halb erstickter Stimme, »oh, der Kränkung, der tiefen Beschämung! Muß mir das noch geschehen im hohen Alter! Hab' ich denn im törichten Leichtsinn gefrevelt wie ein junges, unbesonnenes Ding? O Gott, sind Worte, halb im Scherz hingeworfen, solcher gräßlichen Deutung fähig! Darf dann mich, die ich, der Tugend getreu und der Frömmigkeit, tadellos blieb von Kindheit an, darf dann mich das Verbrechen des teuflischen Bündnisses zeihen?«

Das Fräulein hielt das Schnupftuch vor die Augen und weinte und schluchzte heftig, so daß die Martinière und Baptiste, ganz verwirrt und beklommen, nicht wußten, wie ihrer guten Herrschaft beistehen in ihrem großen Schmerz.

Die Martinière hatte den verhängnisvollen Zettel von der Erde aufgehoben. Auf demselben stand:

Un amant, qui craint les voleurs,
n'est point digne d'amour.

Euer scharfsinniger Geist, hochverehrte Dame, hat uns, die wir an der Schwäche und Feigheit das Recht des Stärkern üben und uns Schätze zueignen, die auf unwürdige Weise vergeudet werden sollten, von großer Verfolgung errettet. Als einen Beweis unserer Dankbarkeit nehmet gütig diesen Schmuck an. Es ist das Kostbarste, was wir seit langer Zeit haben auftreiben können, wiewohl Euch, würdige Dame, viel schöneres Geschmeide zieren sollte, als dieses nun eben ist. Wir bitten, daß Ihr uns Eure Freundschaft und Euer huldvolles Andenken nicht entziehen möget.

Die Unsichtbaren

»Ist es möglich«, rief die Scuderi, als sie sich einigermaßen erholt hatte, »ist es möglich, daß man die schamlose Frechheit, den verruchten Hohn so weit treiben kann?« – Die Sonne schien hell durch die Fenstergardinen von hochroter Seide, und so kam es, daß die Brillanten, welche auf dem Tische neben dem offenen Kästchen lagen, in rötlichem Schimmer aufblitzten. Hinblickend, verhüllte die Scuderi voll Entsetzen das Gesicht und befahl der Martinière, das fürchterliche Geschmeide, an dem das Blut der Ermordeten klebe, augenblicklich fortzuschaffen. Die Martinière, nachdem sie Halsschmuck und Armbänder sogleich in das Kästchen verschlossen, meinte, daß es wohl am geratensten sein würde, die Juwelen dem Polizeiminister zu übergeben und ihm zu vertrauen, wie sich alles mit der beängstigenden Erscheinung des jungen Menschen und der Einhändigung des Kästchens zugetragen.

Die Scuderi stand auf und schritt schweigend langsam im Zimmer auf und nieder, als sinne sie erst nach, was nun zu tun sei. Dann befahl sie dem Baptiste, einen Tragsessel zu holen, der Martinière aber, sie anzukleiden, weil sie auf der Stelle hin wolle zur Marquise de Maintenon.

Sie ließ sich hintragen zur Marquise gerade zu der Stunde, wann diese, wie die Scuderi wußte, sich allein in ihren Gemächern befand. Das Kästchen mit den Juwelen nahm sie mit sich.

Wohl mußte die Marquise sich hoch verwundern, als sie das Fräulein, sonst die Würde, ja trotz ihrer hohen Jahre die Liebenswürdigkeit, die Anmut selbst, eintreten sah: blaß, entstellt, mit wankenden Schritten. »Was um aller Heiligen willen ist Euch widerfahren?« rief sie der armen, beängsteten Dame entgegen, die, ganz außer sich selbst, kaum imstande, sich aufrechtzuerhalten, nur schnell den Lehnsessel zu erreichen suchte, den ihr die Marquise hinschob. Endlich des Wortes wieder mächtig, erzählte das Fräulein, welche tiefe, nicht zu verschmerzende Kränkung ihr jener unbedachtsame Scherz, mit dem sie die Supplik der gefährdeten Liebhaber beantwortet, zugezogen habe. Die Marquise, nachdem sie alles von Moment zu Moment erfahren, urteilte, daß die Scuderi sich das sonderbare Ereignis viel zu sehr zu Herzen nehme, daß der Hohn verruchten Gesindels nie ein frommes, edles Gemüt treffen könne, und verlangte zuletzt den Schmuck zu sehen.

Die Scuderi gab ihr das geöffnete Kästchen, und die Marquise konnte sich, als sie das köstliche Geschmeide erblickte, des lauten Ausrufs der Verwunderung nicht erwehren. Sie nahm den Halsschmuck, die Armbänder heraus und trat damit an das Fenster, wo sie bald die Juwelen an der Sonne spielen ließ, bald die zierliche Goldarbeit ganz nahe vor die Augen hielt, um nur recht zu erschauen, mit welcher wundervollen Kunst jedes kleine Häkchen der verschlungenen Ketten gearbeitet war.

Auf einmal wandte sich die Marquise rasch um nach dem Fräulein und rief: »Wißt Ihr wohl, Fräulein, daß diese Armbänder, diesen Halsschmuck niemand anders gearbeitet haben kann als René Cardillac?« – René Cardillac war damals der geschickteste Goldarbeiter in Paris, einer der kunstreichsten und zugleich sonderbarsten Menschen seiner Zeit. Eher klein als groß, aber breitschultrig und von starkem, muskulösem Körperbau, hatte Cardillac, hoch in die Fünfzigerjahre vorgerückt, noch die Kraft, die Beweglichkeit des Jünglings. Von dieser Kraft, die ungewöhnlich zu nennen, zeugte auch das dicke, krause, rötliche Haupthaar und das gedrungene, gleißende Antlitz. Wäre Cardillac nicht in ganz Paris als der rechtlichste Ehrenmann, uneigennützig, offen, ohne Hinterhalt, stets zu helfen bereit, bekannt gewesen, sein ganz besonderer Blick aus kleinen, tiefliegenden, grünfunkelnden Augen hätte ihn in den Verdacht heimlicher Tücke und Bosheit bringen können. Wie gesagt, Cardillac war in seiner Kunst der Geschickteste nicht sowohl in Paris als vielleicht überhaupt seiner Zeit. Innig vertraut mit der Natur der Edelsteine, wußte er sie auf eine Art zu behandeln und zu fassen, daß der Schmuck, der erst für unscheinbar gegolten, aus Cardillacs Werkstatt hervorging in glänzender Pracht. Jeden Auftrag übernahm er mit brennender Begierde und machte einen Preis, der, so gering er war, mit der Arbeit in keinem Verhältnis zu stehen schien. Dann ließ ihm das Werk keine Ruhe, Tag und Nacht hörte man ihn in seiner Werkstatt hämmern, und oft, war die Arbeit beinahe vollendet, mißfiel ihm plötzlich die Form, er zweifelte an der Zierlichkeit irgendeiner Fassung der Juwelen, irgendeines kleinen Häkchens – Anlaß genug, die ganze Arbeit wieder in den Schmelztiegel zu werfen und von neuem anzufangen. So wurde jede Arbeit ein reines, unübertreffliches Meisterwerk, das den Besteller in Erstaunen setzte. Aber nun war es kaum möglich, die fertige Arbeit von ihm zu erhalten. Unter tausend Vorwänden hielt er den Besteller hin von Woche zu Woche, von Monat zu Monat. Vergebens bot man ihm das Doppelte für die Arbeit, nicht einen Louis mehr als den bedungenen Preis wollte er nehmen. Mußte er dann endlich dem Andringen des Bestellers weichen und den Schmuck herausgeben, so konnte er sich aller Zeichen des tiefsten Verdrusses, ja einer innern Wut, die in ihm kochte, nicht erwehren. Hatte er ein bedeutenderes, vorzüglich reiches Werk, vielleicht viele Tausende an Wert, bei der Kostbarkeit der Juwelen, bei der überzierlichen Goldarbeit, abliefern müssen, so war er imstande, wie unsinnig umherzulaufen, sich, seine Arbeit, alles um sich her verwünschend. Aber sowie einer hinter ihm herrannte und laut schrie: »René Cardillac, möchtet Ihr nicht einen schönen Halsschmuck machen für meine Braut, Armbänder für mein Mädchen und so weiter«, dann stand er plötzlich still, blitzte den an mit seinen kleinen Augen und fragte, die Hände reibend: »Was habt Ihr denn?« Der zieht nun ein Schächtelchen hervor und spricht: »Hier sind Juwelen, viel Sonderliches ist es nicht, gemeines Zeug, doch unter Euern Händen . . .«, Cardillac läßt ihn nicht ausreden, reißt ihm das Schächtelchen aus den Händen, nimmt die Juwelen heraus, die wirklich nicht viel wert sind, hält sie gegen das Licht und ruft voll Entzücken: »Hoho, gemeines Zeug? Mitnichten! Hübsche Steine, herrliche Steine, laßt mich nur machen! Und wenn es Euch auf eine Handvoll Louis nicht ankommt, so will ich noch ein paar Steinchen hineinbringen, die Euch in die Augen funkeln sollen wie die liebe Sonne selbst . . .« Der spricht: »Ich überlasse Euch alles, Meister René, und zahle, was Ihr wollt!« Ohne Unterschied, mag er nun ein reicher Bürgersmann oder ein vornehmer Herr von Hofe sein, wirft sich Cardillac ungestüm an seinen Hals und drückt und küßt ihn und spricht, nun sei er wieder ganz glücklich, und in acht Tagen werde die Arbeit fertig sein. Er rennt über Hals und Kopf nach Hause, hinein in die Werkstatt und hämmert darauflos, und in acht Tagen ist ein Meisterwerk zustande gebracht. Aber sowie der, der es bestellte, kommt, mit Freuden die geforderte geringe Summe bezahlen und den fertigen Schmuck mitnehmen will, wird Cardillac verdrießlich, grob, trotzig. »Aber Meister Cardillac, bedenkt, morgen ist meine Hochzeit.« – »Was schert mich Eure Hochzeit, fragt in vierzehn Tagen wieder nach.« – »Der Schmuck ist fertig, hier liegt das Geld, ich muß ihn haben.« – »Und ich sage Euch, daß ich noch manches an dem Schmuck ändern muß und ihn heute nicht herausgeben werde.« – »Und ich sage Euch, daß wenn Ihr mir den Schmuck, den ich Euch allenfalls doppelt bezahlen will, nicht herausgebt im guten, Ihr mich gleich mit Argensons dienstbaren Trabanten anrücken sehen sollt.« – »Nun, so quäle Euch der Satan mit hundert glühenden Kneipzangen und hänge drei Zentner an den Halsschmuck, damit er Eure Braut erdroßle!« Und damit steckt Cardillac dem Bräutigam den Schmuck in die Busentasche, ergreift ihn beim Arm, wirft ihn zur Stubentür hinaus, daß er die ganze Treppe hinabpoltert, und lacht wie der Teufel zum Fenster hinaus, wenn er sieht, wie der arme junge Mensch, das Schnupftuch vor der blutigen Nase, aus dem Hause hinaushinkt. – Gar nicht zu erklären war es auch, daß Cardillac oft, wenn er mit Enthusiasmus eine Arbeit übernahm, plötzlich den Besteller mit allen Zeichen des im Innersten aufgeregten Gemüts, mit den erschütterndsten Beteuerungen, ja unter Schluchzen und Tränen bei der Jungfrau und allen Heiligen beschwor, ihm das unternommene Werk zu erlassen. Manche der von dem Könige, von dem Volke hochgeachtetsten Personen hatten vergebens große Summen geboten, um nur das kleinste Werk von Cardillac zu erhalten. Er warf sich dem Könige zu Füßen und flehte um die Huld, nichts für ihn arbeiten zu dürfen. Ebenso verweigerte er der Maintenon jede Bestellung, ja mit dem Ausdruck des Abscheues und Entsetzens verwarf er den Antrag derselben, einen kleinen, mit den Emblemen der Kunst verzierten Ring zu fertigen, den Racine von ihr erhalten sollte.

»Ich wette«, sprach daher die Maintenon, »ich wette, daß Cardillac, schicke ich auch hin zu ihm, um wenigstens zu erfahren, für wen er diesen Schmuck fertigte, sich weigert herzukommen, weil er vielleicht eine Bestellung fürchtet und doch durchaus nichts für mich arbeiten will. Wiewohl er seit einiger Zeit abzulassen scheint von seinem starren Eigensinn, denn wie ich höre, arbeitet er jetzt fleißiger als je und liefert seine Arbeit ab auf der Stelle, jedoch noch immer mit tiefem Verdruß und weggewandtem Gesicht.«

Die Scuderi, der auch viel daran gelegen, daß, sei es noch möglich, der Schmuck bald in die Hände des rechtmäßigen Eigentümers komme, meinte, daß man dem Meister Sonderling ja gleich sagen lassen könne, wie man keine Arbeit, sondern nur sein Urteil über Juwelen verlange. Das billigte die Marquise. Es wurde nach Cardillac geschickt, und als sei er schon auf dem Wege gewesen, trat er nach Verlauf weniger Zeit in das Zimmer.

Er schien, als er die Scuderi erblickte, betreten und wie einer, der, von dem Unerwarteten plötzlich getroffen, die Ansprüche des Schicklichen, wie sie der Augenblick darbietet, vergißt, neigte er sich zuerst tief und ehrfurchtsvoll vor dieser ehrwürdigen Dame und wandte sich dann erst zur Marquise. Die frug ihn hastig, indem sie auf das Geschmeide wies, das auf dem dunkelgrün behängten Tisch funkelte, ob das seine Arbeit sei. Cardillac warf kaum einen Blick darauf und packte, der Marquise ins Gesicht starrend, Armbänder und Halsschmuck schnell ein in das Kästchen, das daneben stand und das er mit Heftigkeit von sich wegschob. Nun sprach er, indem ein häßliches Lächeln auf seinem roten Antlitz gleißte: »In der Tat, Frau Marquise, man muß René Cardillacs Arbeit schlecht kennen, um nur einen Augenblick zu glauben, daß irgendein anderer Goldschmied in der Welt solchen Schmuck fassen könne. Freilich ist das meine Arbeit.« – »So sagt denn«, fuhr die Marquise fort, »für wen Ihr diesen Schmuck gefertigt habt?« – »Für mich ganz allein«, erwiderte Cardillac, »ja, Ihr möget«, fuhr er fort, als beide, die Maintenon und die Scuderi, ihn ganz verwundert anblickten, jene voll Mißtrauen, diese voll banger Erwartung, wie sich nun die Sache wenden würde, »ja, Ihr möget das nun seltsam finden, Frau Marquise, aber es ist dem so. Bloß der schönen Arbeit willen suchte ich meine besten Steine zusammen und arbeitete aus Freude daran fleißiger und sorgfältiger als jemals. Vor weniger Zeit verschwand der Schmuck aus meiner Werkstatt auf unbegreifliche Weise.« – »Dem Himmel sei es gedankt«, rief die Scuderi, indem ihr die Augen vor Freude funkelten und sie rasch und behende wie ein junges Mädchen von ihrem Lehnsessel aufsprang, auf den Cardillac losschritt und beide Hände auf seine Schultern legte, »empfangt«, sprach sie dann, »empfangt, Meister René, das Eigentum, das Euch verruchte Spitzbuben raubten, wieder zurück.« Nun erzählte sie ausführlich, wie sie zu dem Schmuck gekommen. Cardillac hörte alles schweigend mit niedergeschlagenen Augen an. Nur mitunter stieß er ein unvernehmliches »Hm! So! Ei! Hoho!« aus und warf bald die Hände auf den Rücken, bald streichelte er leise Kinn und Wange. Als nun die Scuderi geendet, war es, als kämpfe Cardillac mit ganz besondern Gedanken, die währenddessen ihm gekommen, und als wolle irgendein Entschluß sich nicht fügen und fördern. Er rieb sich die Stirne, er seufzte, er fuhr mit der Hand über die Augen, wohl gar um hervorbrechenden Tränen zu steuern. Endlich ergriff er das Kästchen, das ihm die Scuderi darbot, ließ sich auf ein Knie langsam nieder und sprach: »Euch, edles, würdiges Fräulein, hat das Verhängnis diesen Schmuck bestimmt. Ja, nun weiß ich es erst, daß ich während der Arbeit an Euch dachte, ja für Euch arbeitete. Verschmäht es nicht, diesen Schmuck als das Beste, was ich wohl seit langer Zeit gemacht, von mir anzunehmen und zu tragen.« – »Ei, ei«, erwiderte die Scuderi, anmutig scherzend, »wo denkt Ihr hin, Meister René, steht es mir denn an, in meinen Jahren mich noch so herauszuputzen mit blanken Steinen? Und wie kommt Ihr denn dazu, mich so überreich zu beschenken? Geht, geht, Meister René, wär' ich so schön wie die Marquise de Fontange und reich, in der Tat, ich ließe den Schmuck nicht aus den Händen, aber was soll diesen welken Armen die eitle Pracht, was soll diesem verhüllten Hals der glänzende Putz?« Cardillac hatte sich indessen erhoben und sprach, wie außer sich, mit verwildertem Blick, indem er fortwährend das Kästchen der Scuderi hinhielt: »Tut mir die Barmherzigkeit, Fräulein, und nehmt den Schmuck. Ihr glaubt es nicht, welche tiefe Verehrung ich für Eure Tugend, für Eure hohen Verdienste im Herzen trage! Nehmt doch mein geringes Geschenk nur für das Bestreben an, Euch recht meine innerste Gesinnung zu beweisen.« Als nun die Scuderi immer noch zögerte, nahm die Maintenon das Kästchen aus Cardillacs Händen, sprechend: »Nun beim Himmel, Fräulein, immer redet Ihr von Euern hohen Jahren, was haben wir, ich und Ihr, mit den Jahren zu schaffen und ihrer Last! Und tut Ihr denn nicht eben wie ein junges verschämtes Ding, das gern zulangen möchte nach der dargebotnen süßen Frucht, könnte das nur geschehen ohne Hand und ohne Finger. Schlagt dem wackern Meister René nicht ab, das freiwillig als Geschenk zu empfangen, was tausend andere nicht erhalten können, alles Goldes, alles Bittens und Flehens unerachtet.«

Die Maintenon hatte der Scuderi das Kästchen währenddessen aufgedrungen, und nun stürzte Cardillac nieder auf die Knie, küßte der Scuderi den Rock, die Hände – stöhnte, seufzte, weinte, schluchzte –, sprang auf, rannte wie unsinnig, Sessel, Tische umstürzend, daß Porzellan, Gläser zusammenklirrten, in toller Hast von dannen.

Ganz erschrocken rief die Scuderi: »Um aller Heiligen willen, was widerfährt dem Menschen!« Doch die Marquise, in besonderer heiterer Laune bis zu sonst ihr ganz fremdem Mutwillen, schlug eine helle Lache auf und sprach: »Da haben wir's, Fräulein, Meister René ist in Euch sterblich verliebt und beginnt nach richtigem Brauch und bewährter Sitte echter Galanterie Euer Herz zu bestürmen mit reichen Geschenken.« Die Maintenon führte diesen Scherz weiter aus, indem sie die Scuderi ermahnte, nicht zu grausam zu sein gegen den verzweifelten Liebhaber, und diese wurde, Raum gebend angeborner Laune, hingerissen in den sprudelnden Strom tausend lustiger Einfälle. Sie meinte, daß sie, stünden die Sachen nun einmal so, endlich besiegt, wohl nicht werde umhinkönnen, der Welt das unerhörte Beispiel einer dreiundsiebzigjährigen Goldschmiedsbraut von untadeligem Adel aufzustellen. Die Maintenon erbot sich, die Brautkrone zu flechten und sie über die Pflichten einer guten Hausfrau zu belehren, wovon freilich so ein kleiner Kiekindiewelt von Mädchen nicht viel wissen könne.

Da nun endlich die Scuderi aufstand, um die Marquise zu verlassen, wurde sie, alles lachenden Scherzes ungeachtet, doch wieder sehr ernst, als ihr das Schmuckkästchen zur Hand kam. Sie sprach: »Doch, Frau Marquise, werde ich mich dieses Schmuckes niemals bedienen können. Er ist, mag es sich nun zugetragen haben, wie es will, einmal in den Händen jener höllischen Gesellen gewesen, die mit der Frechheit des Teufels, ja wohl gar in verdammtem Bündnis mit ihm rauben und morden. Mir graust vor dem Blute, das an dem funkelnden Geschmeide zu kleben scheint. Und nun hat selbst Cardillacs Betragen, ich muß es gestehen, für mich etwas sonderbar Ängstliches und Unheimliches. Nicht erwehren kann ich mich einer dunklen Ahnung, daß hinter diesem allem irgendein grauenvolles, entsetzliches Geheimnis verborgen, und bringe ich mir die ganze Sache recht deutlich vor Augen mit jedem Umstande, so kann ich doch wieder gar nicht auch nur ahnen, worin das Geheimnis bestehe und wie überhaupt der ehrliche, wackere Meister René, das Vorbild eines guten, frommen Bürgers, mit irgend etwas Bösem, Verdammlichem zu tun haben soll. So viel ist aber gewiß, daß ich niemals mich unterstehen werde, den Schmuck anzulegen.«

Die Marquise meinte, das hieße die Skrupel zu weit treiben; als nun aber die Scuderi sie auf ihr Gewissen fragte, was sie in ihrer, der Scuderi, Lage wohl tun würde, antwortete sie ernst und fest: »Weit eher den Schmuck in die Seine werfen als ihn jemals tragen.«

Den Auftritt mit dem Meister René brachte die Scuderi in gar anmutige Verse, die sie den folgenden Abend in den Gemächern der Maintenon dem Könige vorlas. Wohl mag es sein, daß sie auf Kosten Meister Renés, alle Schauer unheimlicher Ahnung besiegend, das ergötzliche Bild der dreiundsiebzigjährigen Goldschmiedsbraut von uraltem Adel mit lebendigen Farben darzustellen gewußt. Genug, der König lachte bis ins Innerste hinein und schwur, daß Boileau Despréaux seinen Meister gefunden, weshalb der Scuderi Gedicht für das Witzigste galt, das jemals geschrieben.

Mehrere Monate waren vergangen, als der Zufall es wollte, daß die Scuderi in der Glaskutsche der Herzogin von Montansier über den Pont-Neuf fuhr. Noch war die Erfindung der zierlichen Glaskutschen so neu, daß das neugierige Volk sich zudrängte, wenn ein Fuhrwerk der Art auf den Straßen erschien. So kam es denn auch, daß der gaffende Pöbel auf dem Pont-Neuf die Kutsche der Montansier umringte, beinahe den Schritt der Pferde hemmend. Da vernahm die Scuderi plötzlich ein Geschimpfe und Gefluche und gewahrte, wie ein Mensch mit Faustschlägen und Rippenstößen sich Platz machte durch die dickste Masse. Und wie er näher kam, trafen sie die durchbohrenden Blicke eines todbleichen, gramverstörten Jünglingsantlitzes. Unverwandt schaute der junge Mensch sie an, während er mit Ellbogen und Fäusten rüstig vor sich wegarbeitete, bis er an den Schlag des Wagens kam, den er mit stürmender Hastigkeit aufriß, der Scuderi einen Zettel in den Schoß warf und, Stöße, Faustschläge austeilend und empfangend, verschwand, wie er gekommen. Mit einem Schrei des Entsetzens war, sowie der Mensch am Kutschenschlage erschien, die Martinière, die sich bei der Scuderi befand, entseelt in die Wagenkissen zurückgesunken. Vergebens riß die Scuderi an der Schnur, rief dem Kutscher zu; *der*, wie vom bösen Geiste getrieben, peitschte auf die Pferde los, die, den Schaum von den Mäulern wegspritzend, um sich schlugen, sich bäumten, endlich in scharfem Trab fortdonnerten über die Brücke. Die Scuderi goß ihr Riechfläschchen über die ohnmächtige Frau aus, die endlich die Augen aufschlug und, zitternd und bebend, sich krampfhaft festklammernd an die Herrschaft, Angst und Entsetzen im bleichen Antlitz, mühsam stöhnte: »Um der Heiligen Jungfrau willen! Was wollte der fürchterliche Mensch? Ach! Er war es ja, er war es, derselbe, der Euch in jener schauervollen Nacht das Kästchen brachte!« – Die Scuderi beruhigte die Arme, indem sie ihr vorstellte, daß ja durchaus nichts Böses geschehen und daß es nur darauf ankomme, zu wissen, was der Zettel enthalte. Sie schlug das Blättchen auseinander und fand die Worte:

> Ein böses Verhängnis, das Ihr abwenden konntet, stößt mich in den Abgrund! – Ich beschwöre Euch, wie der Sohn die Mutter, von der er nicht lassen kann, in der vollsten Glut kindlicher Liebe, den Halsschmuck und die Armbänder, die Ihr durch mich erhieltet, unter irgendeinem Vorwand – um irgend etwas daran bessern, ändern zu lassen, zum Meister René Cardillac zu schaffen; Euer Wohl, Euer Leben hängt davon ab. Tut Ihr es nicht bis übermorgen, so dringe ich in Eure Wohnung und ermorde mich vor Euern Augen!

»Nun ist es gewiß«, sprach die Scuderi, als sie dies gelesen, »daß, mag der geheimnisvolle Mensch auch wirklich zu der Bande verruchter Diebe und Mörder gehören, er doch gegen mich nichts Böses im Schilde führt. Wäre es ihm gelungen, mich in jener Nacht zu sprechen, wer weiß, welches sonderbare Ereignis, welch dunkles Verhältnis der Dinge mir klargeworden, von dem ich jetzt auch nur die leiseste Ahnung vergebens in meiner Seele suche. Mag aber auch die Sache sich nun verhalten wie sie will, das, was mir in diesem Blatt geboten wird, werde ich tun, und geschähe es auch nur, um den unseligen Schmuck loszuwerden, der mir ein höllischer Talisman des Bösen selbst dünkt. Cardillac wird ihn doch wohl nun, seiner alten Sitte getreu, nicht so leicht wieder aus den Händen geben wollen.«

Schon andern Tages gedachte die Scuderi, sich mit dem Schmuck zu dem Goldschmied zu begeben. Doch war es, als hätten alle schönen Geister von ganz Paris sich verabredet, gerade an dem Morgen das Fräulein mit Versen, Schauspielen, Anekdoten zu bestürmen. Kaum hatte La Chapelle die Szene eines Trauerspiels geendet und schlau versichert, daß er nun wohl Racine zu schlagen gedenke, als dieser selbst eintrat und ihn mit irgendeines Königs pathetischer Rede zu Boden schlug, bis Boileau seine Leuchtkugeln in den schwarzen tragischen Himmel steigen ließ, um nur nicht ewig von der Kolonnade des Louvre schwatzen zu hören, in die ihn der architektische Doktor Perrault hineingeengt.

Hoher Mittag war geworden, die Scuderi mußte zur Herzogin Montansier, und so blieb der Besuch bei Meister René Cardillac bis zum andern Morgen verschoben.

Die Scuderi fühlte sich von einer besondern Unruhe gepeinigt. Beständig vor Augen stand ihr der Jüngling, und aus dem tiefsten Innern wollte sich eine dunkle Erinnerung aufregen, als habe sie dies Antlitz, diese Züge schon gesehen. Den leisesten Schlummer störten ängstliche Träume, es war ihr, als habe sie leichtsinnig, ja strafwürdig versäumt, die Hand hilfreich zu erfassen, die der Unglückliche, in den Abgrund versinkend, nach ihr emporgestreckt, ja als sei es an ihr gewesen, irgendeinem verderblichen Ereignis, einem heillosen Verbrechen zu steuern! Sowie es nur hoher Morgen, ließ sie sich ankleiden und fuhr, mit dem Schmuckkästchen versehen, zu dem Goldschmied hin.

Nach der Straße Nicaise, dorthin, wo Cardillace wohnte, strömte das Volk, sammelte sich vor der Haustüre – schrie, lärmte, tobte –, wollte stürmend hinein, mit Mühe abgehalten von der Maréchaussée, die das Haus umstellt. Im wilden, verwirrten Getöse riefen zornige Stimmen: »Zerreißt, zermalmt den verfluchten Mörder!« Endlich erscheint Desgrais mit zahlreicher Mannschaft, *die* bildet durch den dicksten Haufen eine Gasse. Die Haustüre springt auf, ein Mensch, mit Ketten belastet, wird hinausgebracht und unter den greulichsten Verwünschungen des wütenden Pöbels fortgeschleppt. In dem Augenblick, als die Scuderi, halb entseelt vor Schreck und furchtbarer Ahnung, dies gewahrt, dringt ein gellendes Jammergeschrei ihr in die Ohren. »Vor! Weiter vor!« ruft sie ganz außer sich dem Kutscher zu, der mit einer geschickten, raschen Wendung den dicken Haufen auseinanderstäubt und dicht vor Cardillacs Haustüre hält. Da sieht die Scuderi Desgrais und zu seinen Füßen ein junges Mädchen, schön wie der Tag, mit aufgelösten Haaren, halb entkleidet, wilde Angst, trostlose Verzweiflung im Antlitz, die hält seine Knie umschlungen und ruft mit dem Ton des entsetzlichsten, schneidendsten Todesschmerzes: »Er ist ja unschuldig! Er ist unschuldig!« Vergebens sind Desgrais', vergebens seiner Leute Bemühungen, sie loszureißen, sie vom Boden aufzurichten. Ein starker, ungeschlachter Kerl ergreift endlich mit plumpen Fäusten die Arme, zerrt sie mit Gewalt weg von Desgrais, strauchelt ungeschickt, läßt das Mädchen fahren, die hinabschlägt die steinernen Stufen und lautlos – tot auf der Straße liegenbleibt. Länger kann die Scuderi sich nicht halten. »In Christi Namen, was ist geschehen, was geht hier vor?« ruft sie, öffnet rasch den Schlag, steigt aus. Ehrerbietig weicht das Volk der würdigen Dame, die, als sie sieht, wie ein paar mitleidige Weiber das Mädchen aufgehoben, auf die Stufen gesetzt haben, ihr die Stirne mit starkem Wasser reiben, sich dem Desgrais nähert und mit Heftigkeit ihre Frage wiederholt. »Es ist das Entsetzliche geschehen«, spricht Desgrais, »René Cardillac wurde heute morgen durch einen Dolchstich ermordet gefunden. Sein Geselle Olivier Brusson ist der Mörder. Eben wurde er fortgeführt ins Gefängnis.« – »Und das Mädchen?« ruft die Scuderi – »Ist«, fällt Desgrais ein, »ist Madelon, Cardillacs Tochter. Der verruchte Mensch war ihr Geliebter. Nun weint und heult sie und schreit einmal übers andere, daß Olivier unschuldig sei, ganz unschuldig. Am Ende weiß sie von der Tat, und ich muß sie auch nach der Conciergerie bringen lassen.« Desgrais warf, als er dies sprach, einen tückischen, schadenfrohen Blick auf das Mädchen, vor dem die Scuderi erbebte. Eben begann das Mädchen leise zu atmen, doch keines Lauts, keiner Bewegung mächtig, mit geschlossenen Augen lag sie da, und man wußte nicht, was zu tun, sie ins Haus bringen oder ihr noch länger beistehen bis zum Erwachen. Tief bewegt, Tränen in den Augen, blickte die Scuderi den unschuldsvollen Engel an, ihr graute vor Desgrais und seinen Gesellen. Da polterte es dumpf die Treppe herab, man brachte Cardillas Leichnam. Schnell entschlossen rief die Scuderi laut: »Ich nehme das Mädchen mit mir, Ihr möget für das übrige sorgen, Desgrais!« Ein dumpfes Murmeln des Beifalls lief durch das Volk. Die Weiber hoben das Mädchen in die Höhe, alles drängte sich hinzu, hundert Hände mühten sich, ihnen beizustehen, und wie in den Lüften schwebend, wurde das Mädchen in die Kutsche getragen, indem Segnungen der würdigen Dame, die die Unschuld dem Blutgericht entrissen, von allen Lippen strömten.

Serons, des berühmtesten Arztes in Paris, Bemühungen gelang es endlich, Madelon, die stundenlang in starrer Bewußtlosigkeit gelegen, wieder zu sich selbst zu bringen. Die Scuderi vollendete, was der Arzt begonnen, indem sie manchen milden Hoffnungsstrahl leuchten ließ in des Mädchens Seele, bis ein heftiger Tränenstrom, der ihr aus den Augen stürzte, ihr Luft machte. Sie vermochte, indem nur dann und wann die Übermacht des durchbohrendsten Schmerzes die Worte in tiefem Schluchzen erstickte, zu erzählen, wie sich alles begeben.

Um Mitternacht war sie durch leises Klopfen an ihrer Stubentür geweckt worden und hatte Oliviers Stimme vernommen, der sie beschworen, doch nur gleich aufzustehen, weil der Vater im Sterben liege. Entsetzt sei sie aufgesprungen und habe die Tür geöffnet. Olivier, bleich und entstellt, von Schweiß triefend, sei, das Licht in der Hand, mit wankenden Schritten nach der Werkstatt gegangen, sie ihm gefolgt. Da habe der Vater gelegen mit starren Augen und geröchelt im Todeskampfe. Jammernd habe sie sich auf ihn gestürzt und nun erst sein blutiges Hemde bemerkt. Olivier habe sie sanft weggezogen und sich dann bemüht, eine Wunde auf der linken Brust des Vaters mit Wundbalsam zu waschen und zu verbinden. Währenddessen sei des Vaters Besinnung zurückgekehrt, er habe zu röcheln aufgehört und sie, dann aber Olivier mit seelenvollem Blick angeschaut, ihre Hand ergriffen, sie in Oliviers Hand gelegt und beide heftig gedrückt. Beide, Olivier und sie, wären bei dem Lager des Vaters auf die Knie gefallen, er habe sich mit einem schneidenden Laut in die Höhe gerichtet, sei aber gleich wieder zurückgesunken und mit einem tiefen Seufzer verschieden. Nun hätten sie beide laut gejammert und geklagt. Olivier habe erzählt, wie der Meister auf einem Gange, den er mit ihm auf sein Geheiß in der Nacht habe machen müssen, in seiner Gegenwart ermordet worden und wie er mit der größten Anstrengung den schweren Mann, den er nicht auf den Tod verwundet gehalten, nach Hause getragen. Sowie der Morgen angebrochen, wären die Hausleute, denen das Gepolter, das laute Weinen und Jammern in der Nacht aufgefallen, heraufgekommen und hätten sie noch ganz trostlos bei der Leiche des Vaters kniend gefunden. Nun sei Lärm entstanden, die Maréchaussée eingedrungen und Olivier als Mörder seines Meisters ins Gefängnis geschleppt worden. Madelon fügte nun die rührendste Schilderung von der Tugend, der Frömmigkeit, der Treue ihres geliebten Oliviers hinzu. Wie er den Meister, als sei er sein eigener Vater, hoch in Ehren gehalten, wie dieser seine Liebe in vollem Maß erwidert, wie er ihn trotz seiner Armut zum Eidam erkoren, weil seine Geschicklichkeit seiner Treue, seinem edlen Gemüt gleichgekommen. Das alles erzählte Madelon aus dem innersten Herzen heraus und schloß damit, daß, wenn Olivier in ihrem Beisein dem Vater den Dolch in die Brust gestoßen hätte, sie dies eher für ein Blendwerk des Satans halten als daran glauben würde, daß Olivier eines solchen entsetzlichen, grauenvollen Verbrechens fähig sein könne.

Die Scuderi, von Madelons namenlosen Leiden auf das tiefste gerührt und ganz geneigt, den armen Olivier für unschuldig zu halten, zog Erkundigungen ein und fand alles bestätigt, was Madelon über das häusliche Verhältnis des Meisters mit seinem Gesellen erzählt hatte. Die Hausleute, die Nachbarn rühmten einstimmig den Olivier als das Muster eines sittigen, frommen, treuen, fleißigen Betragens, niemand wußte Böses von ihm, und doch, war von der gräßlichen Tat die Rede, zuckte jeder die Achseln und meinte, darin liege etwas Unbegreifliches.

Olivier, vor die Chambre ardente gestellt, leugnete, wie die Scuderi vernahm, mit der größten Standhaftigkeit, mit dem hellsten Freimut die ihm angeschuldigte Tat und behauptete, daß sein Meister in seiner Gegenwart auf der Straße angefallen und niedergestoßen worden, daß er ihn aber noch lebendig nach Hause geschleppt, wo er sehr bald verschieden sei. Auch dies stimmte also mit Madelons Erzählung überein.

Immer und immer wieder ließ sich die Scuderi die kleinsten Umstände des schrecklichen Ereignisses wiederholen. Sie forschte genau, ob jemals ein Streit zwischen Meister und Gesellen vorgefallen, ob vielleicht Olivier nicht ganz frei von jenem Jähzorn sei, der oft wie ein blinder Wahnsinn die gutmütigsten Menschen überfällt und zu Taten verleitet, die alle Willkür des Handelns auszuschließen scheinen. Doch je begeisterter Madelon von dem ruhigen häuslichen Glück sprach, in dem die drei Menschen in innigster Liebe verbunden lebten, desto mehr verschwand jeder Schatten des Verdachts wider den auf den Tod angeklagten Olivier. Genau alles prüfend, davon ausgehend, daß Olivier unerachtet alles dessen, was laut für seine Unschuld spräche, dennoch Cardillacs Morder gewesen, fand die Scuderi im Reich der Möglichkeit keinen Beweggrund zu der entsetzlichen Tat, die in jedem Fall Oliviers Glück zerstören mußte. – »Er ist arm, aber geschickt. Es gelingt ihm, die Zuneigung des berühmtesten Meisters zu gewinnen, er liebt die Tochter, der

Meister begünstigt seine Liebe; Glück, Wohlstand für sein ganzes Leben wird ihm erschlossen! – Sei es aber nun, daß, Gott weiß, auf welche Weise gereizt, Olivier vom Zorn übermannt, seinen Wohltäter, seinen Vater mörderisch anfiel, welche teuflische Heuchelei gehört dazu, nach der Tat sich so zu betragen, als es wirklich geschah!« – Mit der festen Überzeugung von Oliviers Unschuld faßte die Scuderi den Entschluß, den unschuldigen Jüngling zu retten, koste es, was es wolle.

Es schien ihr, ehe sie die Huld des Königs selbst vielleicht anrufe, am geratensten, sich an den Präsidenten La Regnie zu wenden, ihn auf alle Umstände, die für Oliviers Unschuld sprechen mußten, aufmerksam zu machen und so vielleicht in des Präsidenten Seele eine innere, dem Angeklagten günstige Überzeugung zu erwecken, die sich wohltätig den Richtern mitteilen sollte.

La Regnie empfing die Scuderi mit der hohen Achtung, auf die die würdige Dame, von dem Könige selbst hochgeehrt, gerechten Anspruch machen konnte. Er hörte ruhig alles an, was sie über die entsetzliche Tat, über Oliviers Verhältnisse, über seinen Charakter vorbrachte. Ein feines, beinahe hämisches Lächeln war indessen alles, womit er bewies, daß die Beteuerungen, die von häufigen Tränen begleiteten Ermahnungen, wie jeder Richter nicht der Feind des Angeklagten sein, sondern auch auf alles achten müsse, was zu seinen Gunsten spräche, nicht an gänzlich tauben Ohren vorüberglitten. Als das Fräulein nun endlich ganz erschöpft, die Tränen von den Augen wegtrocknend, schwieg, fing La Regnie an: »Es ist ganz Eures vortrefflichen Herzens würdig, mein Fräulein, daß Ihr, gerührt von den Tränen eines jungen, verliebten Mädchens, alles glaubt, was sie vorbringt, ja daß Ihr nicht fähig seid, den Gedanken einer entsetzlichen Untat zu fassen; aber anders ist es mit dem Richter, der gewohnt ist, frecher Heuchelei die Larve abzureißen. Wohl mag es nicht meines Amts sein, jedem, der mich fragt, den Gang eines Kriminalprozesses zu entwickeln. Fräulein! Ich tue meine Pflicht, wenig kümmert mich das Urteil der Welt. Zittern sollen die Bösewichter vor der Chambre ardente, die keine Strafe kennt als Blut und Feuer. Aber vor Euch, mein würdiges Fräulein, möcht' ich nicht für ein Ungeheuer gehalten werden an Härte und Grausamkeit, darum vergönnt mir, daß ich Euch mit wenigen Worten die Blutschuld des jungen Bösewichts, der, dem Himmel sei es gedankt!, der Rache verfallen ist, klar vor Augen lege. Euer scharfsinniger Geist wird dann selbst die Gutmütigkeit verschmähen, die Euch Ehre macht, mir aber gar nicht anstehen würde. – Also! Am Morgen wird René Cardillac durch einen Dolchstoß er-

mordet gefunden. Niemand ist bei ihm, als sein Geselle Olivier
Brusson und die Tochter. In Oliviers Kammer, unter andern, findet
man einen Dolch von frischem Blute gefärbt, der genau in die
Wunde paßt. „Cardillac ist“, spricht Olivier, „in der Nacht vor
meinen Augen niedergestoßen worden.“ – „Man wollte ihn berau-
ben?“ – „Das weiß ich nicht!“ – „Du gingst mit ihm, und es war dir
nicht möglich, dem Mörder zu wehren, ihn festzuhalten, um Hilfe
zu rufen?“ – „Fünfzehn, wohl zwanzig Schritte vor mir ging der
Meister, ich folgte ihm.“ – „Warum in aller Welt so entfernt?“ –
„Der Meister wollt’ es so.“ – „Was hatte überhaupt Meister Cardillac so spät auf der Straße zu tun?“ – „Das kann ich nicht sagen.“ –
„Sonst ist er aber doch niemals nach neun Uhr abends aus dem
Hause gekommen?“ – Hier stockt Olivier, er ist bestürzt, er seufzt,
er vergießt Tränen, er beteuert bei allem, was heilig, daß Cardillac
wirklich in jener Nacht ausgegangen sei und seinen Tod gefunden
habe. Nun merkt aber wohl auf, mein Fräulein. Erwiesen ist es bis
zur vollkommensten Gewißheit, daß Cardillac in jener Nacht das
Haus nicht verließ, mithin ist Oliviers Behauptung, er sei mit ihm
wirklich ausgegangen, eine freche Lüge. Die Haustüre ist mit einem
schweren Schloß versehen, welches bei dem Auf- und Zuschließen
ein durchdringendes Geräusch macht, dann aber bewegt sich der
Türflügel, widrig knarrend und heulend, in den Angeln, so daß,
wie es angestellte Versuche bewährt haben, selbst im obersten Stock
des Hauses das Getöse widerhallt. Nun wohnt in dem untersten
Stock, also dicht neben der Haustüre, der alte Meister Claude Patru
mit seiner Aufwärterin, einer Person von beinahe achtzig Jahren,
aber noch munter und rührig. Diese beiden Personen hörten, wie
Cardillac nach seiner gewöhnlichen Weise an jenem Abend Punkt
neun Uhr die Treppe hinabkam, die Türe mit vielem Geräusch verschloß und verrammelte, dann wieder hinaufstieg, den Abendsegen
laut las und dann, wie man es an dem Zuschlagen der Türe vernehmen konnte, in sein Schlafzimmer ging. Meister Claude leidet
an Schlaflosigkeit, wie es alten Leuten wohl zu gehen pflegt. Auch
in jener Nacht konnte er kein Auge zutun. Die Aufwärterin schlug
daher, es mochte halb zehn Uhr sein, in der Küche, in die sie, über
den Hausflur gehend, gelangt, Licht an und setzte sich zum Meister
Claude an den Tisch mit einer alten Chronik, in der sie las, während der Alte, seinen Gedanken nachhängend, bald sich in den
Lehnstuhl setzte, bald wieder aufstand und, um Müdigkeit und
Schlaf zu gewinnen, im Zimmer leise und langsam auf und ab
schritt. Es blieb alles still und ruhig bis nach Mitternacht. Da hörte
sie über sich scharfe Tritte, einen harten Fall, als stürze eine schwere

Last zu Boden, und gleich darauf ein dumpfes Stöhnen. In beide kam eine seltsame Angst und Beklommenheit. Die Schauer der entsetzlichen Tat, die eben begangen, gingen bei ihnen vorüber. – Mit dem hellen Morgen trat dann ans Licht, was in der Finsternis begonnen.« – »Aber«, fiel die Scuderi ein, »aber um aller Heiligen willen, könnt Ihr bei allen Umständen, die ich erst weitläufig erzählte, Euch denn irgendeinen Anlaß zu dieser Tat der Hölle denken?« – »Hm«, erwiderte La Regnie, »Cardillac war nicht arm, im Besitz vortrefflicher Steine.« – »Bekam«, fuhr die Scuderi fort, »bekam denn nicht alles die Tochter? Ihr vergeßt, daß Olivier Cardillacs Schwiegersohn werden sollte.« – »Er mußte vielleicht teilen oder gar nur für andere morden«, sprach La Regnie. »Teilen, für andere morden?« fragte die Scuderi in vollem Erstaunen. »Wißt«, fuhr der Präsident fort, »wißt, mein Fräulein, daß Olivier schon längst geblutet hätte auf dem Grèveplatz, stünde seine Tat nicht in Beziehung mit dem dichtverschleierten Geheimnis, das bisher so bedrohlich über ganz Paris waltete. Olivier gehört offenbar zu jener verruchten Bande, die, alle Aufmerksamkeit, alle Mühe, alles Forschen der Gerichtshöfe verspottend, ihre Streiche sicher und ungestraft zu führen wußte. Durch ihn wird – muß alles klar werden. Die Wunde Cardillacs ist denen ganz ähnlich, die alle auf der Straße, in den Häusern Ermordete und Beraubte trugen. Dann aber das Entscheidendste, seit der Zeit, daß Olivier Brusson verhaftet ist, haben alle Mordtaten, alle Beraubungen aufgehört. Sicher sind die Straßen zur Nachtzeit wie am Tage. Beweis genug, daß Olivier vielleicht an der Spitze jener Mordbande stand. Noch will er nicht bekennen, aber es gibt Mittel, ihn sprechen zu machen wider seinen Willen.« – »Und Madelon«, rief die Scuderi, »und Madelon, die treue, unschuldige Taube.« – »Ei«, sprach La Regnie mit einem giftigen Lächeln, »ei, wer steht mir dafür, daß sie nicht mit im Komplott ist. Was ist ihr an dem Vater gelegen, nur dem Mordbuben gelten ihre Tränen.« – »Was sagt Ihr«, schrie die Scuderi, »es ist nicht möglich; den Vater! Dieses Mädchen!« – »Oh!« fuhr La Regnie fort. »Oh! Denkt doch nur an die Brinvillier! Ihr möget es mir verzeihen, wenn ich mich vielleicht bald genötigt sehe, Euch Euern Schützling zu entreißen und in die Conciergerie werfen zu lassen.« Der Scuderi ging ein Grausen an bei diesem entsetzlichen Verdacht. Es war ihr, als könne vor diesem schrecklichen Manne keine Treue, keine Tugend bestehen, als spähe er in den tiefsten, geheimsten Gedanken Mord und Blutschuld. Sie stand auf. »Seid menschlich«, das war alles, was sie beklommen, mühsam atmend hervorbringen konnte. Schon im Begriff, die Treppe hinabzusteigen, bis zu der der Präsident sie mit zeremoniöser Artigkeit begleitet hatte, kam ihr, selbst wußte sie nicht wie, ein seltsamer Gedanke. »Würd' es mir wohl erlaubt sein, den unglücklichen Olivier Brusson zu sehen?« So fragte sie den Präsidenten, sich rasch umwendend. Dieser schaute sie mit bedenklicher Miene an, dann verzog sich sein Gesicht in jenes widrige Lächeln, das ihm eigen. »Gewiß«, sprach er, »gewiß wollt Ihr nun, mein würdiges Fräulein, Euerm Gefühl, der innern Stimme mehr vertrauend als dem, was vor unsern Augen geschehen, selbst Oliviers Schuld oder Unschuld prüfen. Scheut Ihr nicht den düstern Aufenthalt des Verbrechens, ist es Euch nicht gehässig, die Bilder der Verworfenheit in allen Abstufungen zu sehen, so sollen für Euch in zwei Stunden die Tore der Conciergerie offen sein. Man wird Euch diesen Olivier, dessen Schicksal Eure Teilnahme erregt, vorstellen.«

In der Tat konnte sich die Scuderi von der Schuld des jungen Menschen nicht überzeugen. Alles sprach wider ihn, ja kein Richter in der Welt hätte anders gehandelt wie La Regnie bei solch entscheidenden Tatsachen. Aber das Bild häuslichen Glücks, wie es Madelon mit den lebendigsten Zügen der Scuderi vor Augen gestellt, überstrahlte jeden bösen Verdacht, und so mochte sie lieber ein unerklärliches Geheimnis annehmen, als daran glauben, wogegen ihr ganzes Inneres sich empörte.

Sie gedachte, sich von Olivier noch einmal alles, wie es sich in jener verhängnisvollen Nacht begeben, erzählen zu lassen und soviel möglich in ein Geheimnis zu dringen, das vielleicht den Richtern verschlossen geblieben, weil es wertlos schien, sich weiter darum zu bekümmern.

In der Conciergerie angekommen, führte man die Scuderi in ein großes, helles Gemach. Nicht lange darauf vernahm sie Kettengerassel. Olivier Brusson wurde gebracht. Doch sowie er in die Türe trat, sank auch die Scuderi ohnmächtig nieder. Als sie sich erholt hatte, war Olivier verschwunden. Sie verlangte mit Heftigkeit, daß man sie nach dem Wagen bringe, fort, augenblicklich fort wollte sie aus den Gemächern der frevelnden Verruchtheit. Ach! – Auf den ersten Blick hatte sie in Olivier Brusson den jungen Menschen erkannt, der auf dem Pont-Neuf jenes Blatt ihr in den Wagen geworfen, der ihr das Kästchen mit den Juwelen gebracht hatte. Nun war ja jeder Zweifel gehoben, La Regnies schreckliche Vermutung ganz bestätigt. Olivier Brusson gehört zu der fürchterlichen Mordbande, gewiß ermordete er auch den Meister! – Und Madelon? So bitter noch nie vom innern Gefühl getäuscht, auf den Tod angepackt von der höllischen Macht auf Erden, an deren Dasein sie nicht geglaubt, verzweifelte die Scuderi an aller Wahrheit. Sie gab Raum dem entsetzlichen Verdacht, daß Madelon mitverschworen sein und teilhaben könne an der gräßlichen Blutschuld. Wie es denn geschieht, daß der menschliche Geist, ist ihm ein Bild aufgegangen, emsig Farben sucht und findet, es greller und greller auszumalen, so fand auch die Scuderi, jeden Umstand der Tat, Madelons Betragen in den kleinsten Zügen erwägend, gar vieles, jenen Verdacht zu nähren. So wurde manches, was ihr bisher als Beweis der Unschuld und Reinheit gegolten, sicheres Merkmal freveliger Bosheit, studierter Heuchelei. Jener herzzerreißende Jammer, die blutigen Tränen konnten wohl erpreßt sein von der Todesangst, nicht den Geliebten bluten zu sehen, nein – selbst zu fallen unter der Hand des Henkers. Gleich sich die Schlange, die sie im Busen nähre, vom Halse zu schaffen; mit diesem Entschluß stieg die Scuderi aus dem Wagen. In ihr Gemach eingetreten, warf Madelon sich ihr zu Füßen. Die Himmelsaugen, ein Engel Gottes hat sie nicht treuer, zu ihr emporgerichtet, die Hände vor der wallenden Brust zusammengefaltet, jammerte und flehte sie laut um Hilfe und Trost. Die Scuderi, sich mühsam zusammenfassend, sprach, indem sie dem Ton ihrer Stimme so viel Ernst und Ruhe zu geben suchte, als ihr möglich: »Geh, geh, tröste dich nur über den Mörder, den die gerechte Strafe seiner Schandtaten erwartet. Die Heilige Jungfrau möge verhüten, daß nicht auf dir selbst eine Blutschuld schwer laste.« – »Ach, nun ist alles verloren!« Mit diesem gellenden Ausruf stürzte Madelon ohnmächtig zu Boden. Die Scuderi überließ die Sorge um das Mädchen der Martinière und entfernte sich in ein anderes Gemach.

Ganz zerrissen im Innern, entzweit mit allem Irdischen, wünschte die Scuderi, nicht mehr in einer Welt voll höllischen Truges zu leben. Sie klagte das Verhängnis an, das in bitterm Hohn ihr so viele Jahre vergönnt, ihren Glauben an Tugend und Treue zu stärken, und nun in ihrem Alter das schöne Bild vernichte, welches ihr im Leben geleuchtet.

Sie vernahm, wie die Martinière Madelon fortbrachte, die leise seufzte und jammerte: »Ach! Auch *sie* – auch *sie* haben die Grausamen betört. Ich Elende – armer, unglücklicher Olivier!« Die Töne drangen der Scuderi ins Herz, und aufs neue regte sich aus dem tiefsten Innern heraus die Ahnung eines Geheimnisses, der Glaube an Oliviers Unschuld. Bedrängt von den widersprechendsten Gefühlen, ganz außer sich rief die Scuderi: »Welcher Geist der Hölle hat mich in die entsetzliche Geschichte verwickelt, die mir das Leben kosten wird!« In dem Augenblick trat Baptiste hinein, bleich und erschrocken, mit der Nachricht, daß Desgrais draußen sei. Seit dem abscheulichen Prozeß der La Voisin war Desgrais' Erscheinung in einem Hause der gewisse Vorbote irgendeiner peinlichen Anklage, daher kam Baptistes Schreck, deshalb fragte ihn das Fräulein mit mildem Lächeln: »Was ist dir, Baptiste? – Nicht wahr, der Name Scuderi befand sich auf der Liste der La Voisin?« – »Ach, um Christi willen«, erwiderte Baptiste, am ganzen Leibe zitternd, »wie möget Ihr nur so etwas aussprechen, aber Desgrais, der entsetzliche Desgrais, tut so geheimnisvoll, so dringend, er scheint es gar nicht erwarten zu können, Euch zu sehen!« – »Nun«, sprach die Scuderi, »nun Baptiste, so führt ihn nur gleich herein, den Menschen, der Euch so fürchterlich ist und der *mir* wenigstens keine Besorgnis erregen kann.« – »Der Präsident«, sprach Desgrais, als er ins Gemach getreten, »der Präsident La Regnie schickt mich zu Euch, mein Fräulein, mit einer Bitte, auf deren Erfüllung er gar nicht hoffen würde, kennte er nicht Eure Tugend, Euern Mut, läge nicht das letzte Mittel, eine böse Blutschuld an den Tag zu bringen, in Euren Händen, hättet Ihr nicht selbst schon teilgenommen an dem bösen Prozeß, der die Chambre ardente, uns alle in Atem hält. Olivier Brusson, seitdem er Euch gesehen hat, ist halb rasend. So sehr er schon zum Bekenntnis sich zu neigen schien, so schwört er doch jetzt aufs neue bei Christus und allen Heiligen, daß er an dem Morde Cardillacs ganz unschuldig sei, wiewohl er den Tod gern leiden wolle, den er verdient habe. Bemerkt, mein Fräulein, daß der letzte Zusatz offenbar auf andere Verbrechen deutet, die auf ihm lasten. Doch vergebens ist alle Mühe, nur ein Wort weiter herauszubringen, selbst die Drohung mit der Tortur hat nichts gefruchtet. Er fleht, er beschwört uns, ihm eine Unterredung mit Euch zu verschaffen, *Euch* nur, *Euch* allein will er alles gestehen. Laßt Euch herab, mein Fräulein, Brussons Bekenntnis zu hören.« – »Wie!« rief die Scuderi ganz entrüstet. »Soll ich dem Blutgericht zum Organ dienen, soll ich das Vertrauen des unglücklichen Menschen mißbrauchen, ihn aufs Blutgerüst zu bringen? Nein, Desgrais! Mag Brusson auch ein verruchter Mörder sein, nie wär' es mir doch möglich, ihn so spitzbübisch zu hintergehen. Nichts mag ich von seinen Geheimnissen erfahren, die wie eine heilige Beichte in meiner Brust verschlossen bleiben würden.« – »Vielleicht«, versetzte Desgrais mit einem feinen Lächeln, »vielleicht, mein Fräulein, ändert sich Eure Gesinnung, wenn Ihr Brusson gehört habt. Batet Ihr den Präsidenten nicht selbst, er solle menschlich sein? Er tut es, indem er dem törichten Verlangen Brussons nachgibt und so das letzte Mittel versucht, ehe er die Tortur verhängt, zu der Brusson längst reif ist.« Die Scuderi schrak unwillkürlich zusammen. »Seht«, fuhr Desgrais fort, »seht, würdige

Dame, man wird Euch keineswegs zumuten, noch einmal in jene finsteren Gemächer zu treten, die Euch mit Grausen und Abscheu erfüllen. In der Stille der Nacht, ohne alles Aufsehen bringt man Olivier Brusson wie einen freien Menschen zu Euch in Euer Haus. Nicht einmal belauscht, doch wohl bewacht, mag er Euch dann zwanglos alles bekennen. Daß Ihr für Euch selbst nichts von dem Elenden zu fürchten habt, dafür stehe ich Euch mit meinem Leben ein. Er spricht von Euch mit inbrünstiger Verehrung. Er schwört, daß nur das düstre Verhängnis, welches ihm verwehrt habe, Euch früher zu sehen, ihn in den Tod gestürzt. Und dann steht es ja bei Euch, von dem, was Euch Brusson entdeckt, so viel zu sagen, als Euch beliebt. Kann man Euch zu mehrerem zwingen?«

Die Scuderi sah tief sinnend vor sich nieder. Es war ihr, als müsse sie der höheren Macht gehorchen, die den Aufschluß irgendeines entsetzlichen Geheimnisses von ihr verlange, als könne sie sich nicht mehr den wunderbaren Verschlingungen entziehen, in die sie willenlos geraten. Plötzlich entschlossen, sprach sie mit Würde: »Gott wird mir Fassung und Standhaftigkeit geben; führt den Brusson her, ich will ihn sprechen.«

So wie damals, als Brusson das Kästchen brachte, wurde um Mitternacht an die Haustüre der Scuderi gepocht. Baptiste, von dem nächtlichen Besuch unterrichtet, öffnete. Eiskalter Schauer überlief die Scuderi, als sie an den leisen Tritten, an dem dumpfen Gemurmel wahrnahm, daß die Wächter, die den Brusson gebracht, sich in den Gängen des Hauses verteilten.

Endlich ging leise die Tür des Gemachs auf. Desgrais trat herein, hinter ihm Olivier Brusson, fesselfrei, in anständigen Kleidern. »Hier ist«, sprach Desgrais, sich ehrerbietig verneigend, »hier ist Brusson, mein würdiges Fräulein!« und verließ das Zimmer.

Brusson sank vor der Scuderi nieder auf beide Knie, flehend erhob er die gefalteten Hände, indem häufige Tränen ihm aus den Augen rannen.

Die Scuderi schaute erblaßt, keines Wortes mächtig, auf ihn herab. Selbst bei den entstellten, ja durch Gram, durch grimmen Schmerz verzerrten Zügen strahlte der reine Ausdruck des treusten Gemüts aus dem Jünglingsantlitz. Je länger die Scuderi ihre Augen auf Brussons Gesicht ruhen ließ, desto lebhafter trat die Erinnerung an irgendeine geliebte Person hervor, auf die sie sich nur nicht deutlich zu besinnen vermochte. Alle Schauer wichen von ihr, sie vergaß, daß Cardillacs Mörder vor ihr kniee, sie sprach mit dem anmutigen Tone des ruhigen Wohlwollens, der ihr eigen: »Nun, Brusson, was habt Ihr mir zu sagen?« Dieser, noch immer knieend, seufzte auf vor tiefer, inbrünstiger Wehmut und sprach dann: »O mein würdiges, mein hochverehrtes Fräulein, ist denn jede Spur der Erinnerung an mich verflogen?« Die Scuderi, ihn noch aufmerksamer betrachtend, erwiderte, daß sie allerdings in seinen Zügen die Ähnlichkeit mit einer von ihr geliebten Person gefunden und daß er nur dieser Ähnlichkeit es verdanke, wenn sie den tiefen Abscheu vor dem Mörder überwinde und ihn ruhig anhöre. Brusson, schwer verletzt durch diese Worte, erhob sich schnell und trat, den finstern Blick zu Boden gesenkt, einen Schritt zurück. Dann sprach er mit dumpfer Stimme: »Habt Ihr denn Anne Guiot ganz vergessen? Ihr Sohn Olivier – der Knabe, den Ihr oft auf Euern Knie schaukeltet, ist es, der vor Euch steht. »Oh, um aller Heiligen willen!« rief die Scuderi, indem sie, mit beiden Händen das Gesicht bedeckend, in die Polster zurücksank. Das Fräulein hatte wohl Ursache genug, sich auf diese Weise zu entsetzen. Anne Guiot, die Tochter eines verarmten Bürgers, war von klein auf bei der Scuderi, die sie, wie die Mutter das liebe Kind, erzog mit aller Treue und Sorgfalt. Als sie nun herangewachsen, fand sich ein hübscher sittiger Jüngling, Claude Brusson geheißen, ein, der um das Mädchen warb. Da er nun ein grundgeschickter Uhrmacher war, der sein reichliches Brot in Paris finden mußte, Anne ihn auch herzlich liebgewonnen hatte, so trug die Scuderi gar kein Bedenken, in die Heirat ihrer Pflegetochter zu willigen. Die jungen Leute richteten sich ein, lebten in stiller, glücklicher Häuslichkeit, und was den Liebesbund noch fester knüpfte, war die Geburt eines wunderschönen Knaben, der holden Mutter treues Ebenbild.

Einen Abgott machte die Scuderi aus dem kleinen Olivier, den sie stunden-, tagelang der Mutter entriß, um ihn zu liebkosen, zu hätscheln. Daher kam es, daß der Junge sich ganz an sie gewöhnte und ebenso gern bei ihr war als bei der Mutter. Drei Jahre waren vorüber, als der Brotneid der Kunstgenossen Brussons es dahin brachte, daß seine Arbeit mit jedem Tage abnahm, so daß er zuletzt kaum sich kümmerlich ernähren konnte. Dazu kam die Sehnsucht nach seinem schönen heimatlichen Genf, und so geschah es, daß die kleine Familie dorthin zog, des Widerstrebens der Scuderi, die alle nur mögliche Unterstützung versprach, unerachtet. Noch ein paarmal schrieb Anne an ihre Pflegemutter, dann schwieg sie, und diese mußte glauben, daß das glückliche Leben in Brussons Heimat das Andenken an die früher verlebten Tage nicht mehr aufkommen lasse.

Es waren jetzt gerade dreiundzwanzig Jahre her, als Brusson mit seinem Weibe und Kinde Paris verlassen und nach Genf gezogen.

»O entsetzlich«, rief die Scuderi, als sie sich einigermaßen wieder erholt hatte, »o entsetzlich! Olivier bist du, der Sohn meiner Anne! – und jetzt!« – »Wohl«, versetzte Olivier ruhig und gefaßt, »wohl, mein würdiges Fräulein, hättet Ihr nimmermehr ahnen können, daß der Knabe, den Ihr wie die zärtlichste Mutter hätscheltet, dem Ihr, auf Eurem Schoß ihn schaukelnd, Näscherei auf Näscherei in den Mund stecktet, dem Ihr die süßesten Namen gabt, zum Jünglinge gereift, dereinst vor Euch stehen würde, gräßlicher Blutschuld angeklagt! Ich bin nicht vorwurfsfrei, die Chambre ardente kann mich mit Recht eines Verbrechens zeihen; aber, so wahr ich selig zu sterben hoffe, sei es auch durch des Henkers Hand, rein bin ich von jeder Blutschuld, nicht durch mich, nicht durch mein Verschulden fiel der unglückliche Cardillac!« Olivier geriet bei diesen Worten in ein Zittern und Schwanken. Stillschweigend wies die Scuderi auf einen kleinen Sessel, der Olivier zur Seite stand. Er ließ sich langsam nieder.

»Ich hatte Zeit genug«, fing er an, »mich auf die Unterredung mit Euch, die ich als die letzte Gunst des versöhnten Himmels betrachte, vorzubereiten und so viel Ruhe und Fassung zu gewinnen als nötig, Euch die Geschichte meines entsetzlichen, unerhörten Mißgeschicks zu erzählen. Erzeigt mir die Barmherzigkeit, mich ruhig anzuhören, sosehr Euch auch die Entdeckung eines Geheimnisses, das Ihr gewiß nicht geahnet, überraschen, ja mit Grausen erfüllen mag. Hätte mein armer Vater Paris doch niemals verlassen! Soweit meine Erinnerung an Genf reicht, finde ich mich wieder, von den trostlosen Eltern mit Tränen benetzt, von ihren Klagen, die ich nicht verstand, selbst zu Tränen gebracht. Später kam mir das deutliche Gefühl, das volle Bewußtsein des drückendsten Mangels, des tiefen Elends, in dem meine Eltern lebten. Mein Vater fand sich in allen seinen Hoffnungen getäuscht. Von tiefem Gram niedergebeugt, erdrückt, starb er in dem Augenblick, als es ihm gelungen war, mich bei einem Goldschmied als Lehrjunge unterzubringen. Meine Mutter sprach viel von Euch, sie wollte Euch alles klagen, aber dann überfiel sie die Mutlosigkeit, welche vom Elend erzeugt wird. Das und auch wohl falsche Scham, die oft an dem todwunden Gemüte nagt, hielt sie von ihrem Entschluß zurück. Wenige Monden nach dem Tode meines Vaters folgte ihm meine Mutter ins Grab.« – »Arme Anne! Arme Anne!« rief die Scuderi, von Schmerz überwältigt. »Dank und Preis der ewigen Macht des Himmels, daß sie hinüber ist und nicht fallen sieht den geliebten Sohn unter der Hand des Henkers, mit Schande gebrandmarkt.« So schrie Olivier laut auf, indem er einen wilden entsetzlichen Blick in die Höhe warf. Es wurde draußen unruhig, man ging hin und her. »Hoho«, sprach Olivier mit einem bittern Lächeln, »Desgrais weckt seine Spießgesellen, als ob ich *hier* entfliehen könnte. – Doch weiter! Ich wurde von meinem Meister hart gehalten, unerachtet ich bald am besten arbeitete, ja wohl endlich den Meister weit übertraf. Es begab sich, daß einst ein Fremder in unsere Werkstatt kam, um einiges Geschmeide zu kaufen. Als der nun einen schönen Halsschmuck sah, den ich gearbeitet, klopfte er mir mit freundlicher Miene auf die Schultern, indem er, den Schmuck beäugelnd, sprach: „Ei, ei, mein junger Freund, das ist ja ganz vortreffliche Arbeit. Ich wüßte in der Tat nicht, wer Euch noch anders übertreffen sollte als René Cardillac, der freilich der erste Goldschmied ist, den es auf der Welt gibt. Zu dem solltet Ihr hingehen; mit Freuden nimmt er Euch in seine Werkstatt, denn nur *Ihr* könnt ihm beistehen in seiner kunstvollen Arbeit, und nur von ihm allein könnt Ihr dagegen noch lernen.“ Die Worte des Fremden waren tief in meine Seele gefallen. Ich hatte keine Ruhe mehr in Genf, mich zog es fort mit Gewalt. Endlich gelang es mir, mich von meinem Meister loszumachen. Ich kam nach Paris. René Cardillac empfing mich kalt und barsch. Ich ließ nicht nach, er mußte mir Arbeit geben, so geringfügig sie auch sein mochte. Ich sollte einen kleinen Ring fertigen. Als ich ihm die Arbeit brachte, sah er mich starr an mit seinen funkelnden Augen, als wollt er hineinschauen in mein Innerstes. Dann sprach er: „Du bist ein tüchtiger, wackerer Geselle, du kannst zu mir ziehen und mir helfen in der Werkstatt. Ich zahle dir gut, du wirst mit mir zufrieden sein.“ Cardillac hielt Wort. Schon mehrere Wochen war ich bei ihm, ohne Madelon gesehen zu haben, die, irr' ich nicht, auf dem Lande bei irgendeiner Muhme Cardillacs damals sich aufhielt. Endlich kam sie. O du ewige Macht des Himmels, wie geschah mir, als ich das Engelsbild sah! Hat je ein Mensch so geliebt als ich! Und nun! – O Madelon!«

Olivier konnte vor Wehmut nicht weitersprechen. Er hielt beide Hände vors Gesicht und schluchzte heftig. Endlich mit Gewalt den wilden Schmerz, der ihn erfaßt, niederkämpfend, sprach er weiter:

»Madelon blickte mich an mit freundlichen Augen. Sie kam öfter und öfter in die Werkstatt. Mit Entzücken gewahrte ich ihre Liebe. So streng der Vater uns bewachte, mancher verstohlne Händedruck galt als Zeichen des geschlossenen Bundes. Cardillac schien nichts zu merken. Ich gedachte, hätte ich erst seine Gunst gewonnen und konnte ich die Meisterschaft erlangen, um Madelon zu werben. Eines Morgens, als ich meine Arbeit beginnen wollte, trat Cardillac vor mich hin, Zorn und Verachtung im finstern Blick. „Ich bedarf deiner Arbeit nicht mehr“, fing er an, „fort aus dem Hause noch in dieser

Stunde und laß dich nie mehr vor meinen Augen sehen. Warum ich dich hier nicht mehr dulden kann, brauche ich dir nicht zu sagen. Für dich armen Schlucker hängt die süße Frucht zu hoch, nach der du trachtest!" Ich wollte reden, er packte mich aber mit starker Faust und warf mich zur Türe hinaus, daß ich niederstürzte und mich hart verwundete an Kopf und Arm. Empört, zerrissen vom grimmen Schmerz, verließ ich das Haus und fand endlich am äußersten Ende der Vorstadt St. Martin einen gutmütigen Bekannten, der mich aufnahm in seine Bodenkammer. Ich hatte keine Ruhe, keine Rast. Zur Nachtzeit umschlich ich Cardillacs Haus, wähnend, daß Madelon meine Seufzer, meine Klage vernehmen, daß es ihr vielleicht gelingen werde, mich vom Fenster herab unbelauscht zu sprechen. Allerlei verwogene Pläne kreuzten in meinem Gehirn, zu deren Ausführung ich sie zu bereden hoffte. An Cardillacs Haus in der Straße Nicaise schließt sich eine hohe Mauer mit Blenden und alten, halb zerstückelten Steinbildern darin. Dicht bei einem solchen Steinbilde stehe ich in einer Nacht und sehe hinauf nach den Fenstern des Hauses, die in den Hof gehen, den die Mauer einschließt. Da gewahr ich plötzlich Licht in Cardillacs Werkstatt. Es ist Mitternacht, nie war sonst Cardillac zu dieser Stunde wach, er pflegte sich auf den Schlag neun Uhr zur Ruhe zu begeben. Mir pocht das Herz vor banger Ahnung, ich denke an irgendein Ereignis, das mir vielleicht den Eingang bahnt. Doch gleich verschwindet das Licht wieder. Ich drücke mich an das Steinbild, in die Blende hinein, doch entsetzt pralle ich zurück, als ich einen Gegendruck fühle, als sei das Bild lebendig geworden. In dem dämmernden Schimmer der Nacht gewahre ich nun, daß der Stein sich langsam dreht und hinter demselben eine finstere Gestalt hervorschlüpft, die leisen Trittes die Straße hinabgeht. Ich springe an das Steinbild hinan, es steht wie zuvor dicht an der Mauer. Unwillkürlich, wie von einer innern Macht getrieben, schleiche ich hinter der Gestalt her. Gerade bei einem Marienbilde schaut die Gestalt sich um, der volle Schein der hellen Lampe, die vor dem Bilde brennt, fällt ihr ins Antlitz. Es ist Cardillac! Eine unbegreifliche Angst, ein unheimliches Grauen überfällt mich. Wie durch Zauber festgebannt, muß ich fort – nach, dem gespenstischen Nachtwanderer. Dafür halte ich den Meister, unerachtet nicht die Zeit des Vollmonds ist, in der solcher Spuk die Schlafenden betört. Endlich verschwindet Cardillac seitwärts in den tiefen Schatten. An einem kleinen, wiewohl bekannten Räuspern gewahre ich indessen, daß er in die Einfahrt eines Hauses getreten ist. Was bedeutet das, was wird er beginnen? so fragte ich mich selbst voll Erstaunen und drücke mich dicht an die Häuser. Nicht lange dauert's, so kommt singend und trillerierend ein Mann daher mit leuchtendem Federbusch und klirrenden Sporen. Wie ein Tiger auf seinen Raub, stürzt sich Cardillac aus seinem Schlupfwinkel auf den Mann, der in demselben Augenblick röchelnd zu Boden sinkt. Mit einem Schrei des Entsetzens springe ich heran, Cardillac ist über den Mann, der zu Boden liegt, her. „Meister Cardillac, was tut Ihr?" rufe ich laut. „Vermaledeiter!" brüllte Cardillac, rennt mit Blitzesschnelle bei mir vorbei und verschwindet. Ganz außer mir, kaum der Schritte mächtig, nähere ich mich dem Niedergeworfenen. Ich knie bei ihm nieder, vielleicht, denk' ich, ist er noch zu retten, aber keine Spur des Lebens ist mehr in ihm. In meiner Todesangst gewahre ich kaum, daß mich die Maréchaussée umringt hat. „Schon wieder einer von den Teufeln niedergestreckt – hehe, junger Mensch, was machst du da? Bist einer von der Bande? Fort mit dir!" So schrien sie durcheinander und packen mich an. Kaum vermag ich zu stammeln, daß ich solche gräßliche Untat ja gar nicht hätte begehen können und daß sie mich im Frieden ziehen lassen möchten. Da leuchtet mir einer ins Gesicht und ruft lachend: „Das ist Olivier Brusson, der Goldschmiedsgeselle, der bei unserm ehrlichen, braven Meister Cardillac arbeitet! – Ja *der* wird die Leute auf der Straße morden! Sieht mir recht darnach aus – ist recht nach der Art der Mordbuben, daß sie beim Leichnam lamentieren und sich fangen lassen werden. Wie war's, Junge? Erzähle dreist." – „Dicht vor mir", sprach ich, „sprang ein Mensch auf den dort los, stieß ihn nieder und rannte blitzschnell davon, als ich laut aufschrie. Ich wollt' doch sehen, ob der Niedergeworfene noch zu retten wäre." – „Nein, mein Sohn", ruft einer von denen, die den Leichnam aufgehoben, „der ist hin, durchs Herz, wie gewöhnlich, geht der Dolchstich." – „Teufel", spricht ein anderer, „kamen wir doch wieder zu spät wie vorgestern." Damit entfernen sie sich mit dem Leichnam.

Wie mir zumute war, kann ich gar nicht sagen; ich fühlte mich an, ob nicht ein böser Traum mich necke, es war mir, als müßt' ich nun gleich erwachen und mich wundern über das tolle Trugbild: Cardillac, der Vater meiner Madelon, ein verruchter Mörder! Ich war kraftlos auf die steinernen Stufen eines Hauses gesunken! Immer mehr und mehr dämmerte der Morgen herauf, ein Offiziershut, reich mit Federn geschmückt, lag vor mir auf dem Pflaster. Cardillacs blutige Tat, auf der Stelle begangen, wo ich saß, ging vor mir hell auf. Entsetzt rannte ich von dannen.

Ganz verwirrt, beinahe besinnungslos sitze ich in meiner Dachkammer, da geht die Tür auf, und René Cardillac tritt herein. „Um Christi willen! Was wollt Ihr?« schrie ich ihm entgegen. Er, das gar nicht achtend, kommt auf mich zu und lächelt mich an mit einer Ruhe und Leutseligkeit, die meinen innern Abscheu vermehrt. Er rückt einen alten, gebrechlichen Schemel heran und setzt sich zu mir, der ich nicht vermag, mich von dem Strohlager zu erheben, auf das ich mich geworfen. „Nun, Olivier", fängt er an, „wie geht es dir, armer Junge? Ich habe mich in der Tat garstig übereilt, als ich dich aus dem Hause stieß, du fehlst mir an allen Ecken und Enden. Eben jetzt habe ich ein Werk vor, das ich ohne deine Hilfe gar nicht vollenden kann. Wie wär's, wenn du wieder in meiner Werkstatt arbeitetest? – Du schweigst? Ja, ich weiß, ich habe dich beleidigt. Nicht verhehlen wollt' ich's dir, daß ich auf dich zornig war wegen der Liebelei mit meiner Madelon. Doch recht überlegt habe ich mir das Ding nachher und gefunden, daß bei deiner Geschicklichkeit, deinem Fleiß, deiner Treue ich mir keinen bessern Eidam wünschen kann als eben dich. Komm also mit mir und siehe zu, wie du Madelon zur Frau gewinnen magst."

Cardillacs Worte durchschnitten mir das Herz, ich erbebte vor seiner Bosheit, ich konnte kein Wort hervorbringen. „Du zauderst", fuhr er nun fort mit scharfem Ton, indem seine funkelnden Augen mich durchbohren, „du zauderst? Du kannst vielleicht heute noch nicht mit mir kommen, du hast andere Dinge vor! Du willst vielleicht Desgrais besuchen oder dich gar einführen lassen bei d'Argenson oder La Regnie. Nimm dich in acht, Bursche, daß die Krallen, die du hervorlocken willst zu anderer Leute Verderben, dich nicht selbst fassen und zerreißen." Da macht sich mein tief empörtes Gemüt plötzlich Luft. „Mögen die", rufe ich, „mögen die, die sich gräßlicher Untat bewußt sind, jene Namen fühlen, die Ihr eben nanntet, ich darf das nicht, ich habe nichts mit ihnen zu schaffen." – „Eigentlich", spricht Cardillac weiter, „eigentlich, Olivier, macht es dir Ehre, wenn du bei mir arbeitest, bei mir, dem berühmtesten Meister seiner Zeit, überall hochgeachtet wegen seiner Treue und Rechtschaffenheit, so daß jede böse Verleumdung schwer zurückfallen würde auf das Haupt des Verleumders. – Was nun Madelon betrifft, so muß ich dir nur gestehen, daß du meine Nachgiebigkeit ihr allein verdankest. Sie liebt dich mit einer Heftigkeit, die ich dem zarten Kinde gar nicht zutrauen konnte. Gleich als du fort warst, fiel sie mir zu Füßen, umschlang meine Knie und gestand unter tausend Tränen, daß sie ohne dich nicht leben könne. Ich dachte, sie bilde sich das nur ein, wie es denn bei jungen verliebten Dingern zu geschehen pflegt, daß sie gleich sterben wollen, wenn das erste Milchgesicht sie freundlich angeblickt. Aber in der Tat, meine Madelon wurde siech und krank, und wie ich ihr denn das tolle Zeug ausreden wollte, rief sie hundertmal deinen Namen. Was konnt' ich endlich tun, wollt' ich sie nicht verzweifeln lassen? Gestern abend sagt' ich ihr, ich willige in alles und werde dich heute holen. Da ist sie über Nacht aufgeblüht wie eine Rose und harrt nun auf dich, ganz außer sich vor Liebessehnsucht." – Mag es mir die ewige Macht des Himmels verzeihen, aber selbst weiß ich nicht, wie es geschah, daß ich plötzlich in Cardillacs Hause stand, daß Madelon, laut aufjauchzend: „Olivier, mein Olivier, mein Geliebter, mein Gatte!", auf mich gestürzt, mich mit beiden Armen umschlang, mich fest an ihre Brust drückte, daß ich im Übermaß des höchsten Entzückens bei der Jungfrau und allen Heiligen schwor, sie nimmer, nimmer zu verlassen!«

Erschüttert von dem Andenken an diesen entscheidenden Augenblick, mußte Olivier innehalten. Die Scuderi, von Grausen erfüllt über die Untat eines Mannes, den sie für die Tugend, die Rechtschaffenheit selbst gehalten, rief: »Entsetzlich! René Cardillac gehört zu der Mordbande, die unsere gute Stadt so lange zur Räuberhöhle machte?« – »Was sagt Ihr, mein Fräulein«, sprach Olivier, »zur *Bande*? Nie hat es eine solche Bande gegeben. Cardillac *allein* war es, der mit verruchter Tätigkeit in der ganzen Stadt seine Schlachtopfer suchte und fand. Daß er es *allein* war, darin liegt die Sicherheit, womit er seine Streiche führte, die unüberwundene Schwierigkeit, dem Mörder auf die Spur zu kommen. – Doch laßt mich fortfahren, der Verfolg wird Euch die Geheimnisse des verruchtesten und zugleich unglücklichsten aller Menschen aufklären. Die Lage, in der ich mich nun bei dem Meister befand, jeder mag *die* sich leicht denken. Der Schritt war geschehen, ich konnte nicht mehr zurück. Zuweilen war es mir, als sei ich selbst Cardillacs Mordgehilfe geworden, nur in Madelons Liebe vergaß ich die innere Pein, die mich quälte, nur bei ihr konnt' es mir gelingen, jede äußere Spur namenlosen Grams wegzutilgen. Arbeitete ich mit dem Alten in der Werkstatt, nicht ins Antlitz vermochte ich ihm zu schauen, kaum ein Wort zu reden vor dem Grausen, das mich durchbebte in der Nähe des entsetzlichen Menschen, der alle Tugenden des treuen, zärtlichen Vaters, des guten Bürgers erfüllte, während die Nacht seine Untaten verschleierte. Madelon, das fromme, engelreine Kind, hing an ihm mit abgöttischer Liebe. Das Herz durchbohrte es mir, wenn ich daran dachte, daß, träfe einmal die Rache den verlarvten Bösewicht, sie ja, mit aller höllischen List des Satans getäuscht, der gräßlichsten Verzweiflung unterliegen müsse. Schon das verschloß mir den Mund, und hätt' ich den Tod des Verbrechers darum dulden müssen. Unerachtet ich aus den Reden der Maréchaussée genug entnehmen konnte, waren mir Cardillacs Untaten, ihr Motiv, die Art, sie auszuführen, ein Rätsel; die Aufklärung blieb nicht lange aus. Eines Tages war Cardillac, der sonst, meinen Abscheu erregend, bei der Arbeit in der heitersten Laune, scherzte und lachte, sehr ernst und in sich gekehrt. Plötzlich warf er das Geschmeide, woran er eben arbeitete, beiseite, daß Stein und Perlen auseinanderrollten, stand heftig auf und sprach: „Olivier! Es kann zwischen uns beiden nicht so bleiben, dies Verhältnis ist mir unerträglich. Was der feinsten Schlauigkeit Desgrais' und seiner Spießgesellen nicht gelang zu entdecken, das spielte dir der Zufall in die Hände. Du hast mich geschaut in der nächtlichen Arbeit, zu der mich mein böser Stern treibt, kein Widerstand ist möglich. Auch dein böser Stern war es, der dich mir folgen ließ, der dich in undurchdringlichen Schleier hüllte, der deinem Fußtritt die Leichtigkeit gab, daß du unhörbar wandeltest wie das kleinste Tier, so daß ich, der ich in der tiefsten Nacht klar schaue wie der Tiger, der ich straßenweit das kleinste Geräusch, das Sumsen der Mücke vernehme, dich nicht bemerkte. Dein böser Stern hat dich, meinen Gefährten, mir zugeführt. An Verrat ist, so wie du jetzt stehst, nicht mehr zu denken. Darum magst du alles wissen." – „Nimmermehr werd' ich dein Gefährte sein, heuchlerischer Bösewicht." So wollt' ich aufschreien, aber das innere Entsetzen, das mich bei Cardillacs Worten erfaßt, schnürte mir die Kehle zu. Statt der Worte vermochte ich nur einen unverständigen Laut auszustoßen. Cardillac setzte sich wieder in seinen Arbeitsstuhl. Er trocknete sich den Schweiß von der Stirne. Er schien, von der Erinnerung des Vergangenen hart berührt, sich mühsam zu fassen. Endlich fing er an: „Weise Männer sprechen viel von den seltsamen Eindrücken, deren Frauen in guter Hoffnung fähig sind, von dem wunderbaren Einfluß solch lebhaften, willenlosen Eindrucks von außen her auf das Kind. Von meiner Mutter erzählte man mir eine wunderliche Geschichte. Als die mit mir im ersten Monat schwanger ging, schaute sie mit andern Weibern einem glänzenden Hoffest zu, das in Trianon gegeben wurde. Da fiel ihr Blick auf einen Kavalier in spanischer Kleidung mit einer blitzenden Juwelenkette um den Hals, von der sie die Augen gar nicht mehr abwenden konnte. Ihr ganzes Wesen war Begierde nach den funkelnden Steinen, die ihr ein überirdisches Gut dünkten. Derselbe Kavalier hatte vor mehreren Jahren, als meine Mutter noch nicht verheiratet, ihrer Tugend nachgestellt, war aber mit Abscheu zurückgewiesen worden. Meine Mutter erkannte ihn wieder, aber jetzt war es ihr, als sei er im Glanz der strahlenden Diamanten ein Wesen höherer Art, der Inbegriff aller Schönheit. Der Kavalier bemerkte die sehnsuchtsvollen, feurigen Blicke meiner Mutter. Er glaubte jetzt glücklicher zu sein als vormals. Er wußte sich ihr zu nähern, noch mehr, sie von ihren Bekannten fort an einen einsamen Ort zu locken. Dort schloß er sie brünstig in seine Arme, meine Mutter faßte nach der schönen Kette, aber in demselben Augenblick sank er nieder und riß meine Mutter mit sich zu Boden. Sei es, daß ihn der Schlag plötzlich getroffen, oder aus einer andern Ursache: genug, er war tot. Vergebens war das Mühen meiner Mutter, sich den im Todeskrampf erstarrten Armen des Leichnams zu entwinden. Die hohlen Augen, deren Sehkraft erloschen, auf sie gerichtet, wälzte der Tote sich mit ihr auf dem Boden. Ihr gellendes Hilfsgeschrei drang endlich bis zu in der Ferne Vorübergehenden, die herbeieilten und sie retteten aus den Armen des grausigen Liebhabers. Das Entsetzen warf meine Mutter auf ein schweres Krankenlager. Man gab sie, mich verloren, doch sie gesundete, und die Entbindung war glücklicher, als man je hatte hoffen können. Aber die Schrecken jenes fürchterlichen Augenblicks hatten *mich* getroffen. Mein böser Stern war aufgegangen und hatte den Funken hinabgeschossen, der in mir eine der seltsamsten und verderblichsten Leidenschaften entzündet. Schon in der frühesten Kindheit gingen mir glänzende Diamanten, goldenes Geschmeide über alles. Man hielt das für gewöhnlich kindische Neigung. Aber es zeigte sich anders, denn als Knabe stahl ich Gold und Juwelen, wo ich sie habhaft werden konnte. Wie der geübteste Kenner unterschied ich aus Instinkt unechtes Geschmeide von echtem. Nur dieses lockte mich, unechtes sowie geprägtes Gold ließ ich unbeachtet liegen. Den grausamsten Züchtigungen des Vaters mußte die angeborne Begierde weichen. Um nur mit Gold und edlen Steinen hantieren zu können, wandte ich mich zur Goldschmiedsprofession. Ich arbeitete mit Leidenschaft und wurde bald der erste Meister dieser Art. Nun begann eine Periode, in der der angeborne Trieb, so lange niedergedrückt, mit Gewalt empordrang und mit Macht wuchs, alles um sich her wegzehrend. Sowie ich ein Geschmeide gefertigt und abgeliefert, fiel ich in eine Unruhe, in eine Trostlosigkeit, die mir Schlaf, Gesundheit, Lebensmut raubte. Wie ein Gespenst stand Tag und Nacht die Person, für die ich gearbeitet, mir vor Augen, geschmückt mit meinem Geschmeide, und eine Stimme raunte mir in die Ohren: ‚Es ist ja dein, es ist ja dein, nimm es doch – was sollen die Diamanten dem Toten!‘ Da legt' ich mich endlich auf Diebeskünste. Ich hatte Zutritt in den Häusern der Großen, ich nützte schnell jede Gelegenheit, kein Schloß widerstand meinem Geschick, und bald war der Schmuck, den ich gearbeitet, wieder in meinen Händen.

Aber nun vertrieb selbst das nicht meine Unruhe. Jene unheimliche Stimme ließ sich dennoch vernehmen und höhnte mich und rief: ‚Hoho, dein Geschmeide trägt ein Toter!' – Selbst wußte ich nicht, wie es kam, daß ich einen unaussprechlichen Haß auf die warf, denen ich Schmuck gefertigt. Ja im tiefsten Innern regte sich eine Mordlust gegen sie, vor der ich selbst erbebte. In dieser Zeit kaufte ich dieses Haus. Ich war mit dem Besitzer handelseinig geworden, hier in diesem Gemach saßen wir, erfreut über das geschlossene Geschäft, beisammen und tranken eine Flasche Wein. Es war Nacht geworden, ich wollte aufbrechen, da sprach mein Verkäufer: ‚Hört, Meister René, ehe Ihr fortgeht, muß ich Euch mit einem Geheimnis dieses Hauses bekannt machen.' Darauf schloß er jenen in die Mauer eingeführten Schrank auf, schob die Hinterwand fort, trat in ein kleines Gemach, bückte sich nieder, hob eine Falltür auf. Eine steile, schmale Treppe stiegen wir hinab, kamen an ein schmales Pförtchen, das er aufschloß, traten hinaus in den freien Hof. Nun schritt der alte Herr, mein Verkäufer, hinan an die Mauer, schob an einem nur wenig hervorragenden Eisen, und alsbald drehte sich ein Stück Mauer los, so daß ein Mensch bequem durch die Öffnung schlüpfen und auf die Straße gelangen konnte. Du magst einmal das Kunststück sehen, Olivier, das wahrscheinlich schlaue Mönche des Klosters, welches ehemals hier lag, fertigen ließen, um heimlich aus- und einschlüpfen zu können. Es ist ein Stück Holz, nur von außen gemörtelt und getüncht, in das von außen her eine Bildsäule, auch nur von Holz, doch ganz wie Stein, eingefügt ist, welches sich mitsamt der Bildsäule auf verborgenen Angeln dreht. – Dunkle Gedanken stiegen in mir auf, als ich diese Einrichtung sah, es war mir, als sei vorgearbeitet solchen Taten, die mir selbst noch Geheimnis blieben. Eben hatt' ich einem Herrn vom Hofe einen reichen Schmuck abgeliefert, der, ich weiß es, einer Operntänzerin bestimmt war. Die Todesfolter blieb nicht aus – das Gespenst hing sich an meine Schritte, der lispelnde Satan an mein Ohr! Ich zog ein in das Haus. In blutigem Angstschweiß gebadet, wälzte ich mich schlaflos auf dem Lager! Ich seh' im Geiste den Menschen zu der Tänzerin schleichen mit meinem Schmuck. Voller Wut springe ich auf, werfe den Mantel um, steige herab die geheime Treppe – fort durch die Mauer nach der Straße Nicaise. Er kommt, ich falle über ihn her, er schreit auf, doch von hinten festgepackt, stoße ich ihm den Dolch ins Herz – der Schmuck ist mein! Dies getan, fühlte ich eine Ruhe, eine Zufriedenheit in meiner Seele, wie sonst niemals. Das Gespenst war verschwunden, die Stimme des Satans schwieg. Nun wußte ich, was mein böser Stern wollte, ich mußte ihm nachgeben oder untergehen!

Du begreifst jetzt mein ganzes Tun und Treiben, Olivier! Glaube nicht, daß ich darum, weil ich tun muß, was ich nicht lassen kann, jenem Gefühl des Mitleids, des Erbarmens, was in der Natur des Menschen bedingt sein soll, rein entsagt habe. Du weißt, wie schwer es mir wird, einen Schmuck abzuliefern; wie ich für manche, deren Tod ich nicht will, gar nicht arbeite, ja wie ich sogar, weiß ich, daß am morgenden Tage Blut mein Gespenst verbannen wird, heute es bei einem tüchtigen Faustschlag bewenden lasse, der den Besitzer meines Kleinods zu Boden streckt und mir dieses in die Hand liefert.“ Dies alles gesprochen, führte mich Cardillac in das geheime Gewölbe und gönnte mir den Anblick seines Juwelenkabinetts. Der König besitzt es nicht reicher. Bei jedem Schmuck war auf einem kleinen darangehängten Zettel genau bemerkt, für wen es gearbeitet, wann es durch Diebstahl, Raub oder Mord genommen worden. „An deinem Hochzeitstage“, sprach Cardillac dumpf und feierlich, „an deinem Hochzeitstage, Olivier, wirst du mir, die Hand gelegt auf des gekreuzigten Christus Bild, einen heiligen Eid schwören, sowie ich gestorben, alle diese Reichtümer in Staub zu vernichten durch Mittel, die ich dir dann bekannt machen werde. Ich will nicht, daß irgendein menschlich Wesen, und am wenigsten Madelon und du, in den Besitz des mit Blut erkauften Horts komme.“ Gefangen in diesem Labyrinth des Verbrechens, zerrissen von Liebe und Abscheu, von Wonne und Entsetzen, war ich dem Verdammnis zu vergleichen, dem ein holder Engel mild lächelnd hinaufwinkt, aber mit glühenden Krallen festgepackt hält ihn der Satan, und des frommen Engels Liebeslächeln, in dem sich alle Seligkeit des hohen Himmels abspiegelt, wird ihm zur grimmigsten seiner Qualen. Ich dachte an Flucht, ja an Selbstmord, aber Madelon! Tadelt mich, tadelt mich, mein würdiges Fräulein, daß ich zu schwach war, mit Gewalt eine Leidenschaft niederzukämpfen, die mich an das Verbrechen fesselte; aber büße ich nicht dafür mit schmachvollem Tode? – Eines Tages kam Cardillac nach Hause, ungewöhnlich heiter. Er liebkoste Madelon, warf mir die freundlichsten Blicke zu, trank bei Tische eine Flasche edlen Weins, wie er es nur an hohen Fest- und Feiertagen zu tun pflegte, sang und jubilierte. Madelon hatte uns verlassen, ich wollte in die Werkstatt: „Bleib sitzen, Junge“, rief Cardillac, „heut keine Arbeit mehr, laß uns noch eins trinken auf das Wohl der allerwürdigsten, vortrefflichsten Dame in Paris.“ Nachdem ich mit ihm angestoßen und er ein volles Glas geleert hatte, sprach er: „Sag an, Olivier, wie gefallen dir die Verse: Un amant, qui craint les voleurs, n ’est point digne d’amour.“

Er erzählte nun, was sich in den Gemächern der Maintenon mit Euch und dem König begeben, und fügte hinzu, daß er Euch von jeher verehrt habe, wie sonst kein menschliches Wesen, und daß Ihr, mit solch hoher Tugend begabt, vor der der böse Stern kraftlos erbleiche, selbst den schönsten von ihm gefertigten Schmuck tragend, niemals ein böses Gespenst, Mordgedanken in ihm erregen würdet. „Höre, Olivier", sprach er, „wozu ich entschlossen. Vor langer Zeit sollt' ich Halsschmuck und Armbänder fertigen für Henriette von England und selbst die Steine dazu liefern. Die Arbeit gelang mir wie keine andere, aber es zerriß mir die Brust, wenn ich daran dachte, mich von dem Schmuck, der mein Herzenskleinod geworden, trennen zu müssen. Du weißt der Prinzessin unglücklichen Tod durch Meuchelmord. Ich behielt den Schmuck und will ihn nun als ein Zeichen meiner Ehrfurcht, meiner Dankbarkeit dem Fräulein von Scuderi senden im Namen der verfolgten Bande. Außerdem, daß die Scuderi das sprechende Zeichen ihres Triumphs erhält, verhöhne ich auch Desgrais und seine Gesellen, wie sie es verdienen. Du sollst ihr den Schmuck hintragen." Sowie Cardillac Euern Namen nannte, Fräulein, war es, als würden schwarze Schleier weggezogen und das schöne, lichte Bild meiner glücklichen frühen Kinderzeit ginge wieder auf in bunten, glänzenden Farben. Es kam ein wunderbarer Trost in meine Seele, ein Hoffnungsstrahl, vor dem die finstern Geister schwanden. Cardillac mochte den Eindruck, den seine Worte auf mich gemacht, wahrnehmen und nach seiner Art deuten. „Dir scheint", sprach er, „mein Vorhaben zu behagen. Gestehen kann ich wohl, daß eine tiefe innere Stimme, sehr verschieden von der, welche Blutopfer verlangt wie ein gefräßiges Raubtier, mir befohlen hat, daß ich solches tue. Manchmal wird mir wunderlich im Gemüte . . ., eine innere Angst, die Furcht vor irgend etwas Entsetzlichem, dessen Schauer aus einem fernen Jenseits herüberwehen in die Zeit, ergreift mich gewaltsam. Es ist mir dann sogar, als ob das, was der böse Stern begonnen durch mich, meiner unsterblichen Seele, die daran keinen Teil hat, zugerechnet werden könne. In solcher Stimmung beschloß ich, für die Heilige Jungfrau in der Kirche Saint-Eustache eine schöne Diamantenkrone zu fertigen. Aber jene unbegreifliche Angst überfiel mich stärker, sooft ich die Arbeit beginnen wollte, da unterließ ich's ganz. Jetzt ist es mir, als wenn ich der Tugend und Frömmigkeit selbst demutsvoll ein Opfer bringe und wirksame Fürsprache erflehe, indem ich der Scuderi den schönsten Schmuck sende, den ich jemals gearbeitet." – Cardillac, mit Eurer ganzen Lebensweise, mein Fräulein, auf das genaueste bekannt, gab mir nun Art und Weise sowie die Stunde an, wie und wann ich den Schmuck, den er in ein sauberes Kästchen schloß, abliefern solle. Mein ganzes Wesen war Entzücken, denn der Himmel selbst zeigte mir durch den freveligen Cardillac den Weg, mich zu retten aus der Hölle, in der ich, ein verstoßener Sünder, schmachte. So dacht' ich. Ganz gegen Cardillacs Willen wollt' ich bis zu Euch dringen. Als Anne Brussons Sohn, als Euer Pflegling gedacht' ich, mich Euch zu Füßen zu werfen und Euch alles, alles zu entdecken. Ihr hättet, gerührt von dem namenlosen Elend, das der armen, unschuldigen Madelon drohte bei der Entdeckung, das Geheimnis beachtet, aber Euer hoher, scharfsinniger Geist fand gewiß sichre Mittel, ohne jede Entdeckung der verruchten Bosheit Cardillacs zu steuern. Fragt mich nicht, worin diese Mittel hätten bestehen sollen, ich weiß es nicht – aber daß Ihr Madelon und mich retten würdet, davon lag die Überzeugung fest in meiner Seele wie der Glaube an die trostreiche Hilfe der Heiligen Jungfrau. – Ihr wißt, Fräulein, daß meine Absicht in jener Nacht fehlschlug. Ich verlor nicht die Hoffnung, ein andermal glücklicher zu sein. Da geschah es, daß Cardillac plötzlich alle Munterkeit verlor. Er schlich trübe umher, starrte vor sich hin, murmelte unverständliche Worte, focht mit den Händen, Feindliches von sich abwehrend, sein Geist schien gequält von bösen Gedanken. So hatte er es einen ganzen Morgen getrieben. Endlich setzte er sich an den Werktisch, sprang unmutig wieder auf, schaute durchs Fenster, sprach ernst und düster: „Ich wollte doch, Henriette von England hätte meinen Schmuck getragen!" Die Worte erfüllten mich mit Entsetzen. Nun wußt' ich, daß sein irrer Geist wieder erfaßt war von dem abscheulichen Mordgespenst, daß des Satans Stimme wieder laut geworden vor seinen Ohren. Ich sah Euer Leben bedroht von dem verruchten Mordteufel. Hatte Cardillac nur seinen Schmuck wieder in Händen, so wart Ihr gerettet. Mit jedem Augenblick wuchs die Gefahr. Da begegnete ich Euch auf dem Pont-Neuf, drängte mich an Eure Kutsche, warf Euch jenen Zettel zu, der Euch beschwor, doch nur gleich den erhaltenen Schmuck in Cardillacs Hände zu bringen. Ihr kamt nicht. Meine Angst stieg bis zur Verzweiflung, als andern Tages Cardillac von nichts anderm sprach, als von dem köstlichen Schmuck, der ihm in der Nacht vor Augen gekommen. Ich konnte das nur auf Euern Schmuck deuten, und es wurde mir gewiß, daß er über irgendeinen Mordanschlag brüte, den er gewiß schon in der Nacht auszuführen sich vorgenommen. Euch retten mußt' ich, und sollt' es Cardillacs Leben kosten. Sowie Cardillac nach dem Abendgebet sich wie gewöhnlich eingeschlossen, stieg ich durch ein Fenster in den Hof, schlüpfte durch die Öffnung in der Mauer und stellte mich unfern in den tiefen

Schatten. Nicht lange dauerte es, so kam Cardillac heraus und schlich leise durch die Straße fort. Ich hinter ihm her. Er ging nach der Straße Saint-Honoré, mir bebte das Herz. Cardillac war mit einemmal mir entschwunden. Ich beschloß, mich an Eure Haustüre zu stellen. Da kommt singend und trillernd, wie damals, als der Zufall mich zum Zuschauer von Cardillacs Mordtat machte, ein Offizier bei mir vorüber, ohne mich zu gewahren. Aber in demselben Augenblick springt eine schwarze Gestalt hervor und fällt über ihn her. Es ist Cardillac. Diesen Mord will ich hindern, mit einem lauten Schrei bin ich in zwei, drei Sätzen zur Stelle. Nicht der Offizier – Cardillac sinkt, zum Tode getroffen, röchelnd zu Boden. Der Offizier läßt den Dolch fallen, reißt den Degen aus der Scheide, stellt sich, wähnend, ich sei des Mörders Geselle, kampffertig mir entgegen, eilt aber schnell davon, als er gewahrt, daß ich, ohne mich um ihn zu kümmern, nur den Leichnam untersuche. Cardillac lebte noch. Ich lud ihn, nachdem ich den Dolch, den der Offizier hatte fallen lassen, zu mir gesteckt, auf die Schultern und schleppte ihn mühsam fort nach Hause und durch den geheimen Gang hinauf in die Werkstatt. Das übrige ist Euch bekannt. Ihr seht, mein würdiges Fräulein, daß mein einziges Verbrechen nur darin besteht, daß ich Madelons Vater nicht den Gerichten verriet und so seinen Untaten ein Ende machte. Rein bin ich von jeder Blutschuld. Keine Marter wird mir das Geheimnis von Cardillacs Untaten abzwingen. Ich will nicht, daß der ewigen Macht, die der tugendhaften Tochter des Vaters gräßliche Blutschuld verschleierte, zum Trotz das ganze Elend der Vergangenheit, ihres ganzen Seins noch jetzt tötend auf sie einbreche, daß noch jetzt die weltliche Rache den Leichnam aufwühle aus der Erde, die ihn deckt, daß noch jetzt der Henker die vermoderten Gebeine mit Schande brandmarke. – Nein! Mich wird die Geliebte meiner Seele beweinen als den unschuldig Gefallenen, die Zeit wird ihren Schmerz lindern, aber unüberwindlich würde der Jammer sein über des geliebten Vaters entsetzliche Taten der Hölle!«

Olivier schwieg, aber nun stürzte plötzlich ein Tränenstrom aus seinen Augen, er warf sich der Scuderi zu Füßen und flehte: »Ihr seid von meiner Unschuld überzeugt – gewiß, Ihr seid es! Habt Erbarmen mit mir, sagt, wie steht es um Madelon?« Die Scuderi rief die Martinière, und nach wenigen Augenblicken flog Madelon an Oliviers Hals. »Nun ist alles gut, da du hier bist. Ich wußt' es ja, daß die edelmütigste Dame dich retten würde!« So rief Madelon ein Mal über das andere, und Olivier vergaß sein Schicksal, alles was ihm drohte, er war frei und selig. Auf das rührendste klagten beide sich, was sie um einander gelitten, und umarmten sich dann aufs neue und weinten vor Entzücken, daß sie sich wiedergefunden.

Wäre die Scuderi nicht von Oliviers Unschuld schon überzeugt gewesen, der Glaube daran müßte ihr jetzt gekommen sein, da sie die beiden betrachtete, die in der Seligkeit des innigsten Liebesbündnisses die Welt vergaßen und ihr Elend und ihr namenloses Leiden. »Nein«, rief sie, »solch seliger Vergessenheit ist nur ein reines Herz fähig.«

Die hellen Strahlen des Morgens brachen durch die Fenster. Desgrais klopfte leise an die Tür des Gemaches und erinnerte, daß es Zeit sei, Olivier Brusson fortzuschaffen, da, ohne Aufsehen zu erregen, das später nicht geschehen könne. Die Liebenden mußten sich trennen.

Die dunklen Ahnungen, von denen der Scuderi Gemüt befangen seit Brussons erstem Eintritt in ihr Haus, hatten sich nun zum Leben gestaltet auf furchtbare Weise. Den Sohn ihrer geliebten Anne sah sie schuldlos verstrickt auf eine Art, daß ihn vom schmachvollen Tod zu retten kaum denkbar schien. Sie ehrte des Jünglings Heldensinn, der lieber schuldbeladen sterben als ein Geheimnis verraten wollte, das seiner Madelon den Tod bringen mußte. Im ganzen Reiche der Möglichkeit fand sie kein Mittel, den Ärmsten dem grausamen Gerichtshofe zu entreißen. Und doch stand es fest in ihrer Seele, daß sie kein Opfer scheuen müsse, das himmelschreiende Unrecht abzuwenden, das man zu begehen im Begriffe war. Sie quälte sich ab mit allerlei Entwürfen und Plänen, die bis an das Abenteuerliche streiften und die sie ebenso schnell verwarf als auffaßte. Immer mehr verschwand jeder Hoffnungsschimmer, so daß sie verzweifeln wollte. Aber Madelons unbedingtes, frommes, kindliches Vertrauen, die Verklärung, mit der sie von dem Geliebten sprach, der nun bald, freigesprochen von jeder Schuld, sie als Gattin umarmen werde, richtete die Scuderi in ebendem Grad wieder auf, als sie davon bis tief ins Herz gerührt wurde.

Um nun endlich etwas zu tun, schrieb die Scuderi an La Regnie einen langen Brief, worin sie ihm sagte, daß Olivier Brusson ihr auf die glaubwürdigste Weise seine völlige Unschuld an Cardillacs Tode dargetan habe und daß nur der heldenmütige Entschluß, ein Geheimnis in das Grab zu nehmen, dessen Enthüllung die Unschuld und Tugend selbst verderben würde, ihn zurückhalte, dem Gericht ein Geständnis abzulegen, das ihn von dem entsetzlichen Verdacht nicht allein, daß er Cardillac ermordet, sondern daß er auch zur Bande verruchter Mörder gehöre, befreien müsse. Alles, was glühender Eifer, was geistvolle Beredsamkeit vermag, hatte die Scuderi aufgeboten, La Regnies hartes Herz zu erweichen. Nach wenigen Stunden antwortete La Regnie, wie es ihn herzlich freue, wenn Olivier Brusson sich bei seiner hohen, würdigen Gönnerin gänzlich gerechtfertigt habe. Was Oliviers heldenmütigen Entschluß betreffe, ein Geheimnis, das sich auf die Tat beziehe, mit ins Grab nehmen zu wollen, so tue es ihm leid, daß die Chambre ardente dergleichen Heldenmut nicht ehren könne, denselben vielmehr durch die kräftigsten Mittel zu brechen suchen müsse. Nach drei Tagen hoffe er in dem Besitz des seltsamen Geheimnisses zu sein, das wahrscheinlich geschehene Wunder an den Tag bringen werde.

Nur zu gut wußte die Scuderi, was der fürchterliche La Regnie mit jenen Mitteln, die Brussons Heldenmut brechen sollten, meinte. Nun war es gewiß, daß die Tortur über den Unglücklichen verhängt war. In der Todesangst fiel der Scuderi endlich ein, daß, um nur Aufschub zu erlangen, der Rat eines Rechtsverständigen dienlich sein könne. Pierre Arnaud d'Andilly war damals der berühmteste Advokat in Paris. Seiner tiefen Wissenschaft, seinem umfassenden Verstande war seine Rechtschaffenheit, seine Tugend gleich. Zu dem begab sich die Scuderi und sagte ihm alles, soweit es möglich war, ohne Brussons Geheimnis zu verletzen. Sie glaubte, daß d'Andilly mit Eifer sich des Unschuldigen annehmen werde, ihre Hoffnung wurde aber auf das bitterste getäuscht. D'Andilly hatte ruhig alles angehört und erwiderte dann lächelnd mit Boileaus Worten: »Le vrai peut quelque fois n'être pas vraisemblable.« Er bewies der Scuderi, daß die auffallendsten Verdachtsgründe wider Brusson sprächen, daß La Regnies Verfahren keineswegs grausam und übereilt zu nennen, vielmehr ganz gesetzlich sei, ja daß er nicht anders handeln könne, ohne die Pflichten des Richters zu verletzen. Er, d'Andilly, selbst getraue sich nicht durch die geschickteste Verteidigung Brusson vor der Tortur zu retten. Nur Brusson selbst könne das entweder durch aufrichtiges Geständnis oder wenigstens durch die genaueste Erzählung der Umstände bei dem Morde Cardillacs, die dann vielleicht erst zu neuen Ausmittelungen Anlaß geben würden. »So werfe ich mich dem Könige zu Füßen und flehe um Gnade«, sprach die Scuderi, ganz außer sich, mit von Tränen halb erstickter Stimme. »Tut das«, rief d'Andilly, »tut das um des Himmels willen nicht, mein Fräulein! Spart Euch dieses letzte Hilfsmittel auf, das, schlug es einmal fehl, Euch für immer verloren ist. Der König wird nimmer einen Verbrecher *der* Art begnadigen, der bitterste Vorwurf des gefährdeten Volks würde ihn treffen. Möglich ist es, daß Brusson durch Entdeckung seines Geheimnisses oder sonst Mittel findet, den wider ihn streitenden Verdacht aufzuheben. Dann ist es Zeit, des Königs Gnade zu erflehen, der nicht darnach fragen, was vor Gericht bewiesen ist oder nicht, sondern seine innere Überzeugung zu Rate ziehen wird.« – Die Scuderi mußte dem tieferfahrnen d'Andilly notgedrungen beipflichten. In tiefen Kummer versenkt, sinnend und sinnend, was um der Jungfrau und aller Heiligen willen sie nun anfangen solle, um den unglücklichen Brusson zu retten, saß sie am späten Abend in ihrem Gemach, als die Martinière eintrat und den Grafen von Miossens, Obristen von der Garde des Königs, meldete, der dringend wünsche, das Fräulein zu sprechen.

»Verzeiht«, sprach Miossens, indem er sich mit soldatischem Anstande verbeugte, »verzeiht, mein Fräulein, wenn ich Euch so spät, so zu ungelegener Zeit überlaufe. Wir Soldaten machen es nicht anders, und zudem bin ich mit zwei Worten entschuldigt: Olivier Brusson führt mich zu Euch.« Die Scuderi, hochgespannt, was sie jetzt wieder erfahren werde, rief laut: »Olivier Brusson? Der unglücklichste aller Menschen? Was habt Ihr mit dem?« – »Dacht' ich's doch«, sprach Miossens lächelnd weiter, »daß Eures Schützlings Namen hinreichen würde, mir bei Euch ein geneigtes Ohr zu verschaffen. Die ganze Welt ist von Brussons Schuld überzeugt. Ich weiß, daß Ihr eine andere Meinung hegt, die sich freilich nur auf die Beteuerungen des Angeklagten stützen soll, wie man gesagt hat. Mit mir ist es anders. Niemand als ich kann besser überzeugt sein von Brussons Unschuld an dem Tode Cardillacs.« – »Redet, oh, redet«, rief die Scuderi, indem ihr die Augen glänzten vor Entzücken. »Ich«, sprach Miossens mit Nachdruck, »ich war es selbst, der den alten Goldschmied niederstieß in der Straße Saint-Honoré, unfern Eurem Hause.« – »Um aller Heiligen willen, Ihr – Ihr!« rief die Scuderi. »Und«, fuhr Miossens fort, »und ich schwöre es Euch, mein Fräulein, daß ich stolz bin auf meine Tat. Wisset, daß Cardillac der verruchteste, heuchlerischste Bösewicht, daß er es war, der in der Nacht heimtückisch mordete und raubte und so lange allen Schlingen entging. Ich weiß selbst nicht, wie es kam, daß ein innerer Verdacht sich in mir gegen den alten Bösewicht regte, als er voll sichtlicher Unruhe den Schmuck brachte, den ich bestellt, als er sich genau erkundigte, für wen ich den Schmuck bestimmt, und als er auf recht listige Art meinen Kammerdiener ausgefragt hatte, wann ich eine gewisse Dame zu besuchen pflege. Längst war es mir aufgefallen, daß die unglücklichen Schlachtopfer der abscheulichsten Raubgier alle dieselbe Todeswunde trugen. Es war mir gewiß, daß der Mörder auf den Stoß, der augenblicklich töten mußte, eingeübt war und darauf rechnete. Schlug der fehl, so galt es den gleichen

Kampf. Dies ließ mich eine Vorsichtsmaßregel brauchen, die so einfach ist, daß ich nicht begreife, wie andere nicht längst darauf fielen und sich retteten von dem bedrohlichen Mordwesen. Ich trug einen leichten Brustharnisch unter der Weste. Cardillac fiel mich von hinten an. Er umfaßte mich mit Riesenkraft, aber der sicher geführte Stoß glitt ab an dem Eisen. In demselben Augenblick entwand ich mich ihm und stieß ihm den Dolch, den ich in Bereitschaft hatte, in die Brust.« – »Und Ihr schwiegt«, fragte die Scuderi, »Ihr zeigtet den Gerichten nicht an, was geschehen?« – »Erlaubt«, sprach Miossens weiter, »erlaubt, mein Fräulein, zu bemerken, daß eine solche Anzeige mich, wo nicht geradezu ins Verderben, doch in den abscheulichsten Prozeß verwickeln konnte. Hätte La Regnie, überall Verbrechen witternd, mir's denn geradehin geglaubt, wenn *ich* den rechtschaffenen Cardillac, das Muster aller Frömmigkeit und Tugend, des versuchten Mordes angeklagt? Wie, wenn das Schwert der Gerechtigkeit seine Spitze wider mich selbst gewandt?« – »Das war nicht möglich«, rief die Scuderi, »Eure Geburt, Euer Stand . . .« – »Oh«, fuhr Miossens fort, »denkt doch an den Marschall von Luxemburg, den der Einfall, sich von Le Sage das Horoskop stellen zu lassen, in den Verdacht des Giftmordes und in die Bastille brachte. Nein, beim Saint-Dionys, nicht eine Stunde Freiheit, nicht meinen Ohrzipfel geb' ich preis dem rasenden La Regnie, der sein Messer gern an unserer aller Kehlen setzte.« – »Aber so bringt Ihr ja den unschuldigen Brusson aufs Schafott?« fiel ihm die Scuderi ins Wort. »Unschuldig«, erwiderte Miossens, »unschuldig, mein Fräulein, nennt Ihr des verruchten Cardillac Spießgesellen? Der ihm beistand in seinen Taten? Der den Tod hundertmal verdient hat? Nein, in der Tat, *der* blutet mit Recht, und daß ich Euch, mein hochverehrtes Fräulein, den wahren Zusammenhang der Sache entdeckte, geschah in der Voraussetzung, daß Ihr, ohne mich in die Hände der Chambre ardente zu liefern, doch mein Geheimnis auf irgendeiner Weise für Euren Schützling zu nützen verstehen würdet.«

Die Scuderi, im Innersten entzückt, ihre Überzeugung von Brussons Unschuld auf solch entscheidende Weise bestätigt zu sehen, nahm gar keinen Anstand, dem Grafen, der Cardillacs Verbrechen ja schon kannte, alles zu entdecken und ihn aufzufordern, sich mit ihr zu d'Andilly zu begeben. *Dem* sollte unter dem Siegel der Verschwiegenheit alles entdeckt werden, *der* solle dann Rat erteilen, was nun zu beginnen.

D'Andilly, nachdem die Scuderi ihm alles auf das genaueste erzählt hatte, erkundigte sich nochmals nach den geringfügigsten Umständen. Insbesondere fragte er den Grafen Miossens, ob er auch die feste Überzeugung habe, daß er von Cardillac angefallen, und ob er Olivier Brusson als denjenigen würde wiedererkennen können, der den Leichnam fortgetragen. »Außerdem«, erwiderte Miossens, »daß ich in der mondhellen Nacht den Goldschmied recht gut erkannte, habe ich auch bei La Regnie selbst den Dolch gesehen, mit dem Cardillac niedergestoßen wurde. Es ist der meinige, ausgezeichnet durch die zierliche Arbeit des Griffs. Nur einen Schritt von ihm stehend, gewahrte ich alle Züge des Jünglings, dem der Hut vom Kopf gefallen, und würde ihn allerdings wiedererkennen können.«

D'Andilly sah schweigend einige Augenblicke vor sich nieder, dann sprach er: »Auf gewöhnlichem Wege ist Brusson aus den Händen der Justiz nun ganz und gar nicht zu retten. Er will Madelons halber Cardillac nicht als Mordräuber nennen. Das mag er tun, denn selbst, wenn es ihm gelingen müßte, durch Entdeckung des heimlichen Ausgangs, des zusammengeraubten Schatzes dies nachzuweisen, würde ihn doch als Mitverbundenen der Tod treffen. Dasselbe Verhältnis bleibt stehen, wenn der Graf Miossens die Begebenheit mit dem Goldschmied, wie sie wirklich sich zutrug, den Richtern entdecken sollte. *Aufschub* ist das einzige, wonach getrachtet werden muß. Graf Miossens begibt sich nach der Conciergerie, läßt sich Olivier Brusson vorstellen und erkennt ihn für den, der den Leichnam Cardillacs fortschaffte. Er eilt zu La Regnie und sagt: „In der Straße Saint-Honoré sah ich einen Menschen niederstoßen, ich stand dicht neben dem Leichnam, als ein anderer hinzusprang, sich zum Leichnam niederbückte, ihn, da er noch Leben spürte, auf die Schultern lud und forttrug. In Olivier Brusson habe ich diesen Menschen erkannt.“ Diese Aussage veranlaßt Brussons nochmalige Vernehmung, Zusammenstellung mit dem Grafen Miossens. Genug, die Tortur unterbleibt, und man forscht weiter nach. Dann ist es Zeit, sich an den König selbst zu wenden. Euerm Scharfsinn, mein Fräulein, bleibt es überlassen, dies auf die geschickteste Weise zu tun. Nach meinem Dafürhalten würd' es gut sein, dem Könige das ganze Geheimnis zu entdecken. Durch diese Aussage des Grafen Miossens werden Brussons Geständnisse unterstützt. Dasselbe geschieht vielleicht durch geheime Nachforschungen in Cardillacs Hause. Keinen Rechtsspruch, aber des Königs Entscheidung, auf inneres Gefühl, das da, wo der Richter strafen muß, Gnade ausspricht, gestützt, kann das alles begründen.« Graf Miossens befolgte genau, was d'Andilly geraten, und es geschah wirklich, was dieser vorhergesehen.

Nun kam es darauf an, den König anzugehen, und dies war der schwierigste Punkt, da er gegen Brusson, den er allein für den entsetzlichen Raubmörder hielt, welcher so lange Zeit hindurch ganz

Paris in Angst und Schrecken gesetzt hatte, solchen Abscheu hegte, daß er, nur leise erinnert an den berüchtigten Prozeß, in den heftigsten Zorn geriet. Die Maintenon, ihrem Grundsatz, dem Könige nie von unangenehmen Dingen zu reden, getreu, verwarf jede Vermittlung, und so war Brussons Schicksal ganz in die Hand der Scuderi gelegt. Nach langem Sinnen faßte sie einen Entschluß ebenso schnell, als sie ihn ausführte. Sie kleidete sich in eine schwarze Robe von schwerem Seidenzeug, schmückte sich mit Cardillacs köstlichem Geschmeide, hing einen langen, schwarzen Schleier über und erschien so in den Gemächern der Maintenon zur Stunde, da eben der König zugegen. Die edle Gestalt des ehrwürdigen Fräuleins in diesem feierlichen Anzuge hatte eine Majestät, die tiefe Ehrfurcht erwecken mußte selbst bei dem losen Volk, das gewohnt ist, in den Vorzimmern sein leichtsinnig nichts beachtendes Wesen zu treiben. Alles wich scheu zur Seite, und als sie nun eintrat, stand selbst der König ganz verwundert auf und kam ihr entgegen. Da blitzten ihm die köstlichen Diamanten des Halsbandes, der Armbänder ins Auge, und er rief: »Beim Himmel, das ist Cardillacs Geschmeide!« Und dann sich zur Maintenon wendend, fügte er mit anmutigem Lächeln hinzu: »Seht, Frau Marquise, wie unsere schöne Braut um ihren Bräutigam trauert.« – »Ei, gnädiger Herr«, fiel die Scuderi, wie den Scherz fortsetzend, ein, »wie würd' es ziemen einer schmerzerfüllten Braut, sich so glanzvoll zu schmücken? Nein, ich habe mich ganz losgesagt von diesem Goldschmied und dächte nicht mehr an ihn, träte mir nicht manchmal das abscheuliche Bild, wie er ermordet dicht bei mir vorübergetragen wurde, vor Augen.« – »Wie«, fragte der König, »wie! Ihr habt ihn gesehen, den armen Teufel?« Die Scuderi erzählte nun mit kurzen Worten, wie sie der Zufall – noch erwähnte sie nicht der Einmischung Brussons – vor Cardillacs Haus gebracht, als ebender Mord entdeckt worden. Sie schilderte Madelons wilden Schmerz, den tiefen Eindruck, den das Himmelskind auf sie gemacht, die Art, wie sie die Arme unter Zujauchzen des Volkes aus Degrais' Händen gerettet. Mit immer steigendem und steigendem Interesse begannen nun die Szenen mit La Regnie, mit Desgrais, mit Olivier Brusson selbst: Der König, hingerissen von der Gewalt des lebendigsten Lebens, das in der Scuderi Rede glühte, gewahrte nicht, daß von dem gehässigen Prozeß des ihm abscheulichen Brussons die Rede war, vermochte nicht ein Wort hervorzubringen, konnte nur dann und wann mit einem Ausruf Luft machen der inneren Bewegung. Ehe er sich's versah, ganz außer sich über das Unerhörte, was er erfahren, und noch nicht vermögend, alles zu ordnen, lag die Scuderi schon zu seinen Füßen und flehte um Gnade für Olivier Brusson. »Was tut Ihr«, brach der König los, indem er sie bei beiden Händen faßte und in den Sessel nötigte, »was tut Ihr, mein Fräulein! Ihr überrascht mich auf seltsame Weise! Das ist ja eine entsetzliche Geschichte! Wer bürgt für die Wahrheit der abenteuerlichen Erzählung Brussons?« Darauf die Scuderi: »Miossens' Aussage, die Untersuchung in Cardillacs Hause, innere Überzeugung – ach! Madelons tugendhaftes Herz, das gleiche Tugend in dem unglücklichen Brusson erkannte!« Der König, im Begriff, etwas zu erwidern, wandte sich auf ein Geräusch um, das an der Türe entstand. Louvois, der eben im andern Gemach arbeitete, sah hinein mit besorglicher Miene. Der König stand auf und verließ, Louvois folgend, das Zimmer. Beide, die Scuderi, die Maintenon, hielten diese Unterbrechung für gefährlich, denn einmal überrascht, mochte der König sich hüten, in die gestellte Falle zum zweitenmal zu gehen. Doch nach einigen Minuten trat der König wieder hinein, schritt rasch ein paarmal im Zimmer auf und ab, stellte sich dann, die Hände über den Rücken geschlagen, dicht vor der Scuderi hin und sprach, ohne sie anzublicken, halb leise: »Wohl möcht' ich Eure Madelon sehen!« Darauf die Scuderi: »Oh, mein gnädiger Herr, welches hohen, hohen Glücks würdigt Ihr das arme, unglückliche Kind. – Ach, nur Eures Winks bedurft' es ja, die Kleine zu Euren Füßen zu sehen.« Und trippelte dann, so schnell sie es in den schweren Kleidern vermochte, nach der Tür und rief hinaus, der König wolle Madelon Cardillac vor sich lassen, und kam zurück und weinte und schluchzte vor Entzücken und Rührung. Die Scuderi hatte solche Gunst geahnet und daher Madelon mitgenommen, die bei der Marquise Kammerfrau wartete mit einer kurzen Bittschrift in den Händen, die ihr d'Andilly aufgesetzt. In wenig Augenblikken lag sie sprachlos dem Könige zu Füßen. Angst, Bestürzung, scheue Ehrfurcht, Liebe und Schmerz trieben der Armen rascher und rascher das siedende Blut durch die Adern. Ihre Wangen glühten in hohem Purpur – die Augen glänzten von hellen Tränenperlen, die dann und wann hinabfielen durch die seidenen Wimpern auf den schönen Lilienbusen. Der König schien betroffen über die wunderbare Schönheit des Engelskinds. Er hob das Mädchen sanft auf, dann machte er eine Bewegung, als wolle er ihre Hand, die er gefaßt, küssen. Er ließ sie wieder und schaute das holde Kind an mit tränenfeuchtem Blick, der von der tiefsten innern Rührung zeugte. Leise lispelte die Maintenon der Scuderi zu: »Sieht sie nicht der La Vallière ähnlich auf ein Haar, das kleine Ding? Der König schwelgt in den süßesten Erinnerungen. Euer Spiel ist gewonnen.« So leise dies auch die Maintenon sprach, doch schien es der König vernommen zu haben. Eine Röte überflog sein Gesicht, sein Blick streifte bei der Maintenon vorüber, er las die Supplik, die Madelon ihm überreicht, und sprach dann mild und gütig: »Ich will's wohl glauben, daß du, mein liebes Kind, von deines Geliebten Unschuld überzeugt bist, aber hören wir, was die Chambre ardente dazu sagt!« Eine sanfte Bewegung mit der Hand verabschiedete die Kleine, die in Tränen verschwimmen wollte. Die Scuderi gewahrte zu ihrem Schreck, daß die Erinnerung an die Vallière, so ersprießlich sie anfangs geschienen, des Königs Sinn geändert hatte, sowie die Maintenon den Namen genannt. Mocht' es sein, daß der König sich auf unzarte Weise daran erinnert fühlte, daß er im Begriff stehe, das strenge Recht der Schönheit aufzuopfern, oder vielleicht ging es dem Könige wie dem Träumer, dem, hart angerufen, die schönen Zauberbilder, die er zu umfassen gedachte, schnell verschwinden. Vielleicht sah er nun nicht mehr seine Vallière vor sich, sondern dachte nur an die Sœur Louise de la miséricorde – der Vallière Klostername bei den Karmeliternonnen –, die ihn peinigte mit ihrer Frömmigkeit und Buße. Was war jetzt anders zu tun, als des Königs Beschlüsse ruhig abzuwarten?

Des Grafen Miossens Aussage vor der Chambre ardente war indessen bekanntgeworden, und wie es zu geschehen pflegt, daß das Volk leicht getrieben wird von einem Extrem zum andern, so wurde derselbe, den man erst als den verruchtesten Mörder verfluchte und den man zu zerreißen drohte, noch ehe er die Blutbühne bestiegen, als unschuldiges Opfer einer barbarischen Justiz beklagt. Nun erst erinnerten sich die Nachbarsleute seines tugendhaften Wandels, der großen Liebe zu Madelon, der Treue, der Ergebenheit mit Leib und Seele, die er zu dem alten Goldschmied gehegt. Ganze Züge des Volks erschienen oft auf bedrohliche Weise vor La Regnies Palast und schrien: »Gib uns Olivier Brusson heraus, er ist unschuldig« und warfen Steine nach den Fenstern, so daß La Regnie genötigt war, bei der Maréchaussée Schutz zu suchen vor dem Pöbel.

Mehrere Tage vergingen, ohne daß der Scuderi von Olivier Brussons Prozeß nur das mindeste bekannt wurde. Ganz trostlos begab sie sich zur Maintenon, die aber versicherte, daß der König über die Sache schweige, und es gar nicht geraten scheine, ihn daran zu erinnern. Fragte sie nun noch mit sonderbarem Lächeln, was denn die kleine Vallière mache, so überzeugte sich die Scuderi, daß tief im Innern der stolzen Frau sich ein Verdruß über eine Angelegenheit regte, die den reizbaren König in ein Gebiet locken konnte, auf dessen Zauber sie sich nicht verstand. Von der Maintenon konnte sie daher gar nichts hoffen.

Endlich mit d'Andillys Hilfe gelang es der Scuderi, auszukundschaften, daß der König eine lange geheime Unterredung mit dem Grafen Miossens gehabt. Ferner, daß Bontemps, des Königs vertrautester Kammerdiener und Geschäftsträger, in der Conciergerie gewesen und mit Brusson gesprochen, daß endlich in einer Nacht ebenderselbe Bontemps mit mehreren Leuten in Cardillacs Hause gewesen und sich lange darin aufgehalten. Claude Patru, der Bewohner des untern Stocks, versicherte, die ganze Nacht habe es über seinem Kopfe gepoltert, und gewiß sei Olivier dabeigewesen, denn er habe seine Stimme genau erkannt. So viel war also gewiß, daß der König selbst dem wahren Zusammenhange der Sache nachforschen ließ, unbegreiflich blieb aber die lange Verzögerung des Beschlusses. La Regnie mochte alles aufbieten, das Opfer, das ihm entrissen werden sollte, zwischen den Zähnen festzuhalten. Das verdarb jede Hoffnung im Aufkeimen.

Beinahe ein Monat war vergangen, da ließ die Maintenon der Scuderi sagen, der König wünsche sie heute abend in ihren, der Maintenon, Gemächern zu sehen.

Das Herz schlug der Scuderi hoch auf, sie wußte, daß Brussons Sache sich nun entscheiden würde. Sie sagte es der armen Madelon, die zur Jungfrau, zu allen Heiligen inbrünstig betete, daß sie doch nur in dem König die Überzeugung von Brussons Unschuld erwekken möchten.

Und doch schien es, als habe der König die ganze Sache vergessen, denn wie sonst weilend in anmutigen Gesprächen mit der Maintenon und der Scuderi, gedachte er nicht mit einer Silbe des armen Brussons. Endlich erschien Bontemps, näherte sich dem Könige und sprach einige Worte so leise, daß beide Damen nichts davon verstanden. Die Scuderi erbebte im Innern. Da stand der König auf, schritt auf die Scuderi zu und sprach mit leuchtenden Blicken: »Ich wünsche Euch Glück, mein Fräulein! Euer Schützling, Olivier Brusson, ist frei!« Die Scuderi, der die Tränen aus den Augen stürzten, keines Wortes mächtig, wollte sich dem Könige zu Füßen werfen. Der hinderte sie daran, sprechend: »Geht, geht! Fräulein, Ihr solltet Parlamentsadvokat sein und meine Rechtshändel ausfechten, denn, beim heiligen Dionys, Eurer Beredsamkeit widersteht niemand auf Erden. Doch«, fügte er ernster hinzu, »doch, wen die Tugend selbst in Schutz nimmt, mag der nicht sicher sein vor jeder bösen Anklage, vor der Chambre ardente und allen Gerichtshöfen in der Welt!« – Die Scuderi fand nun Worte, die sich in den glühendsten Dank ergossen. Der König unterbrach sie, ihr ankündigend, daß in ihrem Hause sie selbst viel feurigerer Dank erwarte, als er von ihr fordern könne, denn wahrscheinlich umarme in diesem Augenblick der glückliche Olivier schon seine Madelon. »Bontemps«, so schloß der König, »Bontemps soll Euch tausend Louis auszahlen, die gebt in meinem Namen der Kleinen als Brautschatz. Mag sie ihren Brusson, der solch ein Glück gar nicht verdient, heiraten, aber dann sollen beide fort aus Paris. Das ist mein Wille.«

Die Martinière kam der Scuderi entgegen mit raschen Schritten, hinter ihr her Baptiste, beide mit vor Freude glänzenden Gesichtern, beide jauchzend, schreiend: »Er ist hier, er ist frei! Oh, die lieben jungen Leute!« Das selige Paar stürzte der Scuderi zu Füßen. »Oh, ich habe es ja gewußt, daß Ihr, Ihr allein mir den Gatten retten würdet«, rief Madelon. »Ach, der Glaube an Euch, meine Mutter, stand ja fest in meiner Seele«, rief Olivier, und beide küßten der würdigen Dame die Hände und vergossen tausend heiße Tränen. Und dann umarmten sie sich wieder und beteuerten, daß die überirdische Seligkeit dieses Augenblicks alle namenlose Leiden der vergangenen Tage aufwiege, und schworen, nicht voneinander zu lassen bis in den Tod.

Nach wenigen Tagen wurden sie verbunden durch den Segen des Priesters. Wäre es auch nicht des Königs Wille gewesen, Brusson hätte doch nicht in Paris bleiben können, wo ihn alles an jene entsetzliche Zeit der Untaten Cardillacs erinnerte, wo irgendein Zufall das böse Geheimnis, nun doch mehreren Personen bekanntgeworden, feindselig enthüllen und sein friedliches Leben auf immer verstören konnte. Gleich nach der Hochzeit zog er, von den Segnungen der Scuderi begleitet, mit seinem jungen Weibe nach Genf. Reich ausgestattet durch Madelons Brautschatz, begabt mit seltner Geschicklichkeit in seinem Handwerk, mit jeder bürgerlichen Tugend, ward ihm dort ein glückliches, sorgenfreies Leben. Ihm wurden die Hoffnungen erfüllt, die den Vater getäuscht hatten bis in das Grab hinein.

Ein Jahr war vergangen seit der Abreise Brussons, als eine öffentliche Bekanntmachung erschien, gezeichnet von Harloy de Chauvalon, Erzbischof von Paris, und von dem Parlamentsadvokaten Pierre Arnaud d'Andilly, des Inhalts, daß ein reuiger Sünder unter dem Siegel der Beichte der Kirche einen reichen geraubten Schatz an Juwelen und Geschmeide übergeben. Jeder, dem etwa bis zum Ende des Jahres 1680, vorzüglich durch mörderischen Anfall auf öffentlicher Straße, ein Schmuck geraubt worden, solle sich bei d'Andilly melden und werde, treffe die Beschreibung des ihm geraubten Schmucks mit irgendeinem vorgefundenen Kleinod genau überein und finde sonst kein Zweifel gegen die Rechtmäßigkeit des Anspruchs statt, den Schmuck wiedererhalten. – Viele, die in Cardillacs Liste als nicht ermordet, sondern bloß durch einen Faustschlag betäubt aufgeführt waren, fanden sich nach und nach bei dem Parlamentsadvokaten ein und erhielten zu ihrem nicht geringen Erstaunen das geraubte Geschmeide zurück. Das übrige fiel dem Schatz der Kirche zu Saint-Eustache anheim.

SPIELERGLÜCK

Mehr als jemals war im Sommer 18 . . Pyrmont besucht, von Tage zu Tage mehrte sich der Zufluß vornehmer reicher Fremder und machte den Wetteifer der Spekulanten jeder Art rege. So kam es denn auch, daß die Unternehmer der Pharobank dafür sorgten, ihr gleißendes Gold in größern Massen aufzuhäufen als sonst, damit die Lockspeise sich bewähre auch bei dem edelsten Wilde, das sie, gute geübte Jäger, anzukörnen gedachten.

Wer weiß es nicht, daß – zumal zur Badezeit an Badeörtern, wo jeder, aus seinem gewöhnlichen Verhältnis getreten, sich mit Vorbedacht hingibt freier Muße, sinnzerstreuendem Vergnügen – der anziehende Zauber des Spiels unwiderstehlich wird. Man sieht Personen, die sonst keine Karte anrühren, an der Bank als die eifrigsten Spieler, und überdem will es auch, wenigstens in der vornehmeren Welt, der gute Ton, daß man jeden Abend bei der Bank sich einfinde und einiges Geld verspiele.

Von diesem unwiderstehlichen Zauber, von dieser Regel des guten Tons schien allein ein junger deutscher Baron – wir wollen ihn Siegfried nennen – keine Notiz zu nehmen. Eilte alles an den Spieltisch, wurde ihm jedes Mittel, jede Aussicht, sich geistreich zu unterhalten, wie er es liebte, abgeschnitten, so zog er es vor, entweder auf einsamen Spaziergängen sich dem Spiel seiner Phantasie zu überlassen oder auf dem Zimmer dieses, jenes Buch zur Hand zu nehmen, ja wohl sich selbst im Dichten – Schriftstellen zu versuchen.

Siegfried war jung, unabhängig, reich, von edler Gestalt, anmutigem Wesen, und so konnte es nicht fehlen, daß man ihn hochschätzte, liebte, daß sein Glück bei den Weibern entschieden war. Aber auch in allem, was er nur beginnen, unternehmen mochte, schien ein besonderer Glücksstern über ihn zu walten. Man sprach von allerlei abenteuerlichen Liebeshändeln, die sich ihm aufgedrungen und die, so verderblich sie allem Anschein nach jedem andern gewesen sein würden, sich auf unglaubliche Weise leicht und glücklich auflösten. Vorzüglich pflegten aber die alten Herrn aus des Barons Bekanntschaft, wurde von ihm, von seinem Glück gesprochen, einer Geschichte von einer Uhr zu erwähnen, die sich in seinen ersten Jünglingsjahren zugetragen: Es begab sich nämlich, daß Siegfried, als er noch unter Vormundschaft stand, auf einer Reise ganz unerwartet in solch dringende Geldnot geriet, daß er, um nur weiter fortzukommen, seine goldne, mit Brillanten reichbesetzte Uhr verkaufen mußte. Er war darauf gefaßt, die kostbare Uhr um geringes Geld zu verschleudern; da es sich aber traf, daß in demselben Hotel, wo er eingekehrt, gerade ein junger Fürst solch ein Kleinod suchte, so erhielt er mehr, als der eigentliche Wert betrug. Über ein Jahr war vergangen, Siegfried schon sein eigner Herr geworden, als er an einem andern Ort in den öffentlichen Blättern las, daß eine Uhr ausgespielt werden solle. Er nahm ein Los, das eine Kleinigkeit kostete und – gewann die goldne, mit Brillanten besetzte Uhr, die er verkauft. Nicht lange darauf vertauschte er diese Uhr gegen einen kostbaren Ring. Er kam bei dem Fürsten von G. auf kurze Zeit in Dienste, und dieser schickte ihm bei seiner Entlassung als ein Andenken seines Wohlwollens – dieselbe goldne, mit Brillanten besetzte Uhr mit reicher Kette!

Von dieser Geschichte kam man denn auf Siegfrieds Eigensinn, durchaus keine Karte anrühren zu wollen, wozu er bei seinem entschiedenen Glück um so mehr Anlaß habe, und war bald darüber einig, daß der Baron bei seinen übrigen glänzenden Eigenschaften ein Knicker sei, viel zu ängstlich, viel zu engherzig, um sich auch nur dem geringsten Verlust auszusetzen. Darauf, daß das Betragen des Barons jedem Verdacht des Geizes ganz entschieden widersprach, wurde nicht geachtet, und wie es denn nun zu geschehen pflegt, daß die mehrsten recht darauf erpicht sind, dem Ruhm irgendeines hochbegabten Mannes ein bedenkliches Aber hinzufügen zu können, und dies Aber irgendwo aufzufinden wissen, sollte es auch in ihrer eignen Einbildung ruhen, so war man mit jener Deutung von Siegfrieds Widerwillen gegen das Spiel gar höchlich zufrieden.

Siegfried erfuhr sehr bald, was man von ihm behauptete, und da er, hochherzig und liberal wie er war, nichts mehr haßte, verabscheute als Knickerei, so beschloß er, um die Verleumder zu schlagen, sosehr ihn auch das Spiel anekeln mochte, sich mit ein paar hundert Louisdor und auch wohl mehr loszukaufen von dem schlimmen Verdacht. Er fand sich bei der Bank ein mit dem festen Vorsatz, die bedeutende Summe, die er eingesteckt, zu verlieren; aber auch im Spiel wurde ihm das Glück, das ihm in allem, was er unternahm, zur Seite stand, nicht untreu. Jede Karte, die er wählte, gewann. Die kabbalistischen Berechnungen alter geübter Spieler scheiterten an dem Spiel des Barons. Er mochte die Karten wechseln, er mochte dieselbe fortsetzen, gleichviel, immer war sein der Gewinn. Der Baron gab das seltene Schauspiel eines Ponteurs, der darüber außer sich geraten will, weil die Karten ihm zuschlagen, und so nahe die Erklärung dieses Benehmens lag, schaute man sich doch an mit bedenklichen Gesichtern und gab nicht undeutlich zu verstehen, der Baron könne, von dem Hange zum Sonderbaren fortgerissen, zuletzt in einigen Wahnsinn verfallen, denn wahnsinnig müßte doch der Spieler sein, der sich über sein Glück entsetze.

Ebender Umstand, daß er eine bedeutende Summe gewonnen, nötigte den Baron fortzuspielen und so, da aller Wahrscheinlichkeit gemäß dem bedeutenden Gewinn ein noch bedeutenderer Verlust folgen mußte, das durchzusetzen, was er sich vorgenommen. Aber keineswegs traf das ein, was man vermuten konnte, denn sich ganz gleich blieb das entschiedene Glück des Barons.

Ohne daß er es selbst bemerkte, regte sich in dem Innern des Barons die Lust an dem Pharospiel, das in seiner Einfachheit das verhängnisvollste ist, mehr und mehr auf.

Er war nicht mehr unzufrieden mit seinem Glück, das Spiel fesselte seine Aufmerksamkeit und hielt ihn fest ganze Nächte hindurch, so daß er, da nicht der Gewinn, sondern recht eigentlich das Spiel ihn anzog, notgedrungen an den besondern Zauber, von dem sonst seine Freunde gesprochen und den er durchaus nicht statuieren wollte, glauben mußte.

Als er in einer Nacht, da der Bankier gerade eine Taille geendet, die Augen aufschlug, gewahrte er einen ältlichen Mann, der sich ihm gegenüber hingestellt hatte und den wehmütig ernsten Blick fest und unverwandt auf ihn richtete. Und jedesmal, wenn der Baron während des Spiels aufschaute, traf sein Blick das düstre Auge des Fremden, so daß er sich eines drückenden unheimlichen Gefühls nicht erwehren konnte. Erst als das Spiel beendet, verließ der Fremde den Saal. In der folgenden Nacht stand er wieder dem Baron gegenüber und starrte ihn an, unverwandt mit düstren gespenstischen Augen. Noch hielt der Baron an sich; als aber in der dritten Nacht der Fremde sich wieder eingefunden und, zehrendes Feuer im Auge, den Baron anstarrte, fuhr dieser los: »Mein Herr, ich muß Sie bitten, sich einen andern Platz zu wählen. Sie genieren mein Spiel.«

Der Fremde verbeugte sich schmerzlich lächelnd und verließ, ohne ein Wort zu sagen, den Spieltisch und den Saal.

Und in der folgenden Nacht stand doch der Fremde wieder dem Baron gegenüber, mit dem düster glühenden Blick ihn durchbohrend.

Da fuhr noch zorniger als in der vorigen Nacht der Baron auf: »Mein Herr, wenn es Ihnen Spaß macht, mich anzugaffen, so bitte ich eine andere Zeit und einen andern Ort dazu zu wählen, in diesem Augenblick aber sich . . .«

Eine Bewegung mit der Hand nach der Türe diente statt des harten Worts, das der Baron eben ausstoßen wollte.

Und wie in der vorigen Nacht, mit demselben schmerzlichen Lächeln sich leicht verbeugend, verließ der Fremde den Saal.

Vom Spiel, vom Wein, den er genossen, ja selbst von dem Auftritt mit dem Fremden aufgeregt, konnte Siegfried nicht schlafen. Der Morgen dämmerte schon herauf, als die ganze Gestalt des Fremden vor seine Augen trat. Er erblickte das bedeutende, scharf gezeichnete gramverstörte Gesicht, die tiefliegenden düstern Augen, die ihn anstarrten, er bemerkte, wie trotz der ärmlichen Kleidung der edle Anstand den Mann von feiner Erziehung verriet. Und nun die Art, wie der Fremde mit schmerzhafter Resignation die harten Worte aufnahm und sich, das bitterste Gefühl mit Gewalt niederkämpfend, aus dem Saal entfernte! »Nein«, rief Siegfried, »ich tat ihm Unrecht, schweres Unrecht! Liegt es denn in meinem Wesen, wie ein roher Bursche in gemeiner Unart aufzubrausen, Menschen zu beleidigen ohne den mindesten Anlaß?« Der Baron kam dahin, sich zu überzeugen, daß der Mann ihn so angestarrt habe in dem erdrückendsten Gefühl des schneidenden Kontrastes, daß in dem Augenblick, als er vielleicht mit der bittersten Not kämpfe, er, der Baron, im übermütigen Spiel Gold über Gold aufgehäuft. Er beschloß, gleich den andern Morgen den Fremden aufzusuchen und die Sache auszugleichen.

Der Zufall fügte es, daß gerade die erste Person, der der Baron in der Allee lustwandelnd begegnete, ebender Fremde war.

Der Baron redete ihn an, entschuldigte eindringlich sein Benehmen in der gestrigen Nacht und schloß damit, den Fremden in aller Form um Verzeihung zu bitten. Der Fremde meinte, er habe gar nichts zu verzeihen, da man dem im eifrigen Spiel begriffenen Spieler vieles zugute halten müsse, überdem er aber allein sich auch dadurch, daß er hartnäckig auf dem Platze geblieben, wo er den Baron genieren mußte, die harten Worte zugezogen.

Der Baron ging weiter, er sprach davon, daß es oft im Leben augenblickliche Verlegenheiten gäbe, die den Mann von Bildung auf das empfindlichste niederdrückten, und gab nicht undeutlich zu verstehen, daß er bereit sei, das Geld, das er gewonnen oder auch noch mehr, herzugeben, wenn dadurch vielleicht dem Fremden geholfen werden könnte.

»Mein Herr«, erwiderte der Fremde, »Sie halten mich für bedürftig, das bin ich gerade nicht, denn mehr arm als reich, habe ich doch so viel, als meine einfache Weise zu leben fordert. Zudem werden Sie selbst erachten, daß ich, glauben Sie mich beleidigt zu haben und wollen es durch ein gut Stück Geld abmachen, dies unmöglich als ein Mann von Ehre würde annehmen können, wäre ich auch nicht Kavalier.«

»Ich glaube«, erwiderte der Baron betreten, »ich glaube Sie zu verstehen und bin bereit, Ihnen Genugtuung zu geben, wie Sie es verlangen.«

»O Himmel«, fuhr der Fremde fort, »o Himmel, wie ungleich würde der Zweikampf zwischen uns beiden sein! Ich bin überzeugt, daß Sie, ebenso wie ich, den Zweikampf nicht für eine kindische Raserei halten und keineswegs glauben, daß ein paar Tropfen Blut, vielleicht dem geritzten Finger entquollen, die befleckte Ehre rein waschen können. Es gibt mancherlei Fälle, die es zwei Menschen unmöglich machen können, auf dieser Erde nebeneinander zu existieren, und lebe der eine am Kaukasus und der andere an dem Tiber, es gibt keine Trennung, solange der Gedanke die Existenz des Gehaßten erreicht. Hier wird der Zweikampf, welcher darüber entscheidet, wer dem andern den Platz auf dieser Erde räumen soll, notwendig. Zwischen uns beiden würde, wie ich eben gesagt, der Zweikampf ungleich sein, da mein Leben keineswegs so hoch zu stellen ist als das Ihrige. Stoße ich Sie nieder, so töte ich eine ganze Welt der schönsten Hoffnungen, bleibe ich, so haben Sie ein kümmerliches, von den bittersten, qualvollsten Erinnerungen verstörtes Dasein geendet! – Doch die Hauptsache bleibt, daß ich mich durchaus nicht für beleidigt halte. Sie hießen mich gehen, und ich ging!« –

Die letzten Worte sprach der Fremde mit einem Ton, der die innere Kränkung verriet. Grund genug für den Baron, nochmals sich vorzüglich damit zu entschuldigen, daß, selbst wisse er nicht warum, ihm der Blick des Fremden bis ins Innerste gedrungen sei, daß er ihn zuletzt gar nicht habe ertragen können.

»Möchte«, sprach der Fremde, »möchte doch mein Blick in Ihrem Innersten, drang er wirklich hinein, den Gedanken an die bedrohliche Gefahr aufgeregt haben, in der Sie schweben. Mit frohem Mute, mit jugendlicher Unbefangenheit stehen Sie am Rande des Abgrundes, ein einziger Stoß, und Sie stürzen rettungslos hinab. –

Mit einem Wort – Sie sind im Begriff, ein leidenschaftlicher Spieler zu werden und sich zu verderben.«

Der Baron versicherte, daß der Fremde sich ganz und gar irre. Er erzählte umständlich, wie er an den Spieltisch geraten, und behauptete, daß ihm der eigentliche Spielsinn ganz abgehe, daß er gerade den Verlust von ein paar hundert Louisdor wünsche, und wenn er dies erreicht, aufhören werde zu pontieren. Bis jetzt habe er aber das entschiedenste Glück gehabt.

»Ach«, rief der Fremde, »ach, ebendieses Glück ist die entsetzlichste hämischste Verlockung der feindlichen Macht! Ebendieses Glück, womit Sie spielen, Baron! Die ganze Art, wie Sie zum Spiel gekommen sind, ja selbst Ihr ganzes Wesen beim Spiel, welches nur zu deutlich verrät, wie immer mehr und mehr Ihr Interesse daran steigt – alles, alles erinnert mich nur zu lebhaft an das entsetzliche Schicksal eines Unglücklichen, welcher, Ihnen in vieler Hinsicht ähnlich, ebenso begann wie Sie. Deshalb geschah es, daß ich mein Auge nicht verwenden konnte von Ihnen, daß ich mich kaum zurückzuhalten vermochte, mit Worten das zu sagen, was mein Blick Sie erraten lassen sollte! „Oh, sieh doch nur die Dämonen ihre Krallenfäuste ausstrecken, dich hinabzureißen in den Orkus!" So hätt' ich rufen mögen. Ich wünschte, Ihre Bekanntschaft zu machen, das ist mir wenigstens gelungen. Erfahren Sie die Geschichte jenes Unglücklichen, dessen ich erwähnte, vielleicht überzeugen Sie sich dann, daß es kein leeres Hirngespinst ist, wenn ich Sie in der dringendsten Gefahr erblicke und Sie warne.«

Beide, der Fremde und der Baron, nahmen Platz auf einer einsam stehenden Bank, dann begann der Fremde in folgender Art.

»Dieselben glänzenden Eigenschaften, die Sie, Herr Baron, auszeichnen, erwarben dem Chevalier Menars die Achtung und Bewunderung der Männer, machten ihn zum Liebling der Weiber. Nur was den Reichtum betrifft, hatte das Glück ihn nicht so begünstigt wie Sie. Er war beinahe dürftig, und nur durch die geregeltste Lebensart wurde es ihm möglich, mit dem Anstande zu erscheinen, wie es seine Stellung als Abkömmling einer bedeutenden Familie erforderte. Schon deshalb, da ihm der kleinste Verlust empfindlich sein, seine ganze Lebensweise verstören mußte, durfte er sich auf kein Spiel einlassen, zudem fehlte es ihm auch an allem Sinn dafür, und er brachte daher, wenn er das Spiel vermied, kein Opfer. Sonst gelang ihm alles, was er unternahm, auf besondere Weise, so daß das Glück des Chevalier Menars zum Sprichwort wurde.

Wider seine Gewohnheit hatte er sich in einer Nacht überreden lassen, ein Spielhaus zu besuchen. Die Freunde, die mit ihm gegangen, waren bald ins Spiel verwickelt.

Ohne Teilnahme, in ganz andere Gedanken vertieft, schritt der Chevalier bald den Saal auf und ab, starrte bald hin auf den Spieltisch, wo dem Bankier von allen Seiten Gold über Gold zuströmte. Da gewahrte plötzlich ein alter Obrister den Chevalier und rief laut: „Alle Teufel! Da ist der Chevalier Menars unter uns und sein Glück, und wir können nichts gewinnen, da er sich weder für den Bankier noch für die Ponteurs erklärt hat, aber das soll nicht länger so bleiben, er soll gleich für mich pontieren!"

Der Chevalier mochte sich mit seiner Ungeschicklichkeit, mit seinem Mangel an jeder Erfahrung entschuldigen, wie er wollte, der Obrist ließ nicht nach, der Chevalier mußte heran an den Spieltisch.

Gerade wie Ihnen, Herr Baron, ging es dem Chevalier, jede Karte schlug ihm zu, so daß er bald eine bedeutende Summe für den Obristen gewonnen hatte, der sich gar nicht genug über den herrlichen Einfall freuen konnte, daß er das bewährte Glück des Chevalier Menars in Anspruch genommen.

Auf den Chevalier selbst machte sein Glück, das alle übrigen in Erstaunen setzte, nicht den mindesten Eindruck; ja er wußte selbst nicht, wie es geschah, daß sein Widerwillen gegen das Spiel sich noch vermehrte, so daß er am andern Morgen, als er die Folgen der mit Anstrengung durchwachten Nacht in der geistigen und körperlichen Erschlaffung fühlte, sich auf das ernstlichste vornahm, unter keiner Bedingung jemals wieder ein Spielhaus zu besuchen.

Noch bestärkt wurde dieser Vorsatz durch das Betragen des alten Obristen, der, sowie er nur eine Karte in die Hand nahm, das entschiedenste Unglück hatte und dies Unglück nun in seltsamer Betörtheit dem Chevalier auf den Hals schob. Auf zudringliche Weise verlangte er, der Chevalier solle für ihn pontieren oder ihm, wenn er spiele, wenigstens zur Seite stehen, um durch seine Gegenwart den bösen Dämon, der ihm die Karten in die Hand schob, die niemals trafen, wegzubannen. – Man weiß, daß nirgends mehr abgeschmackter Aberglaube herrscht als unter den Spielern. Nur mit dem größten Ernst, ja mit der Erklärung, daß er sich lieber mit ihm schlagen als für ihn spielen wollte, konnte sich der Chevalier den Obristen, der eben kein Freund von Duellen war, vom Leibe halten. Der Chevalier verwünschte seine Nachgiebigkeit gegen den alten Toren.

Übrigens konnt' es nicht fehlen, daß die Geschichte von dem wunderbar glücklichen Spiel des Chevaliers von Mund zu Mund lief und daß noch allerlei rätselhafte, geheimnisvolle Umstände hinzugedichtet wurden, die den Chevalier als einen Mann, der mit den höheren Mächten im Bunde, darstellten. Daß aber der Chevalier, seines Glücks unerachtet, keine Karte berührte, mußte den höchsten Begriff von der Festigkeit seines Charakters geben und die Achtung, in der er stand, noch um vieles vermehren.

Ein Jahr mochte vergangen sein, als der Chevalier durch das unerwartete Ausbleiben der kleinen Summe, von der er seinen Lebensunterhalt bestritt, in die drückendste peinlichste Verlegenheit gesetzt wurde. Er war genötigt, sich seinem treuesten Freunde zu entdecken, der ohne Anstand ihm mit dem, was er bedurfte, aushalf, zugleich ihn aber den ärgsten Sonderling schalt, den es wohl jemals gegeben.

„Das Schicksal", sprach er, „gibt uns Winke, auf welchem Wege wir unser Heil suchen sollen und finden, nur in unsrer Indolenz liegt es, wenn wir diese Winke nicht beachten, nicht verstehen. Dir hat die höhere Macht, die über uns gebietet, sehr deutlich ins Ohr geraunt: Willst du Geld und Gut erwerben, so geh hin und spiele, sonst bleibst du arm, dürftig, abhängig immerdar."

Nun erst trat der Gedanke, wie wunderbar das Glück ihn an der Pharobank begünstigt hatte, lebendig vor seine Seele, und träumend und wachend sah er Karten, hörte er das eintönige gagné – perdu des Bankiers, das Klirren der Goldstücke!

„Es ist wahr", sprach er zu sich selbst, „eine einzige Nacht wie jene reißt mich aus der Not, überhebt mich der drückenden Verlegenheit, meinen Freunden beschwerlich zu fallen; es ist Pflicht, dem Winke des Schicksals zu folgen."

Ebender Freund, der ihm zum Spiel geraten, begleitete ihn ins Spielhaus, gab ihm, damit er sorglos das Spiel beginnen könne, noch zwanzig Louisdor.

Hatte der Chevalier damals, als er für den alten Obristen pontierte, glänzend gespielt, so war dies jetzt doppelt der Fall. Blindlings, ohne Wahl zog er die Karten, die er setzte, aber nicht er, die unsichtbare Hand der höhern Macht, die mit dem Zufall vertraut oder vielmehr das selbst ist, was wir Zufall nennen, schien sein Spiel zu ordnen. Als das Spiel geendet, hatte er tausend Louisdor gewonnen.

In einer Art von Betäubung erwachte er am andern Morgen. Die gewonnenen Goldstücke lagen aufgeschüttet neben ihm auf dem Tische. Er glaubte im ersten Moment zu träumen, er rieb sich die Augen, er erfaßte den Tisch, rückte ihn näher heran. Als er sich nun aber besann, was geschehen, als er in den Goldstücken wühlte, als er sie wohlgefällig zählte und wieder durchzählte, da ging zum erstenmal wie ein verderblicher Gifthauch die Lust an dem schnöden Mammon durch sein ganzes Wesen, da war es geschehen um die Reinheit der Gesinnung, die er so lange bewahrt!

Er konnte kaum die Nacht erwarten, um an den Spieltisch zu kommen. Sein Glück blieb sich gleich, so daß er in wenigen Wochen, während welcher er beinahe jede Nacht gespielt, eine bedeutende Summe gewonnen hatte.

Es gibt zweierlei Arten von Spieler. Manchen gewährt, ohne Rücksicht auf Gewinn, das Spiel selbst als Spiel eine unbeschreibliche geheimnisvolle Lust. Die sonderbaren Verkettungen des Zufalls wechseln in dem seltsamsten Spiel, das Regiment der höhern Macht tritt klarer hervor, und ebendieses ist es, was unsern Geist anregt, die Fittiche zu rühren und zu versuchen, ob er sich nicht hineinschwingen kann in das dunkle Reich, in die verhängnisvolle Werkstatt jener Macht, um ihre Arbeiten zu belauschen. Ich habe einen Mann gekannt, der tage-, nächtelang einsam in seinem Zimmer Bank machte und gegen sich selbst pontierte, der war meines Bedünkens ein echter Spieler. Andere haben nur den Gewinst vor Augen und betrachten das Spiel als ein Mittel, sich schnell zu bereichern. Zu dieser Klasse schlug sich der Chevalier und bewährte dadurch den Satz, daß der eigentliche tiefere Spielsinn in der individuellen Natur liegen, angeboren sein muß.

Ebendaher war ihm der Kreis, in dem sich der Ponteur bewegt, bald zu enge. Mit der sehr beträchtlichen Summe, die er sich erspielt, etablierte er eine Bank, und auch hier begünstigte ihn das Glück dergestalt, daß in kurzer Zeit seine Bank die reichste war in ganz Paris. Wie es in der Natur der Sache liegt, strömten ihm, dem reichsten, glücklichsten Bankier, auch die mehrsten Spieler zu.

Das wilde wüste Leben des Spielers vertilgte bald alle die geistigen und körperlichen Vorzüge, die dem Chevalier sonst Liebe und Achtung erworben hatten. Er hörte auf, ein treuer Freund, ein unbefangener heitrer Gesellschafter, ein ritterlich galanter Verehrer der Damen zu sein. Erloschen war sein Sinn für Wissenschaft und Kunst, dahin all sein Streben, in tüchtiger Erkenntnis vorzuschreiten. Auf seinem todbleichen Gesicht, in seinen düstern, dunkles Feuer sprühenden Augen lag der volle Ausdruck der verderblichsten Leidenschaft, die ihn umstrickt hielt. Nicht Spielsucht, nein, der gehässigste Geldgeiz war es, den der Satan selbst in seinem Innern entzündet! Mit einem Wort, es war der vollendetste Bankier, wie es nur einen geben kann!

In einer Nacht war dem Chevalier, ohne daß er gerade bedeutenden Verlust erlitten, doch das Glück weniger günstig gewesen als sonst. Da trat ein kleiner, alter, dürrer Mann, dürftig gekleidet, von beinahe garstigem Ansehen an den Spieltisch, nahm mit zitternder Hand eine Karte und besetzte sie mit einem Goldstück. Mehrere von den Spielern blickten den Alten an mit tiefem Erstaunen, behandelten ihn aber dann mit auffallender Verachtung, ohne daß der Alte auch nur eine Miene verzog, viel weniger mit einem Wort sich darüber beschwerte.

Der Alte verlor – verlor einen Satz nach dem andern, aber je höher sein Verlust stieg, desto mehr freuten sich die andern Spieler. Ja als der Alte, der seine Sätze immerfort doublierte, einmal fünfhundert Louisdor auf eine Karte gesetzt und diese in demselben Augenblick umschlug, rief einer laut lachend: „Glück zu, Signor Vertua, Glück zu, verliert den Mut nicht, setzt immerhin weiter fort, Ihr seht mir so aus, als würdet Ihr doch noch am Ende die Bank sprengen durch ungeheuren Gewinst!"

Der Alte warf einen Basiliskenblick auf den Spötter und rannte schnell von dannen, aber nur, um in einer halben Stunde wiederzukehren, die Taschen mit Gold gefüllt. In der letzten Taille mußte indessen der Alte aufhören, da er wiederum alles Gold verspielt, das er zur Stelle gebracht.

Dem Chevalier, der, aller Verruchtheit seines Treibens unerachtet, doch auf einen gewissen Anstand hielt, der bei seiner Bank beobachtet werden mußte, hatte der Hohn, die Verachtung, womit man den Alten behandelt, im höchsten Grade mißfallen. Grund genug, nach beendetem Spiel, als der Alte sich entfernt hatte, darüber jenen Spötter sowie ein paar andere Spieler, deren verächtliches Betragen gegen den Alten am mehrsten aufgefallen und die, vom Chevalier dazu aufgefordert, noch dageblieben, sehr ernstlich zur Rede zu stellen.

„Ei", rief der eine, „Ihr kennt den alten Francesco Vertua nicht, Chevalier, sonst würdet Ihr Euch über uns und unser Betragen gar nicht beklagen, es vielmehr ganz und gar gutheißen. Erfahrt, daß dieser Vertua, Neapolitaner von Geburt, seit fünfzehn Jahren in Paris, der niedrigste, schmutzigste, bösartigste Geizhals und Wucherer ist, den es geben mag. Jedes menschliche Gefühl ist ihm fremd, er könnte seinen eignen Bruder im Todeskrampf sich zu seinen Füßen krümmen sehen, und vergebens würd' es bleiben, ihm, wenn auch dadurch der Bruder gerettet werden könnte, auch nur einen einzigen Louisdor entlocken zu wollen. Die Flüche und Verwünschungen einer Menge Menschen, ja ganzer Familien, die durch seine satanischen Spekulationen ins tiefste Verderben gestürzt wurden, lasten schwer auf ihm. Er ist bitter gehaßt von allen, die ihn kennen, jeder wünscht, daß die Rache für alles Böse, das er tat, ihn erfassen und sein schuldbeflecktes Leben enden möge. Gespielt hat er, wenigstens solange er in Paris ist, niemals, und Ihr dürft Euch nach alledem über das tiefe Erstaunen gar nicht verwundern, in das wir gerieten, als der alte Geizhals an den Spieltisch trat. Ebenso mußten wir uns wohl über seinen bedeutenden Verlust freuen, denn arg, ganz arg würde es doch gewesen sein, wenn das Glück den Bösewicht begünstigt hätte. Es ist nur zu gewiß, daß der Reichtum Eurer Bank, Chevalier, den alten Toren verblendet hat. Er gedachte *Euch* zu rupfen und verlor selbst die Federn. Unbegreiflich bleibt es mir aber doch, wie Vertua, dem eigentlichen Charakter des Geizhalses entgegen, sich entschließen konnte zu solch hohem Spiel. Nun! Er wird wohl nicht wiederkommen, wir sind ihn los!“

Diese Vermutung traf jedoch keineswegs ein, denn schon in der folgenden Nacht stand Vertua wiederum an der Bank des Chevaliers und setzte und verlor viel bedeutender als gestern. Dabei blieb er ruhig, ja er lächelte zuweilen mit einer bittern Ironie, als wisse er im voraus, wie bald sich alles ganz anders begeben würde. Aber wie eine Lawine wuchs schneller und schneller in jeder der folgenden Nächte der Verlust des Alten, so daß man zuletzt nachrechnen wollte, er habe an dreißigtausend Louisdor zur Bank bezahlt. Da kam er einst, als schon längst das Spiel begonnen, totenbleich mit verstörtem Blick in den Saal und stellte sich fern von dem Spieltisch hin, das Auge starr auf die Karten gerichtet, die der Chevalier abzog. Endlich als der Chevalier die Karten gemischt hatte, abheben ließ und eben die Taille beginnen wollte, rief der Alte mit kreischendem Ton: „Halt!“, daß alle beinahe entsetzt sich umschauten. Da drängte sich der Alte durch bis dicht an den Chevalier hinan und sprach ihm mit dumpfer Stimme ins Ohr: „Chevalier! Mein Haus in der Straße Saint-Honoré nebst der ganzen Einrichtung und meiner Habe an Silber, Gold und Juwelen ist geschätzt auf achtzigtausend Franken, wollt Ihr den Satz halten?“ – „Gut“, erwiderte der Chevalier kalt, ohne sich umzusehen nach dem Alten, und begann die Taille.

„Die Dame“, sprach der Alte, und in dem nächsten Abzug hatte die Dame verloren! Der Alte prallte zurück und lehnte sich an die Wand regungs- und bewegungslos, der starren Bildsäule ähnlich. Niemand kümmerte sich weiter um ihn.

Das Spiel war geendet, die Spieler verloren sich, der Chevalier packte mit seinen Croupiers das gewonnene Geld in die Kassette; da wankte wie ein Gespenst der alte Vertua aus dem Winkel hervor auf den Chevalier zu und sprach mit hohler dumpfer Stimme: „Noch ein Wort, Chevalier, ein einziges Wort!"

„Nun, was gibt's?" erwiderte der Chevalier, indem er den Schlüssel abzog von der Kassette und dann den Alten verächtlich maß von Kopf bis zu Fuß.

„Mein ganzes Vermögen", fuhr der Alte fort, „verlor ich an Eure Bank, Chevalier, nichts, nichts blieb mir übrig, ich weiß nicht, wo ich morgen mein Haupt hinlegen, wovon ich meinen Hunger stillen soll. Zu Euch, Chevalier, nehme ich meine Zuflucht. Borgt mir von der Summe, die Ihr von mir gewonnen, den zehnten Teil, damit ich mein Geschäft wieder beginne und mich emporschwinge aus der tiefsten Not."

„Wo denkt Ihr hin", erwiderte der Chevalier, „wo denkt Ihr hin, Signor Vertua, wißt Ihr nicht, daß ein Bankier niemals Geld wegborgen darf von seinem Gewinst? Das läuft gegen die alte Regel, von der ich nicht abweiche."

„Ihr habt recht", sprach Vertua weiter, „Ihr habt recht, Chevalier, meine Forderung war unsinnig, übertrieben! – Den zehnten Teil! Nein! Den zwanzigsten Teil borgt mir!" –

„Ich sage Euch ja", antwortete der Chevalier verdrießlich, „daß ich von meinem Gewinst durchaus nichts verborge!"

„Es ist wahr", sprach Vertua, indem sein Antlitz immer mehr erbleichte, immer stierer und starrer sein Blick wurde, „es ist wahr, Ihr dürft nichts verborgen – ich tat es ja auch sonst nicht! Aber dem Bettler gebt ein Almosen, gebt ihm von dem Reichtum, den Euch heute das blinde Glück zuwarf, hundert Louisdor."

„Nun in Wahrheit", fuhr der Chevalier zornig auf, „Ihr versteht es, die Leute zu quälen, Signor Vertua! Ich sage Euch, nicht hundert, nicht fünfzig, nicht zwanzig – nicht einen einzigen Louisdor erhaltet Ihr von mir. Rasend müßt ich sein, Euch auch nur im mindesten Vorschub zu leisten, damit Ihr Euer schändliches Gewerbe wieder von neuem beginnen könntet. Das Schicksal hat Euch niedergetreten in den Staub wie einen giftigen Wurm, und es wäre ruchlos, Euch wieder emporzurichten. Geht hin und verderbt, wie Ihr es verdient!"

Beide Hände vors Gesicht gedrückt, sank mit einem dumpfen Seufzer Vertua zusammen. Der Chevalier befahl den Bedienten, die Kassette in den Wagen hinabzubringen, und rief dann mit starker Stimme: „Wann übergebt Ihr mir Euer Haus, Eure Effekten, Signor Vertua?"

Da raffte sich Vertua auf vom Boden und sprach mit fester Stimme: „Jetzt gleich – in diesem Augenblick, Chevalier! Kommt mit mir!"

„Gut", erwiderte der Chevalier, „Ihr könnt mit mir fahren nach Eurem Hause, das Ihr dann am Morgen auf immer verlassen mögct."

Den ganzen Weg über sprach keiner, weder Vertua noch der Chevalier, ein einziges Wort. Vor dem Hause in der Straße Saint-Honoré angekommen, zog Vertua die Schelle. Ein altes Mütterchen öffnete und rief, als sie Vertua gewahrte: „O Heiland der Welt, seid Ihr es endlich, Signor Vertua! Halbtot hat sich Angela geängstet Eurethalben!" – „Schweige", erwiderte Vertua, „gebe der Himmel, daß Angela die unglückliche Glocke nicht gehört hat! Sie soll nicht wissen, daß ich gekommen bin."

Und damit nahm er der ganz versteinerten Alten den Leuchter mit den brennenden Kerzen aus der Hand und leuchtete dem Chevalier vorauf ins Zimmer.

„Ich bin", sprach Vertua, „auf alles gefaßt. Ihr haßt, Ihr verachtet mich, Chevalier! Ihr verderbt mich, Euch und andern zur Lust, aber Ihr kennt mich nicht. Vernehmt denn, daß ich ehemals ein Spieler war wie Ihr, daß mir das launenhafte Glück ebenso günstig war als Euch, daß ich halb Europa durchreiste, überall verweilte, wo hohes Spiel, die Hoffnung großen Gewinstes mich anlockte, daß sich das Gold in meiner Bank unaufhörlich häufte wie in der Eurigen. Ich hatte ein schönes treues Weib, das ich vernachlässigte, das elend war mitten im glänzendsten Reichtum. Da begab es sich, als ich einmal in Genua meine Bank aufgeschlagen, daß ein junger Römer sein ganzes reiches Erbe an meine Bank verspielte. So wie ich heute Euch, bat er mich, ihm Geld zu leihen, um wenigstens nach Rom zurückreisen zu können. Ich schlug es ihm mit Hohngelächter ab, und er stieß mir in der wahnsinnigen Wut der Verzweiflung das Stilett, welches er bei sich trug, tief in die Brust. Mit Mühe gelang es den Ärzten, mich zu retten, aber mein Krankenlager war langwierig und schmerzhaft. Da pflegte mich mein Weib, tröstete mich, hielt mich aufrecht, wenn ich erliegen wollte der Qual, und mit der Genesung dämmerte ein Gefühl in mir auf und wurde mächtiger und mächtiger, das ich noch nie gekannt. Aller menschlichen Regung wird entfremdet der Spieler, so kam es, daß ich nicht wußte, was Liebe, treue Anhänglichkeit eines Weibes heißt. Tief in der Seele brannte es mir, was mein undankbares Herz gegen die Gattin verschuldet und welchem freveligen Beginnen ich sie geopfert. Wie quälende Geister der Rache erschienen mir alle die, deren Lebensglück, deren ganze Existenz ich mit verruchter Gleichgültigkeit gemordet, und ich hörte ihre dumpfen heisern Grabesstimmen, die mir vorwarfen alle Schuld, alle Verbrechen, deren

Keim ich gepflanzt! Nur mein Weib vermochte den namenlosen Jammer, das Entsetzen zu bannen, das mich dann erfaßte! – Ein Gelübde tat ich, nie mehr eine Karte zu berühren. Ich zog mich zurück, ich riß mich los von den Banden, die mich festhielten, ich widerstand den Lockungen meiner Croupiers, die mich und mein Glück nicht entbehren wollten. Ein kleines Landhaus bei Rom, das ich erstand, war der Ort, wohin ich, als ich vollkommen genesen, hinflüchtete mit meinem Weibe. Ach, nur ein einziges Jahr wurde mir eine Ruhe, ein Glück, eine Zufriedenheit zuteil, die ich nie geahnet! Mein Weib gebar mir eine Tochter und starb wenige Wochen darauf. Ich war in Verzweiflung, ich klagte den Himmel an und verwünschte dann wieder mich selbst, mein verruchtes Leben, das die ewige Macht rächte, da sie mir mein Weib nahm, das mich vom Verderben gerettet, das einzige Wesen, das mir Trost gab und Hoffnung. Wie den Verbrecher, der das Grauen der Einsamkeit fürchtet, trieb es mich fort von meinem Landhause hierher nach Paris. Angela blühte auf, das holde Ebenbild ihrer Mutter, an ihr hing mein ganzes Herz, für sie ließ ich es mir angelegen sein, ein bedeutendes Vermögen nicht nur zu erhalten, sondern zu vermehren. Es ist wahr, ich lieh Geld aus auf hohe Zinsen, schändliche Verleumdung ist es aber, wenn man mich des betrügerischen Wuchers anklagt. Und wer sind diese Ankläger? Leichtsinnige Leute, die mich rastlos quälen, bis ich ihnen Geld borge, das sie, wie ein Ding ohne Wert, verprassen, und dann außer sich geraten wollen, wenn ich das Geld, welches nicht mir, nein, meiner Tochter gehört, für deren Vermögensverwalter ich mich nur ansehe, mit unerbittlicher Strenge eintreibe. Nicht lange ist es her, als ich einen jungen Menschen der Schande, dem Verderben entriß, dadurch daß ich ihm eine bedeutende Summe vorstreckte. Nicht mit einer Silbe gedachte ich, da er, wie ich wußte, blutarm war, der Forderung, bis er eine sehr reiche Erbschaft gemacht. Da trat ich ihn an wegen der Schuld. Glaubt Ihr wohl, Chevalier, daß der leichtsinnige Bösewicht, der mir seine Existenz zu verdanken hatte, die Schuld ableugnen wollte, daß er mich einen niederträchtigen Geizhals schalt, als er mir, durch die Gerichte dazu angehalten, die Schuld bezahlen mußte? Ich könnte Euch mehr dergleichen Vorfälle erzählen, die mich hart gemacht haben und gefühllos da, wo mir der Leichtsinn, die Schlechtigkeit entgegentritt. Noch mehr! Ich könnte Euch sagen, daß ich schon manche bittre Träne trocknete, daß manches Gebet für mich und für meine Angela zum Himmel stieg, doch Ihr würdet das für falsche Prahlerei halten und ohnedem nichts daraufgeben, da Ihr ein Spieler seid! – Ich glaubte, daß die ewige Macht gesühnt sei –

es war nur Wahn! Denn freigegeben wurd' es dem Satan, mich zu verblenden auf entsetzlichere Weise als jemals. – Ich hörte von Euerm Glück, Chevalier! Jeden Tag vernahm ich, daß dieser, jener an Eurer Bank sich zum Bettler herabpontiert, da kam mir der Gedanke, daß ich bestimmt sei, mein Spielerglück, das mich noch niemals verlassen, gegen das Eure zu setzen, daß es in meine Hand gelegt sei, Eurem Treiben ein Ende zu machen, und dieser Gedanke, den nur ein seltsamer Wahnsinn erzeugen konnte, ließ mir fürder keine Ruhe, keine Rast. So geriet ich an Eure Bank, so verließ mich nicht eher meine entsetzliche Betörung, bis meine – meiner Angela Habe Euer war! Es ist nun aus! Ihr werdet doch erlauben, daß meine Tochter ihre Kleidungsstücke mit sich nehme?"

„Die Garderobe Eurer Tochter", erwiderte der Chevalier, „geht mich nichts an. Auch könnt Ihr Betten und notwendiges Hausgerät mitnehmen. Was soll ich mit dem Rumpelzeuge? Doch seht Euch vor, daß nichts von einigem Wert mit unterlaufe, das mir zugefallen."

Der alte Vertua starrte den Chevalier ein paar Sekunden sprachlos an, dann aber stürzte ein Tränenstrom aus seinen Augen, ganz vernichtet, ganz Jammer und Verzweiflung, sank er nieder vor dem Chevalier und schrie mit aufgehobenen Händen: „Chevalier, habt Ihr noch menschliches Gefühl in Eurer Brust – seid barmherzig, barmherzig! Nicht mich, meine Tochter, meine Angela, das unschuldige Engelskind stürzt Ihr ins Verderben! Oh, seid gegen *diese* barmherzig, leiht *ihr, ihr,* meiner Angela, den zwanzigsten Teil ihres Vermögens, das Ihr geraubt! Oh, ich weiß es, Ihr laßt Euch erflehen –! Oh, Angela, meine Tochter!"

Und damit schluchzte, jammerte, stöhnte der Alte und rief mit herzzerschneidendem Ton den Namen seines Kindes.

„Die abgeschmackte Theaterszene fängt an, mich zu langweilen", sprach der Chevalier gleichgültig und verdrießlich, aber in demselben Augenblick sprang die Tür auf, und hinein stürzte ein Mädchen im weißen Nachtgewande, mit aufgelösten Haaren, den Tod im Antlitz, stürzte hin auf den alten Vertua, hob ihn auf, faßte ihn in die Arme und rief: „O mein Vater, mein Vater, ich hörte, ich weiß alles. Habt Ihr denn alles verloren? Alles? – Habt Ihr nicht Eure Angela? Was bedarf es Geld und Gut, wird Angela Euch nicht nähren, pflegen? O Vater, erniedrigt Euch nicht länger vor diesem verächtlichen Unmenschen. Nicht *wir* sind es, *er* ist es, der arm und elend bleibt im vollen schnöden Reichtum, denn verlassen in grauenvoller trostloser Einsamkeit steht er da, kein liebend Herz gibt es auf der weiten Erde, das sich anschmiegt an seine Brust, das sich ihm aufschließt, wenn er verzweifeln will an dem Leben, an sich selbst! Kommt, mein Vater, verlaßt dies Haus mit mir, kommt, eilen wir hinweg, damit der entsetzliche Mensch sich nicht weide an Eurem Jammer!"

Vertua sank halb ohnmächtig in einen Lehnsessel, Angela kniete vor ihm nieder, faßte seine Hände, küßte, streichelte sie, zählte mit kindlicher Geschwätzigkeit alle die Talente, alle die Kenntnisse auf, die ihr zu Gebote standen und womit sie den Vater reichlich ernähren wolle, beschwor ihn unter heißen Tränen, doch nur ja allem Gram zu entsagen, da nun das Leben, wenn sie nicht zur Lust, nein, für ihren Vater sticke, nähe, singe, Gitarre spiele, erst rechten Wert für sie haben werde.

Wer, welcher verstockte Sünder hätte gleichgültig bleiben können bei dem Anblick der in voller Himmelsschönheit strahlenden Angela, wie sie mit süßer holder Stimme den alten Vater tröstete, wie aus dem tiefsten Herzen die reinste Liebe ausströmte und die kindlichste Tugend.

Noch anders ging es dem Chevalier. Eine ganze Hölle voll Qual und Gewissensangst wurde wach in seinem Innern. Angela erschien ihm der strafende Engel Gottes, vor dessen Glanz die Nebelschleier freveliger Betörtheit dahinschwanden, so daß er mit Entsetzen sein elendvolles Ich in widriger Nacktheit erblickte.

Und mitten durch diese Hölle, deren Flammen in des Chevaliers Innerm wüteten, fuhr ein göttlich reiner Strahl, dessen Leuchten die süßeste Wonne war und die Seligkeit des Himmels, aber bei dem Leuchten dieses Strahls wurde nur entsetzlicher die namenlose Qual!

Der Chevalier hatte noch nie geliebt. Als er Angela erblickte, das war der Moment, in dem er von der heftigsten Leidenschaft und zugleich von dem vernichtenden Schmerz gänzlicher Hoffnungslosigkeit erfaßt werden sollte. Denn hoffen konnte der Mann wohl nicht, der dem reinen Himmelskinde, der holden Angela so erschien wie der Chevalier.

Der Chevalier wollte sprechen, er vermochte es nicht, es war, als lähme ein Krampf seine Zunge. Endlich nahm er sich mit Gewalt zusammen und stotterte mit bebender Stimme: „Signor Vertua, hört mich! Ich habe nichts von Euch gewonnen, gar nichts, da steht meine Kassette, die ist Euer. Nein! Ich muß Euch noch mehr zahlen, ich bin Euer Schuldner, nehmt – nehmt!"

„O meine Tochter", rief Vertua, aber Angela erhob sich, trat hin vor den Chevalier, strahlte ihn an mit stolzem Blick, sprach ernst und gefaßt: „Chevalier, erfahrt, daß es Höheres gibt als Geld und Gut, Gesinnungen, die Euch fremd sind, die uns, indem sie unsere

Seele mit dem Trost des Himmels erfüllen, Euer Geschenk, Eure Gnade mit Verachtung zurückweisen lassen! Behaltet den Mammon, auf dem der Fluch lastet, der Euch verfolgt, den herzlosen verworfenen Spieler!"

„Ja!" rief der Chevalier ganz außer sich mit wildem Blick, mit entsetzlicher Stimme. „Ja verflucht, verflucht will ich sein, hinabgeschleudert in die tiefste Hölle, wenn jemals wieder diese Hand eine Karte berührt! Und wenn Ihr mich dann von Euch stoßt, Angela, so seid Ihr es, die rettungsloses Verderben über mich bringt – oh, Ihr wißt nicht, Ihr versteht mich nicht, wahnsinnig müßt Ihr mich nennen, aber Ihr werdet es fühlen, alles wissen, wenn ich vor Euch liege mit zerschmettertem Gehirn! Angela! Tod oder Leben gilt es! Lebt wohl!"

Damit stürzte der Chevalier fort in voller Verzweiflung. Vertua durchblickte ihn ganz, er wußte, was in ihm vorgegangen, und suchte der holden Angela begreiflich zu machen, daß gewisse Verhältnisse eintreten könnten, die die Notwendigkeit herbeiführen müßten, des Chevaliers Geschenk anzunehmen. Angela entsetzte sich, den Vater zu verstehen. Sie sah nicht ein, wie es möglich sein könnte, dem Chevalier jemals anders als mit Verachtung zu begegnen. Das Verhängnis, welches sich oft aus der tiefsten Tiefe des menschlichen Herzens, ihm selbst unbewußt, gestaltet, ließ das nicht Gedachte, das nicht Geahnte geschehen.

Dem Chevalier war es, als sei er plötzlich aus einem fürchterlichen Traum erwacht, er erblickte sich nun am Rand des Höllenabgrundes und streckte vergebens die Arme aus nach der glänzenden Lichtgestalt, die ihm erschien, nicht ihn zu retten – nein! –, ihn zu mahnen an seine Verdammnis. Zum Erstaunen von ganz Paris verschwand die Bank des Chevalier Menars aus dem Spielhause, man sah ihn selbst nicht mehr, und so kam es, daß sich die verschiedensten abenteuerlichsten Gerüchte verbreiteten, von denen eins lügenhafter war als das andere. Der Chevalier vermied alle Gesellschaft, seine Liebe sprach sich aus in dem tiefsten unverwindlichsten Gram. Da geschah es, daß ihm in den einsamen finstern Gängen des Gartens von Malmaison plötzlich der alte Vertua in den Weg trat mit seiner Tochter. Angela, welche geglaubt, den Chevalier nicht anders anblicken zu können als mit Abscheu und Verachtung, fühlte sich auf seltsame Weise bewegt, als sie den Chevalier vor sich sah, totenbleich, ganz verstört, in scheuer Ehrfurcht kaum sich ermutigend, die Augen aufzuschlagen. Sie wußte recht gut, daß der Chevalier seit jener verhängnisvollen Nacht das Spiel ganz aufgegeben, daß er seine ganze Lebensweise geändert. *Sie*, sie allein hatte dies alles bewirkt, sie hatte den Chevalier gerettet aus dem Verderben, konnte etwas wohl mehr der Eitelkeit des Weibes schmeicheln?

So geschah es, daß, als Vertua mit dem Chevalier die gewöhnlichen Höflichkeitsbezeugungen gewechselt, Angela mit dem Ton des sanften, wohltuenden Mitleids fragte: „Was ist Euch, Chevalier Menars, Ihr seht krank, verstört aus? In Wahrheit, Ihr solltet Euch dem Arzt vertrauen."

Man kann denken, daß Angelas Worte den Chevalier mit tröstender Hoffnung durchstrahlten. In dem Moment war er nicht mehr derselbe. Er erhob sein Haupt, er vermochte jene aus dem tiefsten Gemüt hervorquellende Sprache zu sprechen, die ihm sonst alle Herzen erschloß. Vertua erinnerte ihn daran, das Haus, das er gewonnen, in Besitz zu nehmen.

„Ja", rief der Chevalier begeistert, „ja, Signor Vertua, das will ich! Morgen komme ich zu Euch, aber erlaubt, daß wir über die Bedingungen uns recht sorglich beraten, und sollte das auch monatelang dauern."

„Mag das geschehen, Chevalier", erwiderte Vertua lächelnd, „mich dünkt, es könnte mit der Zeit dabei allerlei zur Sprache kommen, woran wir zur Zeit noch nicht denken mögen." Es konnte nicht fehlen, daß der Chevalier, im Innern getröstet, von neuem auflebte in aller Liebenswürdigkeit, wie sie ihm sonst eigen, ehe ihn die wirre, verderbliche Leidenschaft fortriß. Immer häufiger wurden seine Besuche bei dem alten Signor Vertua, immer geneigter wurde Angela dem, dessen rettender Schutzgeist sie gewesen, bis sie endlich glaubte, ihn recht mit ganzem Herzen zu lieben, und ihm ihre Hand zu geben versprach, zur großen Freude des alten Vertua, der nun erst die Sache wegen seiner Habe, die er an den Chevalier verloren, als völlig ausgeglichen ansah.

Angela, des Chevalier Menars glückliche Braut, saß eines Tages in allerlei Gedanken von Liebeswonne und Seligkeit, wie sie wohl Bräute zu haben pflegen, vertieft am Fenster. Da zog unter lustigem Trompetenschall ein Jägerregiment vorüber, bestimmt zum Feldzug nach Spanien. Angela betrachtete mit Teilnahme die Leute, die dem Tode geweiht waren in dem bösen Kriege, da schaute ein blutjunger Mensch, indem er das Pferd rasch zur Seite wandte, herauf zu Angela, und ohnmächtig sank sie zurück in den Sessel.

Ach, niemand anders war der Jäger, der dem blutigen Tod entgegenzog, als der junge Duvernet, der Sohn des Nachbars, mit dem sie aufgewachsen, der beinahe täglich in dem Hause gewesen und der erst ausgeblieben, seitdem der Chevalier sich eingefunden.

In dem vorwurfsschweren Blick des Jünglings, der bittre Tod

selbst lag in ihm, erkannte Angela nun erst, nicht allein, wie unaussprechlich er sie geliebt, nein, wie grenzenlos sie selbst ihn liebe, ohne sich dessen bewußt zu sein, nur betört, verblendet von dem Glanze, den der Chevalier immer mehr um sich verbreitet. Nun erst verstand sie des Jünglings bange Seufzer, seine stillen anspruchslosen Bewerbungen, nun erst verstand sie ihr eignes befangenes Herz, wußte sie, was ihre unruhige Brust bewegt, wenn Duvernet kam, wenn sie seine Stimme hörte.

„Es ist zu spät, er ist für mich verloren!“ – so sprach es in Angelas Innerm. Sie hatte den Mut, das trostlose Gefühl, das ihr Inneres zerreißen wollte, niederzukämpfen, und ebendeshalb, weil sie den Mut hatte dazu, gelang es ihr auch.

Daß irgend etwas Verstörendes vorgegangen sein müsse, konnte desungeachtet dem Scharfblick des Chevaliers nicht entgehen, er dachte indessen zart genug, ein Geheimnis nicht zu enträtseln, das Angela ihm verbergen zu müssen glaubte, sondern begnügte sich damit, um jedem bedrohlichen Feinde alle Macht zu nehmen, die Hochzeit zu beschleunigen, deren Feier er mit feinem Takt, mit tiefem Sinn für Lage und Stimmung der holden Braut einzurichten wußte, so daß diese schon deshalb aufs neue die hohe Liebenswürdigkeit des Gatten anerkannte.

Der Chevalier betrug sich gegen Angela mit der Aufmerksamkeit für den kleinsten ihrer Wünsche, mit der ungeheuchelten Hochschätzung, wie sie aus der reinsten Liebe entspringt, und so mußte Duvernets Andenken in ihrer Seele bald ganz und gar erlöschen. Der erste Wolkenschatten, der in ihr helles Leben trat, war die Krankheit und der Tod des alten Vertua.

Seit jener Nacht, als er sein ganzes Vermögen an des Chevaliers Bank verlor, hatte er nicht wieder eine Karte berührt, aber in den letzten Augenblicken des Lebens schien das Spiel seine Seele zu erfüllen ganz und gar. Während der Priester, der gekommen, den Trost der Kirche ihm zu geben im Dahinscheiden, von geistlichen Dingen zu ihm sprach, lag er da mit geschlossenen Augen, murmelte zwischen den Zähnen: perdu – gagné – machte mit den im Todeskampf zitternden Händen die Bewegungen des Taillierens, des Ziehens der Karten. Vergebens beugte Angela, der Chevalier sich über ihn her, rief ihn mit den zärtlichsten Namen, er schien beide nicht mehr zu kennen, nicht mehr zu gewahren. Mit dem inneren Seufzer: gagné gab er den Geist auf.

In dem tiefsten Schmerz konnte sich Angela eines unheimlichen Grauens über die Art, wie der Alte dahinschied, nicht erwehren. Das Bild jener entsetzlichen Nacht, in der sie den Chevalier zum erstenmal als den abgehärtetsten, verruchtesten Spieler erblickte, trat wieder lebhaft ihr vor Augen und der fürchterliche Gedanke in ihre Seele, daß der Chevalier die Maske des Engels abwerfen und, in ursprünglicher Teufelsgestalt sie verhöhnend, sein altes Leben wieder beginnen könne.

Nur zu wahr sollte bald Angelas schreckliche Ahnung werden.

Solche Schauer auch der Chevalier bei dem Dahinscheiden des alten Francesco Vertua, der, den Trost der Kirche verschmähend, in der letzten Todesnot nicht ablassen konnte von dem Gedanken an sein früheres sündhaftes Leben, solche Schauer er auch dabei empfand, so war doch dadurch – selbst wußte er nicht, wie das geschah – das Spiel lebhafter als jemals wieder ihm in den Sinn gekommen, so daß er allnächtlich im Traume an der Bank saß und neue Reichtümer aufhäufte.

In dem Grade, als Angela, von jenem Andenken, wie der Chevalier ihr sonst erschienen, erfaßt, befangener, als es ihr unmöglich wurde, jenes liebevolle zutrauliche Wesen, mit dem sie ihm sonst begegnet, beizubehalten, in ebendem Grade kam Mißtrauen in des Chevaliers Seele gegen Angela, deren Befangenheit er jenem Geheimnis zuschrieb, das einst Angelas Gemütsruhe verstörte und das ihm unenthüllt geblieben. Dies Mißtrauen gebar Mißbehagen und Unmut, den er ausließ in allerlei Äußerungen, die Angela verletzten. In seltsamer psychischer Wechselwirkung frischte sich in Angelas Innerm das Andenken auf an den unglücklichen Duvernet und mit ihm das trostlose Gefühl der auf ewig zerstörten Liebe, die, die schönste Blüte, aufgekeimt im jugendlichen Herzen. Immer höher stieg die Verstimmung der Ehegatten, bis es so weit kam, daß der Chevalier sein ganzes einfaches Leben langweilig, abgeschmackt fand und sich mit aller Gewalt hinaussehnte in die Welt.

Des Chevaliers Unstern fing an zu walten. Was inneres Mißbehagen, tiefer Unmut begannen, vollendete ein verruchter Mensch, der sonst Croupier an des Chevaliers Bank gewesen und der es durch allerlei arglistige Reden dahin brachte, daß der Chevalier sein Beginnen kindisch und lächerlich fand. Er konnte nicht begreifen, wie er hat eines Weibes halber eine Welt verlassen können, die ihm allein des Lebens wert schien. –

Nicht lange dauerte es, so glänzte die reiche Goldbank des Chevalier Menars prächtiger als jemals. Das Glück hatte ihn nicht verlassen, Schlachtopfer auf Schlachtopfer fielen, und Reichtümer wurden aufgehäuft. Aber zerstört, auf furchtbare Weise zerstört war Angelas Glück, das einem kurzen schönen Traum zu vergleichen. Der Chevalier behandelte sie mit Gleichgültigkeit, ja mit Verachtung!

Oft sah sie ihn wochen-, monatelang gar nicht, ein alter Hausverweser besorgte die häuslichen Geschäfte, die Dienerschaft wechselte nach der Laune des Chevaliers, so daß Angela, selbst im eignen Hause fremd, nirgends Trost fand. Oft wenn sie in schlaflosen Nächten vernahm, wie des Chevaliers Wagen vor dem Hause hielt, wie die schwere Kassette heraufgeschleppt wurde, wie der Chevalier mit einsilbigen rauhen Worten um sich warf und dann die Türe des entfernten Zimmers klirrend zugeschlagen wurde, dann brach ein Strom bittrer Tränen aus ihren Augen, im tiefsten herzzerschneidendsten Jammer rief sie hundertmal den Namen Duvernet, flehte, daß die ewige Macht enden möge ihr elendes gramverstörtes Leben! –

Es geschah, daß ein Jüngling von gutem Hause sich, nachdem er sein ganzes Vermögen an der Bank des Chevaliers verloren, im Spielhause, und zwar in demselben Zimmer, wo des Chevaliers Bank etabliert war, eine Kugel durch den Kopf jagte, so daß Blut und Hirn die Spieler bespritzte, die entsetzt auseinanderfuhren. Nur der Chevalier blieb gleichgültig und fragte, als alles sich entfernen wollte, ob es Regel und Sitte wäre, eines Narren halber, der keine Konduite im Spiel besessen, die Bank vor der bestimmten Stunde zu verlassen. –

Der Vorfall machte großes Aufsehn. Die verruchtesten, abgehärtetsten Spieler waren indigniert von des Chevaliers beispiellosem Betragen. Alles regte sich wider ihn. Die Polizei hob die Bank des Chevaliers auf. Man beschuldigte ihn überdem des falschen Spiels, sein unerhörtes Glück sprach für die Wahrheit der Anklage. Er konnte sich nicht reinigen, die Geldstrafe, die er erlegen mußte, raubte ihm einen bedeutenden Teil seines Reichtums. Er sah sich beschimpft, verachtet – da kehrte er zurück in die Arme seines Weibes, die er mißhandelt und die ihn, den Reuigen, gern aufnahm, da das Andenken an den Vater, der auch noch zurückkam von dem wirren Spielerleben, ihr einen Schimmer von Hoffnung aufdämmern ließ, daß des Chevaliers Änderung nun, da er älter geworden, wirklich von Bestand sein könne.

Der Chevalier verließ mit seiner Gattin Paris und begab sich nach Genua, Angelas Geburtsort.

Hier lebte der Chevalier in der ersten Zeit ziemlich zurückgezogen. Vergebens blieb es aber, jenes Verhältnis der ruhigen Häuslichkeit mit Angela, das sein böser Dämon zerstört hatte, wiederherzustellen. Nicht lange dauerte es, so erwachte sein innerer Unmut und trieb ihn fort aus dem Hause in rastloser Unstetigkeit. Sein böser Ruf war ihm gefolgt von Paris nach Genua, er durfte es gar nicht wagen, eine Bank zu etablieren, ungeachtet es ihn dazu hintrieb mit unwiderstehlicher Gewalt. –

Zu der Zeit hielt ein französischer Obrister, durch bedeutende Wunden zum Kriegsdienst untauglich geworden, die reichste Bank in Genua. Mit Neid und tiefem Haß im Herzen trat der Chevalier an diese Bank, gedenkend, daß sein gewohntes Glück ihm bald beistehen werde, den Nebenbuhler zu verderben. Der Obrist rief dem Chevalier mit einem lustigen Humor, der ihm sonst gar nicht eigen, zu, daß nun erst das Spiel was wert, da der Chevalier Menars mit seinem Glück hinangetreten, denn jetzt gelte es den Kampf, der allein das Spiel interessant mache.

In der Tat schlugen dem Chevalier in den ersten Taillen die Karten zu wie sonst. Als er aber, vertrauend auf sein unbezwingbares Glück, endlich „Va banque" rief, hatte er mit einem Schlage eine bedeutende Summe verloren.

Der Obrist, sonst sich im Glück und Unglück gleich, strich das Geld ein mit allen lebhaften Zeichen der äußersten Freude. Von diesem Augenblick an hatte sich das Glück von dem Chevalier abgewendet ganz und gar.

Er spielte jede Nacht, verlor jede Nacht, bis seine Habe geschmolzen war auf die Summe von ein paar tausend Dukaten, die er noch in Papieren bewahrte.

Den ganzen Tag war der Chevalier umhergelaufen, hatte jene Papiere in bares Geld umgesetzt und kam erst am späten Abend nach Hause. Mit Einbruch der Nacht wollte er, die letzten Goldstücke in der Tasche, fort, da trat ihm Angela, welche wohl ahnte, was vorging, in den Weg, warf sich, indem ein Tränenstrom aus ihren Augen stürzte, ihm zu Füßen, beschwor ihn bei der Jungfrau und allen Heiligen, abzulassen von bösem Beginnen, sich nicht in Not und Elend zu stürzen.

Der Chevalier hob sie auf, drückte sie mit schmerzlicher Inbrunst an seine Brust und sprach mit dumpfer Stimme: „Angela, meine süße liebe Angela! Es ist nun einmal nicht anders, ich muß tun, was ich nicht zu lassen vermag. Aber morgen, morgen ist all deine Sorge aus, denn bei dem ewigen Verhängnis, das über uns waltet, schwör' ich's, ich spiele heut zum letztenmal! Sei ruhig, mein holdes Kind, schlafe, träume von glückseligen Tagen, von einem bessern Leben, dem du entgegengehst, was wird mir Glück bringen!" –

Damit küßte der Chevalier sein Weib und rannte unaufhaltsam von dannen.

Zwei Taillen, und der Chevalier hatte alles, alles verloren! –

Regungslos blieb er stehen neben dem Obristen und starrte in dumpfer Sinnlosigkeit hin auf den Spieltisch.

„Ihr pontiert nicht mehr, Chevalier?“ sprach der Obrist, indem er die Karten melierte zur neuen Taille. „Ich habe alles verloren“, erwiderte der Chevalier mit gewaltsam erzwungener Ruhe.

„Habt Ihr denn gar nichts mehr?“ fragte der Obrist bei der nächsten Taille.

„Ich bin ein Bettler!“ rief der Chevalier mit vor Wut und Schmerz zitternder Stimme, immerfort hinstarrend auf den Spieltisch und nicht bemerkend, daß die Spieler immer mehr Vorteil ersiegten über den Bankier.

Der Obrist spielte ruhig weiter.

„Ihr habt ja aber ein schönes Weib“, sprach der Obrist leise, ohne den Chevalier anzusehen, die Karten melierend zur folgenden Taille.

„Was wollt Ihr damit sagen?“ fuhr der Chevalier zornig heraus. Der Obrist zog ab, ohne dem Chevalier zu antworten.

„Zehntausend Dukaten oder – Angela“, sprach der Obrist, halb umgewendet, indem er die Karten kupieren ließ.

„Ihr seid rasend!“ rief der Chevalier, der nun aber, mehr zu sich selbst gekommen, zu gewahren begann, daß der Obrist fortwährend verlor und verlor.

„Zwanzigtausend Dukaten gegen Angela“, sprach der Obrist leise, indem er mit dem Melieren der Karten einen Augenblick innehielt.

Der Chevalier schwieg, der Obrist spielte weiter, und beinahe alle Karten schlugen den Spielern zu.

„Es gilt“, sprach der Chevalier dem Obristen ins Ohr, als die neue Taille begann, und schob die Dame auf den Spieltisch. –

Im nächsten Abzug hatte die Dame verloren.

Zähneknirschend zog sich der Chevalier zurück und lehnte, Verzweiflung und Tod im bleichen Antlitz, sich ins Fenster. Das Spiel war geendet, mit einem höhnischen: „Nun, wie wird's weiter?“ trat der Obrist hin vor den Chevalier.

„Ha“, rief der Chevalier, ganz außer sich, „Ihr habt mich zum Bettler gemacht, aber wahnsinnig müßt Ihr sein, Euch einzubilden, daß Ihr mein Weib gewinnen konntet. Sind wir auf den Inseln, ist mein Weib eine Sklavin, schnöder Willkür des verruchten Mannes preisgegeben, daß er sie zu verhandeln, zu verspielen vermag? Aber es ist wahr, zwanzigtausend Dukaten mußtet Ihr zahlen, wenn die Dame gewann, und so habe ich das Recht jedes Einspruchs verspielt, wenn mein Weib mich verlassen und Euch folgen will. Kommt mit mir und verzweifelt, wenn mein Weib mit Abscheu den zurückstößt, dem sie folgen soll als ehrlose Mätresse!"

„Verzweifelt selbst", erwiderte der Obrist hohnlachend, „verzweifelt selbst, Chevalier, wenn Angela Euch, Euch, den verruchten Sünder, der sie elend machte, verabscheuen und mit Wonne und Entzücken mir in die Arme stürzen wird – verzweifelt selbst, wenn Ihr erfahrt, daß der Segen der Kirche uns verbunden, daß das Glück unsere schönsten Wünsche krönt! Ihr nennt mich wahnsinnig! Hoho! Nur das Recht des Einspruchs wollt' ich gewinnen, Euer Weib war mir gewiß! – Hoho, Chevalier, vernehmt, daß *mich, mich* Euer Weib, ich weiß es, unaussprechlich liebt. Vernehmt, daß ich jener Duvernet bin, des Nachbars Sohn, mit Angela erzogen, in heißer Liebe mit ihr verbunden, den Ihr mit Euern Teufelskünsten vertriebt! Ach! Erst als ich fort mußte in den Krieg, erkannte Angela, was ich ihr war, ich weiß alles. Es war zu spät! Der finstre Geist gab mir ein, im Spiel könnte ich Euch verderben, deshalb ergab ich mich dem Spiel, folgte Euch nach Genua – es ist mir gelungen! Fort nun zu Eurem Weibe!"

Vernichtet stand der Chevalier, von tausend glühenden Blitzen getroffen. Offen lag vor ihm jenes verhängnisvolle Geheimnis, nun erst sah er das volle Maß des Unglücks ein, das er über die arme Angela gebracht.

„Angela, mein Weib, mag entscheiden", sprach er mit dumpfer Stimme und folgte dem Obristen, welcher fortstürmte.

Als, ins Haus gekommen, der Obrist die Klinke von Angelas Zimmer erfaßte, drängte der Chevalier ihn zurück und sprach: „Mein Weib schläft, wollt Ihr sie aufstören aus süßem Schlafe?" – „Hm", erwiderte der Obrist, „hat Angela wohl jemals gelegen in süßem Schlaf, seit ihr von Euch namenloses Elend bereitet wurde?"

Der Obrist wollte ins Zimmer, da stürzte der Chevalier ihm zu Füßen und schrie in heller Verzweiflung: „Seid barmherzig! Laßt mir, den Ihr zum Bettler gemacht, laßt mir mein Weib!"

„So lag der alte Vertua vor Euch, dem gefühllosen Bösewicht, und vermochte Euer steinhartes Herz nicht zu erweichen, dafür die Rache des Himmels über Euch!"

So sprach der Obrist und schritt aufs neue nach Angelas Zimmer.

Der Chevalier sprang nach der Tür, riß sie auf, stürzte hin zu dem Bette, in dem die Gattin lag, zog die Vorhänge auseinander, rief: „Angela, Angela!" – beugte sich hin über sie, faßte ihre Hand, bebte wie im plötzlichen Todeskrampf zusammen, rief dann mit fürchterlicher Stimme: „Schaut hin! Den Leichnam meines Weibes habt Ihr gewonnen!"

Entsetzt trat der Obrist an das Bette – keine Spur des Lebens. Angela war tot – tot.

Da ballte der Obrist die Faust gen Himmel, heulte dumpf auf, stürzte fort. Man hat nie mehr etwas von ihm vernommen!«

So hatte der Fremde geendet und verließ nun schnell die Bank, ehe der tief erschütterte Baron etwas zu sagen vermochte.

Wenige Tage darauf fand man den Fremden, vom Nervenschlag getroffen, in seinem Zimmer. Er blieb sprachlos bis zu seinem Tode, der nach wenigen Stunden erfolgte; seine Papiere zeigten, daß er, der sich Baudasson schlechthin nannte, niemand anders gewesen als eben jener unglückliche Chevalier Menars.

Der Baron erkannte die Warnung des Himmels, der ihm, als er eben sich dem Abgrund näherte, den Chevalier Menars in den Weg führte zu seiner Rettung, und gelobte, allen Verlockungen des täuschenden Spielerglücks zu widerstehen.

ENDE

INHALT

465/66 *Honoré de Balzac,* Der Vetter Pons
464 *Honoré de Balzac,* Das Mädchen mit den Goldaugen u. a.
462/63 *Alexander Dumas,* Zwanzig Jahre nachher*
461 *Goethe,* Die Leiden des jungen Werthers
460 *Rolf Italiaander,* Wann reist du ab, weißer Mann?
459 *Abbé Prévost,* Manon Lescaut
458 *Cicero,* Staatslehre und -verwaltung
456/57 *E. T. A. Hoffmann,* Elixiere des Teufels / Klein Zaches
455 *Robert Bauer,* Das Jahrhundert der Chemiefasern
453/54 *Goethe,* Gedichte (Auswahl)
452 *Herodot,* Historien, Reisen in Kleinasien und Ägypten
451 *Thyde Monnier,* Wein und Blut
450 *Friedrich Schiller,* Gedichte und Balladen (Auswahl)
449 *August Strindberg,* Historische Miniaturen
447/48 *Vergil,* Aeneis
446 *Aischylos,* Tragödien. Perser, Sieben gegen Theben, Orestie
445 Schwedische Volksmärchen
444 *Heinrich Heine,* Wintermärchen, Atta Troll, Zeitkrit. Schriften
443 *Edgar Wallace,* Bones in Afrika. Berühmter Afrika-Roman
441/42 Tausendundeine Nacht (Auswahl)
440 *Gottfried Keller,* Die Leute von Seldwyla (Erster Teil)
439 *Goethe,* Jugenddramen. Götz von Berlichingen, Clavigo, Stella
437/38 *Tacitus,* Germania/Annalen
435/36 *Fjodor Dostojewskij,* Raskolnikoff – Schuld und Sühne
434 *Friedrich Schiller,* Wallenstein
433 *Alphonse Daudet,* Tartarin von Tarascon. Heiterer Roman
430/32 *Leo N. Tolstoi,* Krieg und Frieden. (Dreifachband*)
429 *Hölderlin,* Ausgewählte Gedichte / Hyperion
428 *Eichendorff.* Aus dem Leben eines Taugenichts / Ausgew. Ged.
427 *Goethe,* Italienische Reise (Auswahl)
426 *Prosper Mérimée,* Carmen / Colomba
425 *Karl Eskelund,* Kopf in der Tasche
424 *Leo N. Tolstoi,* Erzählungen. Vier Meistererzählungen
422/23 *Grimmelshausen,* Abenteuerlicher Simplicissimus. Roman
421 *Ovid,* Liebeskunst. Vollständige Ausgabe
420 *N. Ljesskow,* Der stählerne Floh und andere Erzählungen
419 *Conrad Ferdinand Meyer,* Jürg Jenatsch. Historischer Roman
418 *Marcus Tullius Cicero,* Reden und Briefe
417 *Guy de Maupassant,* Ein Mädchen erwacht zur Frau
416 *Friedrich Schiller,* Jugenddramen. Räuber, Kabale, Don Carlos
415 *William Quindt,* Der Tiger Akbar. Zirkusroman
414 *Eduard Mörike,* Erzählungen / Ausgewählte Gedichte
412/13 Die Märchen der *Brüder Grimm.* Vollständige Ausgabe
411 *Homer,* Ilias. Übertragung von J. H. Voß
410 *Heinrich Heine,* Reisebilder / Späte Lyrik

409 *Thyde Monnier*, Annonziata. Roman einer Leidenschaft
407/08 *Shakespeare*, Schicksals- und Königsdramen
406 *Gaius Julius Caesar*, Der Gallische Krieg
404/05 *Alexander Dumas*, Die drei Musketiere*
403 *Friedrich Nietzsche*, Also sprach Zarathustra
401/02 *Shakespeare*, Komödien. Sieben berühmte Komödien
400 *Heinrich von Kleist*, Ausgewählte Dramen
399 *Honoré de Balzac*, Das Chagrinleder
398 *Oscar Wilde*, Märchen
397 *Shakespeare*, Dramen. Romeo und Julia, Hamlet, Othello
396 *Georges Duhamel*, Schrei aus der Tiefe
395 *Georg Büchner*, Gesammelte Werke. Dantons Tod, Woyzeck u. a.
394 *Goethe*, Die Wahlverwandtschaften
393 *Erskine Caldwell*, Opossum. Realist. Roman aus Amerika
391/92 *E. T. A. Hoffmann*, Lebensansichten des Katers Murr
390 *Sophokles*, Tragödien. Antigone, Ödipus, Ödipus auf Kolonos
388/89 *Robert Penn Warren*, Der Gouverneur
387 *Nicolai Gogol*, Novellen. Der Mantel, Das Porträt u. a.
386 *Heinrich von Kleist*, Sämtliche Novellen
385 *Heinrich Heine*, Ausgewählte Prosa
384 *Johannes Rüber*, Das Mädchen Amaryll. Liebesroman
383 Willst du dein Herz mir schenken. Deutsche Liebesgedichte
382 *Godfried Bomans*, Die Memoiren des Herrn Ministers
380/81 *Stendhal*, Rot und Schwarz
379 *Guy de Maupassant*, Bel Ami
377/78 *Miguel de Cervantes*, Don Quixote*
376 *Alice Berend*, Die Reise des Herrn Sebastian Wenzel
375 *Arthur Omre*, Die Flucht. Roman eines Schmugglers
374 *Homer*, Odyssee. Übertragung von J. H. Voß
373 *Karl Eskelund*, Hallo, Sahib! Mit dem Auto durch Indien
372 *François Mauriac*, Denn du kannst weinen / Galigai
371 *Goethe*, Faust I. und II. Teil. Die billigste Faustausgabe
370 *C. H. / Maliepaard*, Wasserräder am Euphrat. Reisebericht
368/69 *Fr. Brett Young*, Des Lebens Bogen. Arztroman
367 *Heinrich Heine*, Buch der Lieder
366 *Louise A. Stinetorf*, Ärztin im Urwald. Erlebnisbericht
365 *Alexander Puschkin*, Die Hauptmannstochter / Pique Dame
364 *Guy de Maupassant*, Die schönsten Novellen
363 *Monica Dickens*, Schwester Dickens
361/62 *Fjodor Dostojewskij*, Der Idiot
360 *André Maurois*, Schule für Eheglück. Lebensweisheiten
359 *François Mauriac*, In diesen Kreisen
358 *Wilhelm v. Scholz*, Das Buch des Lachens. Witze u. Anekdoten
357 *Alice Berend*, Spreemann & Co. Roman aus dem alten Berlin
356 *Otto Julius Bierbaum*, Eine empfindsame Reise im Automobil

355 *Werner v. d. Schulenburg,* Der Papagei der Konsulin
354 *Madelon Lulofs,* Gummi. Ein Roman aus Sumatra
353 *Edgar Wallace,* Leutnant Bones. Berühmter Afrika-Roman
352 *Ruth Park,* Glück – gezahlt in kleiner Münze
351 *Pierre Daye,* Stanley. Die Eroberung von Zentralafrika
350 *Alfred Neumann,* Der Patriot / König Haber
349 *Robert H. Sperling,* Piratin Fu. Ein tolles Chinabuch
347/48 *Giovanni Boccaccio,* Das Decameron*
346 *Alice Berend,* Frau Hempels Tochter. Heiterer Roman
345 *William Quindt,* Die Straße der Elefanten. Abenteuerroman
344 *Vetura G. Calderon,* Traum in der Sierra. Novellen
343 *John Erskine, Vergiß,* wenn du kannst
342 *Iwan Turgenjew,* Vater und Söhne
341 *Madelon Lulofs,* Kuli. Das Schicksal eines jungen Javaners
340 *Per Anders Fogelström,* Die Zeit mit Monika
339 *Anton Tschechow,* Ariadna. Sechs Geschichten von der Liebe
338 *Paul Keller,* Der Sohn der Hagar
337 *Otto Julius Bierbaum,* Die Schlangendame. Erzählungen
336 *Ernst Schäfer,* Über den Himalaja ins Land der Götter
335 *Betty McDonald,* Einmal scheint die Sonne wieder
334 *Otto Julius Bierbaum,* Das schöne Mädchen von Pao u. a.
333 *Alice Berend,* Die Bräutigame der Babette Bomberling
332 *André Chamson,* Die Herberge in den Cevennen
331 *Anton Tschechow,* Heitere Erzählungen
330 *Fjodor Dostojewskij,* Russische Liebesgeschichten
329 *Albert Gervais,* Malven auf weißer Seide. Roman aus China
328 *Ernst Schäfer,* Fest der weißen Schleier. Forscherbericht
327 *Albéric Cahuet,* Der Husar des Kaisers. Roman
326 *Georges Arnaud,* Lohn der Angst. Realistischer Roman
325 *Peter Bongard,* Harz privat. Roman einer verliebten Reise
324 *Betina Ewerbeck,* Angela Koldewey. Roman einer Ärztin
323 *Luis Trenker,* Der verlorene Sohn. Das Buch zum Film
322 *Horst Wolfram Geißler,* Der unheilige Florian
321 *Ernst Schäfer,* Unter Räubern in Tibet. Forscherbericht
320 *Hans Fallada,* Die Stunde eh' du schlafen gehst
319 *Alphonse Daudet,* Der kleine Dingsda
318 *Edgar Wallace,* Bosambo. Berühmter Afrika-Roman
317 *Alice Berend,* Ein Hundeleben. Geschichte eines Dobermanns
316 *Fritz Pachtner,* Richtig denken – richtig arbeiten
315 *Hilde Walde,* Die andere Maria. Problem einer zweiten Ehe
314 *Kristmann Gudmundsson,* Helle Nächte. Isländischer Roman
313 *Lucile Decaux,* Napoleons große Liebe. Gräfin Walewska
312 *Friedrich Huch,* Pitt und Fox. Roman
311 *Edgar Wallace,* Sanders vom Strom. Abenteuer in Afrika
310 *Alexander Dumas,* Der Graf von Monte Christo*

Fortsetzung »Goldmanns GELBE Taschenbücher«

309 *Fritz Pachtner*, Lokomotivkönig August Borsig. Biographie
308 *Heinrich Seidel*, Leberecht Hühnchen. Heitere Erzählung
307 *Albert Gervais*, Ein Arzt erlebt China. Erlebnisbericht
306 *Richard Voss*, Alpentragödie. Roman aus den Bergen
305 *Hermann Sudermann*, Der Katzensteg
304 *Kristmann Gudmundsson*, Morgen des Lebens
303 *Horst Wolfgang Geißler*, Die Glasharmonika
302 *Jakob Christoph Heer*, Tobias Heider
301 *Paul Keller*, Die Heimat

Monatlich erscheinen vier bis fünf neue Bände

Goldmanns GELBE Taschenbücher im Urteil ihrer Leser und der Presse:

L. K. in Nördlingen:
»Mit der Herausgabe von Romanen und anderer Literatur bekannter Autoren zu einem volkstümlichen Preis verdienen Sie den Dank und die Anerkennung aller, die bisher auf den Besitz guter Bücher verzichten mußten.«

H. G., Stud. phil. in Würzburg:
»Ich bin ein begeisterter Leser Ihrer Bücher und erstaunt, welch großartige Werke der antiken Prosa und Epik und der deutschen Literatur Sie laufend neu erscheinen lassen.«

Düsseldorfer Nachrichten, Düsseldorf:
»Der außerordentliche Erfolg der Taschenbücher des Goldmann Verlages, München, kommt nicht von ungefähr. Vor allem die Reihe ›Klassiker und Weltliteratur‹, zeigt das ernsthafte Bemühen des Verlages, zu einem sehr geringen Preis klassische Literatur in einwandfreien Ausgaben und fast grundsätzlich ungekürzt zu verbreiten, die geeignet sind, unseren verengten Horizont zu erweitern und wirkliche Bildung zu vermitteln.
Die Übersetzungen, die Einführungen zeugen von großer Gewissenhaftigkeit, ohne philologischen Ballast kann man sich der Lektüre unvergänglicher Meisterwerke hingeben. Eine prächtige Leistung.«

Goldmanns GELBE Taschenbücher erhalten Sie in allen Buchhandlungen und an den Bahnhofskiosken. Bitte fragen Sie dort von Zeit zu Zeit nach den Neuerscheinungen.

WILHELM GOLDMANN VERLAG MÜNCHEN 8

G

GOLDMANNS TASCHEN-*KRIMI*

Ungekürzte Ausgaben – schmiegsam gebunden

Jeder Band DM 1.90

Bisher sind erschienen:

166 *Victor Gunn*, Der Tod hat eine Chance
165 *Margot Neville*, Susan macht Fehler
164 *Edgar Wallace*, Die Abenteuerin
163 *Edgar Wallace*, Louba der Spieler
162 *Victor Gunn*, Auf eigene Faust
161 *Belton Cobb*, Eine seltsame Firma
160 *Edgar Wallace*, Die drei von Cordova
159 *Edgar Wallace*, Der Joker
158 *Herbert Adams*, Der goldene Affe
157 *Margaret Scherf*, Auf glattem Parkett
156 *Thomas Muir*, Mord unter Wasser
155 *Edgar Wallace*, Turfschwindel
154 *Edgar Wallace*, Das silberne Dreieck
153 *Margaret Scherf*, Der Toledaner Degen
152 *Marten Cumberland*, Schritte im Dunkeln
151 *Henry Holt*, Die Flüsterstimme
150 *Edgar Wallace*, Der grüne Bogenschütze
149 *Andrew Garve*, Anruf bei Miss Forrester
148 *Victor Gunn*, Die Erpresser
147 *Victor Gunn*, Spuren im Schnee
146 *Thomas Muir*, Das Mädchen auf dem Schlepper
145 *Herbert Adams*, Der Judaskuß
144 *Helen Nielsen*, Papagei des Teufels
143 *Victor Gunn*, Inspektor Cromwells großer Tag
142 *Arthur W. Upfield*, Die Witwen von Broome
141 *Marten Cumberland*, Die Perlen der Manette Sugru
140 *Victor Gunn*, Im Nebel verschwunden
139 *Edgar Wallace*, Das Gesicht im Dunkel
138 *W. M. Duncan*, Die Gesellschaft der Sünder
137 *Ellery Queen*, Chinesische Mandarinen
136 *Edgar Wallace*, Der Engel des Schreckens
135 *Henry Holt*, Die Wolfsklaue
134 *Herbert Adams*, Ein merkwürdiges Testament
133 *John W. Vandercook*, Der Sumpf auf Trinidad
132 *Kevin O'Hara*, Zwischen zwei Gegnern
131 *Ellery Queen*, Die siamesischen Zwillinge
130 *Thomas Muir*, Das Geheimnis der ›Sappho‹

Fortsetzung »Goldmanns Taschen-KRIMI«

129 *Ferry Rocker*, Schüsse im Quartier Latin
128 *John Cassells*, Der Nebelkreis
127 *Anthony Abbot*, Das Rätsel um die Zirkuskönigin
126 *Edgar Wallace*, A. S. der Unsichtbare
125 *Earl Derr Biggers*, Der Chinesenpapagei
124 *Edgar Wallace*, Der Mann von Marokko
123 *Hans Hoernig*, Inspektor Carr zweifelt
122 *Henry Holt*, Die Tongabohne
121 *Herbert Adams*, Eine Tasse Tee
120 *Mignon G. Eberhart*, Während der Kranke schlief
119 *Kevin O'Hara*, Gefährliche Fenster
118 *Stuart Palmer*, Der blaue Chrysler
117 *Edgar Wallace*, Im Banne des Unheimlichen
116 *Edgar Wallace*, Der Preller
115 *Andrew MacKenzie*, Der Lockvogel
114 *John Creasey*, Der Toff und die Lady
113 *Edgar Wallace*, Das geheimnisvolle Haus
112 *Kevin O'Hara*, Die Tänzerin
111 *Edgar Wallace*, Der Brigant
110 *Belton Cobb*, Detektiv auf Urlaub
109 *Stuart Palmer*, Die Bruyère-Pfeife
108 *Frank Chittenden*, Der ungeladene Gast
107 *John Creasey*, Der Toff und das Mammut
106 *Louis Weinert-Wilton*, Der Teppich des Grauens
105 *Andrew MacKenzie*, Der rote Fleck
104 *Stuart Palmer*, Der kleine Pfefferbaum
103 *Edgar Wallace*, Neues vom Hexer
102 *John Cassells*, Die Schwarzen Tränen
101 *Lovat Marshall*, Der Goldfisch beißt an
100 *Edgar Wallace*, Bei den 3 Eichen
99 *Kevin O'Hara*, Die Schauspielerin
98 *Agatha Christie*, Das Haus an der Düne
97 *Edgar Wallace*, Das Steckenpferd des alten Derrick
96 *Andrew MacKenzie*, Gerüchte in Monte Carlo
95 *Edgar Wallace*, Der Doppelgänger
94 *W. M. Duncan*, Maske des Mörders
93 *Frank Chittenden*, Verhängnisvolle Heimkehr
92 *Andrew MacKenzie*, Schatten über dem Fluß
91 *Edgar Wallace*, Der leuchtende Schlüssel
90 *Thomas Walsh*, Nachtposten vor Nr. 1775
89 *Kevin O'Hara*, Die ›Rosarote Brille‹
88 *Edgar Wallace*, Das Gasthaus an der Themse
87 *Earl Derr Biggers*, Das Haus ohne Schlüssel
86 *Edgar Wallace*, Der Mann, der alles wußte
85 *John Cassells*, Treffpunkt: Alte Eiche

Fortsetzung »Goldmanns Taschen-KRIMI«

39 *Edgar Wallace*, Die 4 Gerechten
38 *John S. Fletcher*, Die Kavalier GmbH
37 *Edgar Wallace*, Das Geheimnis der gelben Narzissen
36 *Stanislas A. Steeman*, Die Nacht vom 12. zum 13.
35 *Edgar Wallace*, Der rote Kreis
34 *Herbert Adams*, Was wird aus Nonna?
33 *Edgar Wallace*, Die gelbe Schlange
32 *Paulus Schotte*, Ein Mann verfolgt sich selbst
31 *Stanislas A. Steeman*, Die schlafende Stadt
30 *Edgar Wallace*, Der Hexer
29 *Ferry Rocker*, John Kennedys Gäste
28 *Edgar Wallace*, Ein gerissener Kerl
27 *Ferry Rocker*, Das Geheimnis des Turmes
26 *Jan Apon*, Ein gewisser Manuel
25 *Ferry Rocker*, Mord in Kensington
24 *H. M. Kritz*, Tumult im 6. Stock
23 *John S. Fletcher*, Die verschwundene Chronik
22 *Ferry Rocker*, In einer Nebelnacht
21 *Edgar Wallace*, Die Tür mit den 7 Schlössern
20 *Stanislas A. Steeman*, Herr Wenz spielt aus
19 *John S. Fletcher*, Schatten über Nicholas
18 *Seamark*, Die Vantine-Diamanten
17 *J. M. Walsh*, Die Nebelbanditen
16 *Edgar Wallace*, Der Diamantenfluß
15 *John S. Fletcher*, Das Haus am Dienstagmarkt
14 *Herbert Adams*, Das rätselhafte Spiel
13 *Edgar Wallace*, Hands up!
12 *Agatha Christie*, Alibi
11 *Edgar Wallace*, Die Bande des Schreckens
10 *John S. Fletcher*, Das Teehaus in Mentone
9 *Agatha Christie*, Mord auf dem Golfplatz
8 *Seamark*, Das Kokainschiff
7 *Herbert Adams*, Zwischen 10 und 12
6 *Edgar Wallace*, Die blaue Hand
5 *Louis Weinert-Wilton*, Die Panther
4 *Agatha Christie*, Tod in den Wolken
3 *Mignon G. Eberhart*, Der dunkle Garten
2 *Louis Weinert-Wilton*, Die weiße Spinne
1 *Edgar Wallace*, Der Frosch mit der Maske

156 Seiten, 8 Farbtafeln, 147 einfarbige Abbildungen und 17 Seiten Text. Format 22×29 cm. In Leinen DM 29.80.

Der weibliche Akt in der europäischen Malerei

Zusammengestellt und eingeleitet von *Jean-Louis Vaudoyer*

Dieses reizvolle Thema kommt in dem vorliegenden Band von den frühesten Anfängen bis Picasso in seiner ganzen Vielfalt zum Ausdruck. In der Vielseitigkeit der Bildauswahl, dem geistreichen Einführungs-Essay sowie den sorgfältigen Kommentaren zu den einzelnen Abbildungen zeigt der Verfasser seine feinsinnige Kennerschaft.

Rhein-Zeitung, Koblenz: »Der Band stellt mit einer beispielhaften Bildauswahl eine schöne Bereicherung der Kunstliteratur dar.«

192 Seiten, 140 Abbildungen, 2 Farbtafeln, 2 Kartenskizzen und 51 Seiten Text. Format 25×35 cm. In Leinen DM 45.–.

Primitive Kunst

aus West- und Mittelafrika, Indonesien, Polynesien und Nordwestamerika

Von *Warner Muensterberger*

Prof. Muensterberger führt hier an Hand eines vorbildlichen Anschauungsmaterials in die erregende Welt der primitiven Kunst ein, die erstaunlich moderne Züge aufweist.

Bayerischer Rundfunk: »Der Betrachter tut einen Blick in eine uralte Welt, in der die Götter noch drohende Dämonen sind und wo in den Gesichtern der Menschen die Angst herrscht ...«

St. Galler Tagblatt: »Eines der schönsten Bücher über primitive Kunst, sowohl in Auswahl und Darstellung der Objekte als auch im von erstaunlichem Wissen getragenen Textteil ...«

Wenn Sie auf der Rückseite dieser Karte **nur Ihre** Anschrift eintragen und die Sie interessierenden Gebiete in den Vierecken ankreuzen, beträgt das Porto innerhalb Deutschlands 7 Pfennig. Bei weiteren Eintragungen bitte als Postkarte frankieren. Goldmann-Bücher erhalten Sie in allen Buchhandlungen und an den meisten Bahnhofskiosken überall in der Welt, wo deutsche Bücher verkauft werden.

Für Mitteilungen:

1545 · 758 · 170

Bitte beachten Sie den Text über Frankierung

An den

Wilhelm Goldmann Verlag

MÜNCHEN 8

Postfach